БОЛЬШАЯ БИБЛИОТЕКА «СЛОВА»

Е. Гинзбург. *Литературная фантазия*

Станислав Рассадин

Русская литература: от Фонвизина до Бродского

СЛОВО/SLOVO

УДК 882(09)
ББК 83.3(2Рос-Рус)
Р 24

Редактор *Е. С. Сабашникова*
Дизайн серии: *К. Е. Журавлев*
Дизайн и верстка: *Н. Ю. Пекина*
Корректор *Т. А. Горячева*
Компьютерная обработка
иллюстраций: *М. А. Михальчук*

Серия: Большая библиотека «Слова»
ISBN 5-85050-595-4

Содержание

Не переступая порога

«Заходите, пожалуйста. Это / Стол поэта. Кушетка поэта / Книжный шкаф. Умывальник. Кровать. / Это штора — окно прикрывать». И т.д. — вплоть до: «Смерть поэта — последний раздел./Не толпитесь перед гардеробом...»

Так начинается и заканчивается стихотворение Давида Самойлова *Дом-музей*. Язвительное и печальное. Печаль — оттого, что публика, превращаясь в толпу, с любопытством воспринимает скорее то, что «вокруг Пушкина» (или кого-то еще), чем его личность. А язвительность целит в тех, кто потакает этому любопытству, в данном случае — в некоего экскурсовода.

И все-таки роль экскурсовода заманчива — хотя бы и тем, что у него есть необременительный минимум свободы воли. Минимум — ибо экскурсовод поставлен в строгие рамки того, что есть, что создано историей искусства (в нашем случае — литературы). Но — воли, так как в его естественном праве не скрывать от «экскурсантов» своих мнений, даже предпочтений.

Словом, пойдем — из зала в зал, из эпохи в эпоху, впрочем, сразу, с порога кое о чем договорившись принципиально.

Развивая нехитрую аналогию с музеем: да, будем следовать за движением времени, но время — едва ли не единственная общая категория, объединяющая разных художников. Разностью и интересных. «Литературная группировка», «школа», «течение» (даже такое объемистое, как «реализм») — все это по-своему интересно, но больше для ...ведов (искусствоведов, литературоведов). Автор же этой книги хочет быть ...водом.

Сдается, мы чрезмерно глубокомысленно занимаемся изучением (и воскрешением) этих «направлений» и «школ» — как обстоятельств возникновения произведений. Нет, обстоятельствам следует быть благодарными — или наоборот; изучать их весьма любопытно, но... Уж на что представителен был известный нам со школьной скамьи *Арзамас*, кружок, в который входили, шутка сказать, Жуковский, Батюшков, Вяземский, Дельвиг, Пушкин, однако вот чем он остался в памяти его старейшины Василия Андреевича Жуковского:

«Мы собирались, чтобы похохотать во все горло, как сумасшедшие... Пока мы были только шутами, наше общество оставалось деятельным и полным жизни; как скоро приняли решение стать серьезными, — оно умерло скоропостижной смертью».

Какой урок той серьезности, с какой мы умерщвляем живую жизнь литературы!

Больше того. Всякая литературная школа, будь то романтизм, реализм — или у́же и мельче: символизм, футуризм, — едва сложившись и обнародовав свой манифест, заявив патент на особенности и приемы, именно в этот самый момент, ни секундой позже, делает шаг к своему упадку. Да! Хотя бы по той причине, что, установивши границы, ставит преграды для истинного таланта. Который, ежели он талант, всегда плохо слушается законоучителей.

Все это очень легко оспорить — с точки зрения ...ведения, которое обычно присваивает себе статус ведомства или точной науки. И все-таки вот банальность, которой пренебрегают лекционные курсы и учебники литературы: история той словесности, что не только была, но осталась жить, — это история личностей. Можно даже сказать: личности, потому что она, личность — во всей полноте и в умении выразить полноту, — пробудилась не сразу. И пробуждалась трудно. Так, допустим, гениальный Денис Фонвизин, стесненный строгими правилами своего века, пробивается... К читателю-зрителю? Нет, к себе самому. Учится выявлять собственную неповторимую личность — именно и только ее.

Можно сказать, что тем самым — и тоже не сразу, трудно — Фонвизин осознавал себя не кем иным, как литератором. Что на Руси было отнюдь не привычным делом.

Даже опасным? Не без того, ибо рост писательского самосознания, а вместе с этим и рост человеческого достоинства обернулся для того же Дениса Ивановича опалой. Но не только об этом речь.

Когда в эпоху Петра I многие литературные произведения выходили в свет безымянными, это не было следствием страха. То есть был, конечно, и страх — как иначе, если Петр издал указ о запрете писать что-либо запершись? (Уличенным и тем, кто видел, да не донес, полагалась смертная казнь.) Но таким образом власть невольно оказывала своеобразное уважение слову — задолго до того, как самоуважение обретут сами литераторы. Рукописи же выходили без гордого имени сочинителя главным образом потому, что самой гордости — не было. Быть «авктором» (тогдашнее написание) вовсе не считалось за честь.

Вышеизложенное — причина, почему в моей книге не найдется места для иных из тех сочинителей, кто по праву учтен историей литературы, обозреваемой литературной наукой. Взятый почти наудачу пример: достойнейший Антиох Дмитриевич Кантемир (1708–1744), человек прелюбопытной судьбы. Тот остракизм, коему подвергает его — увы! — моя книга, имеет в основе не только то, что его сатиры, писанные стихом силлабическим, отверженным российской поэзией, ныне неудобочитаемы.

(Хотя и это — критерий отбора.) Собственное самосознание Кантемира оставило его за той чертой, лишь переступивши которую и началась живая, выжившая словесность. Поэтом он был постольку-поскольку, и хотя намеревался опубликовать свои сочинения, дело до этого не дошло. Как стихотворец он существовал в списках в «самиздате».

Словом, вот моя аксиома: литература становится литературой только тогда, когда литератор осознает себя литератором. Это покуда не стало правилом даже в сравнительно близком к нам XVIII веке, — что ж говорить о древней русской литературе?

Вот цитата:

«Это был поразительно талантливый человек. Казалось, ничто не затрудняло его в письме. Речь его текла совершенно свободно... Он был искренен даже тогда, когда впадал в скомороший тон. Это было актерство азарта, а не притворство из расчета».

Добавим такой термин, как «художественное перевоплощение», без чего не бывает литературного творчества, и заключим характеристикой, свидетельствующей о полноте и свободе самовыявления личности «поразительно талантливого» писателя: «Смелый новатор, изумительный мастер языка, то гневный, то лирически приподнятый...» О ком это? О Гоголе? О Булгакове?

Нет. Это академик Д.С. Лихачев пишет об Иване Грозном. О его переписке с князем Курбским и Василием Грязным. И в основе этого парадокса (или, напротив, закономерности, только пробудившейся много раньше того, как она станет закономерностью общей) лежит парадокс (или опять же закономерность) истории:

«Произведения Грозного принадлежат эпохе, когда индивидуальность уже резко проявилась у государственных деятелей, и в первую очередь у самого Грозного, а индивидуальный стиль писателей был развит еще очень слабо...»

Добавлю: если вообще — развит, так как помянутое самовыявление личности есть достижение лишь самого конца XVIII века (ярче всех — у Державина), а закрепилось оно в XIX. «Ты царь...» — скажет поэту, то бишь себе самому, Пушкин, а в XVI веке — наоборот. Только царю в смысле самом буквальном, Ивану IV, по случайности наделенному словесным талантом, суждено быть «поэтом», художником слова. Та творческая свобода, которую в муках обретет российская литература, вручена ему вместе со скипетром.

Итак: «Авторское начало было приглушено в древнерусской литературе. В ней не было ни Шекспира, ни Данте. (Кто забыл: Шекспир как раз — современник Ивана Грозного, Данте жил тремя веками раньше обоих. — Ст. Р.) Это хор, в котором совсем нет или очень мало солистов и в основном господствует унисон.

...Древняя русская литература... ближе к фольклору, чем к индивидуализированному творчеству писателей нового времени».

В. Фаворский. Иллюстрация к *Слову о полку Игореве*

Это — вновь — Лихачев, избранный мною на роль всеведущего эксперта. Хотя и тут позволю себе поправку.

«Авторское начало» не только приглушено. Это ведь можно сказать и о Евангелии: евангелисты смиренны, их личностность трудноразличима... Именно так: трудно, но все-таки — различима. Мы можем увидеть отличия повествования Матфея от рассказа Луки, а главное, Евангелие — в отличие от Ветхого Завета — выявляет личность. Пусть — сверхличность, Богочеловека, однако все-таки человека.

А древняя русская литература? «Человек ощущал себя в большом мире ничтожной частицей и все же участником мировой истории» (тот же эксперт). Выходит, она, литература, в этом смысле еще ветхозаветна.

Конечно, есть исключения — и не один Грозный. Рядом с ним надо поставить его оппонента-корреспондента Курбского, не менее чем сам царь, яркого, яростного стилиста. Та же свобода самовыражения была дана ему не только одаренностью, не только ненавистью к царю-супротивнику (воспламенившей этот природный дар), но и свободой физического положения. Вдали от Ивана, от его гнева и мести. Тем паче нельзя не вспомнить строптивца из следующего, XVII века, отчаянного протопопа Аввакума, — еретичество относительно Церкви подвигло его стать нечаянным еретиком и в словесности. Бунтарем против всех тогдашних канонов.

Хотя этот, смею сказать, эстетический бунт, выход из ряда вон мог быть, конечно, вызван самой по себе гениальностью автора, — правда, и тут возбужденной задачей важности чрезвычайной. То есть опять-таки поддержанной исключительностью ситуации. Так вышло со *Словом о полку Игореве*, самым знаменитым из произведений древней литературы, не случайно столь одиноко стоящим в своем XII веке, что по нынешний день не прекращаются — сплошь неудачные — попытки угадать имя автора. Как не случайны и столь же непрекращающиеся сомнения: а не есть ли *Слово* подделка из поздних времен? Из тех, когда личность любого автора начала заявлять о своем присутствии в произведении...

Как бы то ни было, вот и еще проблема — для моей книги и только ли для нее?

«Одна из насущнейших задач — ввести в круг чтения и понимания современного читателя памятники искусства слова Древней Руси». Что говорить, хорошо бы исполнить пожелание Д.С. Лихачева. Но — как?

Судьба того же *Слова о полку* и тем более всей остальной древней словесности — не судьба Дионисия или Рублева. Причина, понятно, и в том, что между нашим глазом и живописью любой из эпох не вырастает такого препятствия, как изменившийся, ставший почти иноземным язык. Но вдобавок искусство иконописцев получило преемственность — притом непосредственную.

Да, задачи и правила иконописи — не те, что у мастеров светского портрета. Но это потом Петр I пошлет своих живописцев обучаться в Италию и Голландию, а «парсуны» XVIII века писали еще сами создатели икон. И с оговорками, с осторожностью, однако можно сказать: между иконописной традицией и портретами Вишнякова, Андропова, даже Левицкого, Рокотова нет решительного разрыва. Одна страна; меняющаяся, но — одна.

С литературой не так. К тому же *Слову* обращаемся с помощью перевода, чаще всего поэтического: Жуковского, Майкова, Заболоцкого. И этот, новый текст, пожалуй, даже более удален от того, переводного, чем переведенные на русский язык Шекспир или Шиллер.

Задача и добродетель переводчика Шиллера или Шекспира — приблизив их к нам, все же оставить немца и англичанина в контексте их литературы. Не русифицировать до утраты и подмены национальных черт. А *Слово* приходится извлекать из контекста его невоспроизводимого времени. Применять к читателю с принципиально иной психологией.

Речь не только о том, что древнерусский язык невнятен для современного слуха, — в конце концов его можно выучить, как учим латынь. Но даже и этим добьемся только того, что приравняем древнее, но свое, родное к иноземному оригиналу. Главное же: тот, давний, древний тип литератора остался в невозвратном прошлом. За чертой. И наш XVIII век в словесности, можно сказать, начинал почти с нуля.

Итак, в эту книгу не войдут ни гениальное *Слово*, ни замечательный Кантемир. Ни даже великий Михаил Васильевич Ломоносов (1711–1765). Великий — но не в области литературы, как бы ни были существенны его

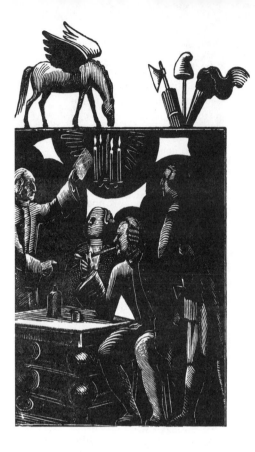

Г. Шторм. *Труды и дни
Михаила Ломоносова*

реформы именно в ней. Ни талантливейший Александр Петрович Сумароков (1717–1777); талантливейший, колоритнейший как фигура истории, но чтение его нынче — нелегкий, а значит, необязательный, факультативный труд. Ни... И т.д., и т.п.

Отбирается то, что, пусть даже не безоговорочно (так называемый «субъективный фактор» всегда неизбежен), сохранилось как живое чтение. Что возбуждает — способно возбудить! — живой, а не только «специальный» интерес.

Вдобавок, признаюсь, надоел миф о русской литературе будто бы сплошь, занудно, надрывно учительной; такой, где — опять-таки будто бы — наиглавнейшие, едва ли не единственные вопросы: «Кто виноват?» и «Что делать?» В то время как пути ее зарождения, становления и, случалось, падения — это пути пробуждения и падения вдохновенной личности. Многоликой, а все же единой в своей вдохновенности; не зря Марина Цветаева говорила, что все стихотворения мира написаны как бы одним поэтом...

Вот то, что берет на себя автор. От читателя ожидается только одно: он должен держать в памяти школьный минимум как произведений, так и сведений о творцах — хотя бы крупнейших, известнейших. Не пересказывать же, в самом деле, биографию Пушкина.

Свобода в клетке

Вот два вполне бытовых эпизода.

Первый. Екатерина Романовна Дашкова, литератор и журналист, президент — по заслугам! — Российской Академии, ею же и основанной, застает свою коронованную подругу и тезку в слезах. Екатерина Великая плачет над державинской одой *Фелица* (1783), напечатанной анонимно и славящей ее добродетели: «Кто бы меня так коротко знал, который умел так приятно описать, что, ты видишь, я, как дура, плачу?»

И второй эпизод.

У Гаврилы Романовича Державина (1743–1816) есть послание Храповицкому (стихотворцу, который куда больше запомнился как статс-секретарь Екатерины). Это ответ на стихотворное обращение адресата.

Обращение содержало в себе полусовет-полуупрек: «Достойны громкой славы звуков / Пожарский, Минин, Долгоруков / И за Дунаем храбрый Петр; / Но Зубовых дела не громки, / И спрячь Потемкиных в потемки: / Как пузырей их свеет ветр». Как легко догадаться, стихи писаны после кончины матушки-императрицы, когда ее фаворит Платон Зубов вкупе с братьями оказался в немилости у Павла I (Потемкин-то и при жизни Екатерины ушел в тень). И словно бы все справедливо — кто таков ничтожный Зубов рядом хотя бы с «храбрым Петром», генерал-фельдмаршалом Румянцевым-Задунайским?

Но Державин от прежних од почему-то не отказывается: «Извини ж, мой друг, коль лестно / Я кого где воспевал; / Днесь скрывать мне тех бесчестно, / Раз кого я похвалял».

Стишки, разумеется, плоховаты. Не ими и не подобными им вошел в нашу память поэт, а совсем, совсем иным: «Глагол времен! металла звон! / Твой страшный глас меня смущает...» Или: «О домовитая Ласточка! / О милосизая птичка! / Грудь краснобела, касаточка, / Летняя гостья, певичка!» Последнее — о любимой жене, хотя слово «любимой» можно не добавлять: любовь успела стремительно высказаться в эпитете «милосизая». А это — на смерть полководца: «Что ты заводишь песню военну / Флейте подобно, милый Снигирь? / С кем мы пойдем войной на Гиенну? / Кто теперь вождь наш? Кто богатырь? / Сильный где, храбрый, быстрый Суворов? / Северны громы в гробе лежат».

«Громы» — «в гробе». Нет, послание Храповицкому этому не чета. Но смыслом того, что в нем высказано, трудно не восхититься.

И. Иванов. Иллюстрация к стихотворению Г. Р. Державина *Деревенская жизнь*

То есть — не впадем в иную крайность. Не обрисуем Державина рыцарем искренности: и лукавил, и жаждал высочайшей ласки, и ту же *Фелицу* побудило явиться на свет первым делом желание угодить, цели достигшее. Больше того. Он и Павлу посвящал оды, а едва того убрали, поспешно возрадовался: «Умолк рев Норда сиповатый». Так с чего же в диалоге с Храповицким (а стены и в те времена имели уши) он вдруг явил небезопасную твердость?

Не в первый раз.

«Случалось, — вспоминал сам Державин, написавший свои *Записки*, как водилось тогда, в третьем лице, — что императрица заводила речь о стихах... и неоднократно прашивала его, чтобы он писал в роде оды Фелице. Он ей обещал и несколько раз принимался, запираясь по неделе дома...» Значит, не то чтобы не хотел — очень даже хотел, тщился, но...

«...Но ничего написать не мог, не будучи возбужден каким-либо патриотическим славным подвигом».

Когда в том же послании Храповицкому Державин скажет: «Раб и похвалить не может, / Он лишь может только льстить», — это не просто красное словцо. Потом Антон Дельвиг, друг Пушкина, обозначит свою скромную независимость: «Так певал без принужденья / Как на ветке соловей...» — а Державин пел не на ветке. Не на воле. Не вне общего здания. Он пел внутри, в строго ограниченном пространстве. В золотой клетке. И все же был по-своему свободен.

Да и житейская его биография — биография человека столь же независимого, сколь зависимого.

Вот ее вехи. Родившись в семье армейца, начавшего службу при Петре, Державин сам пошел отцовским путем, то бишь — в армию, причем отнюдь не избежал дурных обычаев армейского быта: пил, картежничал,

И. Иванов. Иллюстрация к стихотворению Г. Р. Державина *Другу*

СОЧИНЕНІЯ ДЕРЖАВИНА

ЧАСТЬ ПЕРВАЯ.

САНКТПЕТЕРБУРГЪ,

1831.

Заглавный лист.

Заглавный лист
Сочинений Державина

не гнушаясь шулерскими приемами. Это могло кончиться скверно, но выручило восстание Пугачева. Прапорщик Державин на сей раз явил уже профессиональные дарования: по словам биографа, «воевал, администрировал, ссорился с начальством, шпионил в тылу у повстанцев, устраивал карательные налеты на деревни. Его голову оценил Пугачев».

Вышло, однако, наоборот. Это он за голову Пугачева, то есть за свою долю в поражении бунтовщика, решил стребовать с самого Потемкина награду. Дважды был прогоняем, но — выпросил вместе с партикулярным чином коллежского советника имение в Белоруссии и триста крепостных душ.

Далее — служба в Сенате. Возвышение до должности олонецкого и тамбовского губернатора. Падение с оной высоты в результате жестокой ссоры с начальством (был даже предан суду Сената). Назначение секретарем императрицы — награда за ту самую оду. Правда, пал и оттуда, но уж это падение произошло на почву мягкую и удобренную: отставка выразилась в том, что его сделали тайным советником и сенатором.

Словом, этакий номенклатурный бунтарь? Что ж, он действительно бунтовал — в той же клетке, и это непостижимое сочетание свободы и несвободы, может быть, выразительнее всего явилось в оде *Бог* (1784). Где клетка расширилась до масштабов космоса, оставшись, однако же, клеткой.

«...Себя собою составляя, / Собою из себя сияя, / Ты свет, откуда свет истек», — так Державин пытался определить очертания неощутимого и размеры необъятного. И великолепное косноязычие: «...Себя собою...» — след усилий ума, посягнувшего на непостижимое, а грандиозная образность: «...Ты свет, откуда свет истек», — как жест детской оторопи перед тем, чего быть не может, но есть!

Свобода божественной воли познается через собственную несвободу. И — благодаря ей.

Вдумаемся. Тот, Кто — хотя бы и способом противопоставления — введен в земную систему координат, уже одним этим очеловечен. Овеществлен. Бесплотному духу примеряют человечье платье.

Происходит нечто и дерзостное, и смиренное. «...А я перед Тобой ничто», — скажет Державин с показательным самоуничижением, впрочем, тут же его опровергнув: «Ничто! — Но Ты во мне сияешь / Величеством Твоих доброт; / Во мне Себя изображаешь, / Как солнце в малой капле вод...» И так вплоть до того, что прелестное державинское полуязычество, проистекающее от жадной любви к чувственным проявлениям жизни, приводит к дерзкому самоутверждению: «...Я царь, — я раб, — я червь, — я Бог!» Не только он, человек, утверждает себя через Бога, но и сам Бог — через него, человека: «...Я есмь; — конечно, есть и Ты!»

Каково? Выходит, Державин согласен признать Его бытие на том основании, что существует сам? Какой атеист со своей обезбоженной душою решится на такое кощунство, как этот искренний христианин?..

Таковы они, люди XVIII века. Способны ли мы их понять?

В повести Гоголя *Ночь перед Рождеством* пред очами Екатерины Великой наряду с запорожцами, представителями «доброго народа», является и некий литератор.

«— Право, мне нравится это простодушие! Вот вам, — продолжала государыня, устремив глаза на стоявшего *подалее* от других («подалее» — запоминаем каждое подчеркнутое мною слово. — *Ст. Р.*) средних лет человека с полным, но несколько бледным лицом, которого *скромный* кафтан с большими *перламутровыми* пуговицами показывал, что он не принадлежит к числу придворных, — предмет остроумного пера вашего!»

О ком речь, сразу станет понятно, едва прозвучат слова императрицы: «Я до сих пор без ума от вашего *Бригадира*». Денис Иванович Фонвизин (1744 или 1745 — 1792).

Что тут правда? И что — это для нас важней — неправда?

Н. Калита. Иллюстрации к комедии Д. И. Фонвизина *Недоросль*

«Средних лет...» Пожалуй, верно. Комедию *Бригадир* Фонвизин написал двадцати пяти лет отроду. *Недоросля*, который царицу уже рассердил, — в тридцать семь. Но в те времена были свои представления о возрасте, как и о взрослении. Нам кажется невероятной духовная зрелость лицеистов, сотоварищей Пушкина, а Петр Андреевич Вяземский заметит, говоря именно о Фонвизине, что в XVIII веке люди взрослели и созревали много быстрее, чем в XIX.

Далее: полное и бледное лицо... Увы, Денис Иванович еще смолоду был болезнен, а кончил параличом. Но последующее...

Взять хоть такую мелочь, как пуговицы из перламутра. По фонвизинским временам, да если сообразить, что речь о приближенном ко двору, это — сама умеренность, едва ли не вызывающая сравнительно с пуговицами из золота и бриллиантов, щедро украшавшими придворные кафтаны. А настоящий Фонвизин — покуда не разорился, впав почти в нищету, — как раз обожал хвастать дороговизной своих нарядов. Так, попав за границу, во Францию, неприятно поражался, что в светской среде бриллианты, скажите на милость, «только на дамах»!

И все-таки главнейшая из неправд — это «подалее от других». Подчеркнутое стремление к отдельности, независимости, что в глазах писателя XIX столетия уже доблесть.

...Тому же Фонвизину обычно прежде всего поминают знаменитого *Недоросля*, почти никогда — *Бригадира* и решительно никогда — его прозаический шедевр, по совершенству не уступающий комедии о Простаковых. Речь о повести *Каллисфен* (1786).

Вот ее фабула. Великий Аристотель посылает одного из своих учеников, философа Каллисфена, к другому, Александру Македонскому. Ибо последний молит о духовной помощи: «Я человек и окружен льстецами: страшусь, чтоб наконец яд лести не проник в душу мою и не отравил добрых моих склонностей».

И сперва дело Каллисфена идет на лад. Ему дважды удается обуздать порок: уговорил Александра пощадить жизнь плененного царя Дария и не сводить под корень целую область, преданную персиянам. На этом его влияние закончилось — особенно когда Каллисфен воспротивился намерению Александра объявить себя богом. И вот: «Через несколько месяцев мнимый сын Юпитера впал во все гнусные пороки: земной бог спился с кругу, пронзил в безумии копьем сердце друга своего Клита и однажды, после ужина, в угодность пьяной своей наложнице, превратил он в пепел великолепный город».

Тут Каллисфен не сдержался:

« — Александр!.. сим ли образом чаешь ты достоин быть алтарей? ...Чудовище! ты имени человека недостоин!»

Последовало заточение и гибель под пытками.

Что это? Полная безысходность? Мысль о беспомощности и бесполезности добра? Напротив. По смерти Аристотеля, говорит рассказчик, в бумагах его нашли письмо Каллисфена: «Умираю в темнице; благодарю богов, что сподобили меня пострадать за истину. Александр слушал моих советов два дни, в которые спас я жизнь Дариева рода и избавил жителей целой области от конечного истребления. Прости!»

И — приписка рукой Аристотеля: «При государе, которого склонности не вовсе развращены, вот что честный человек в два дни сделать может!»

Мысль, внятная самому Фонвизину, некогда написавшему: «Человек с дарованием может в своей комнате, с пером в руке, быть полезным советодателем государю, а иногда и спасителем сограждан своих и отечества». Говорит тот, кого Екатерина имела все основания считать своим врагом. По крайней мере — оппозиционером.

Жизнь Дениса Ивановича сложилась так, что, закончив гимназию при новооткрытом Московском университете и послужив у Ивана Перфильевича Елагина, близкого к Екатерине, он уже в 1769 году попал под обаяние и попечительство графа Никиты Ивановича Панина, одного

из блистательных деятелей века, занимавшего более чем влиятельное положение: был главой российской дипломатии. И сверх того — воспитателем наследника Павла, что, казалось бы, должно было говорить о доверии со стороны его матери, но говорило как раз об обратном. Пообещав при свержении своего супруга Петра III передать трон их общему сыну, Екатерина и не думала выполнять обещания. Больше того, как все узурпаторы, предполагала в окружении обойденного цесаревича недовольных, а то даже и заговорщиков.

Замышлялся ли заговор — неизвестно. Скорей всего, нет, но что было, так это тайный проект конституции, сочиненный не кем иным, как Фонвизиным под присмотром Никиты Панина, и озаглавленный: *Рассуждение о непременных государственных законах*. По счастью, царица о том не прознала (*Рассуждение* обнаружилось средь бумаг генерал-аншефа Петра

Панина, брата Никиты, после смерти обоих). Быть может, Никиту Ивановича она не посмела бы упечь в крепость: ей даже в отставку пришлось отправить его (в 1772 году), осыпав поистине царскими милостями. Но что касается автора *Недоросля* и *Каллисфена*...

Императрица однажды, раздражившись его попыткой быть «советодателем государю», съязвила: «Худо мне жить приходит; уж и господин Фонвизин хочет учить меня царствовать!» Но, буде конституционный проект стал ей известен, советодателю пришлось бы действительно худо. Притом, что и без того завидовать было нечему: отставка, опала, включая запрет двух задуманных им журналов, собрания сочинений и даже перевода истории Тацита.

Фонвизина попрекали. И тем, что резко отвергнутый Екатериной, он к ней «лез», льстиво перечисляя заслуги «Северной Минервы», например, перед свободой слова. И тем, что являл «ласкательство» не только перед Никитой Паниным, но, после падения и смерти того, перед его врагом Потемкиным. Что ж, все это может казаться неблаговидным сравнительно с поведением иных современников. В первую голову, разумеется, Александра Николаевича Радищева (1749–1802). «Бунтовщика хуже Пугачева», по слову Екатерины, которое запишет в своем бесценном дневнике знакомый нам Храповицкий.

И ведь вправду — хуже! «Маркиз де Пугачев», как императрица иронически именовала взбунтовавшегося казака, старался выглядеть по-своему легитимным, выдавая себя за ее покойного супруга. То есть неуклюже, нагло, однако хотел вписаться в рамки существующего порядка. Что ж говорить о коллегах Радищева, до бунта отнюдь не подымавшихся?

Конечно, к этому времени представление о достоинстве писателя далеко шагнуло вперед от времен не столь уж и давних. При Анне Иоанновне, в 1740 году, всесильный в ту пору кабинет-министр Волынский мог избить Василия Кирилловича Тредиаковского (1703–1769), посадив его на хлеб и на воду за крохотную попытку отстоять свою независимость. Конкретнее: за отказ сочинить оду в честь свадьбы царских шута и шутихи.

/Обычно-то Тредиаковский себе такой дерзости не позволял, лакействуя и подвергаясь за это насмешкам, но тут — взбрыкнул. И, возможно, за это — по крайней мере так хочется думать — был награжден вдохновением, позволившим ему создать величавые строки: «Вонми, о! Небо, и реку, / Земля да слышит уст глаголы: / Как дождь я словом потеку; / И снидут, как роса к цветку, / Мои вещания на долы». Право, эти стихи, перелагающие Библию, не хуже державинских./

Что ж до Радищева...

На рубеже 1833 и 1834 годов Пушкин совершит и опишет свое *Путешествие из Москвы в Петербург*, где не только маршрут будет обратным радищевскому: весь очерк неприязненно полемичен по отношению к *Путешествию из Петербурга в Москву* (1790), за которое «бунтовщик» был приговорен к смерти и лишь по случаю заключения мира со Швецией «помилован». Отправлен на каторгу. В 1836-м из-под пушкинского пера явится и статья *Александр Радищев*, также едва не враждебная (о причинах спорят по сей день). Но одно Пушкиным сказано с восхищением: «Мелкий чиновник, человек безо всякой власти, безо всякой опоры, дерзает вооружиться противу общего порядка, противу самодержавия, противу Екатерины!»

«Противу самодержавия...» Но против него были и Панин с Фонвизиным, конституционалисты. «Противу Екатерины...» Но просветитель-масон Николай Иванович Новиков (1744–1818) позволял себе — пока позволяла сама государыня, до времени либеральничавшая, — открыто издеваться над нею. Под выразительным псевдонимом Правдулюбов он писал в своем сатирическом журнале *Трутень* то о «пожилой даме нерусского происхождения», упражнявшейся в сочинении книг под названием *Всякий вздор* (имелась в виду *Всякая всячина*, журнал, где Екатерина была и автором и издателем). То даже о старухе, которая «щедро платит за купленные ласки, истощает старинные редкости для подарков, опустошает мешки казенные».

А вот — «противу общего порядка»... Общего!

Екатерину, конечно, разгневала якобы клеветническая панорама ее империи, которую развернул автор *Путешествия*. Да и Пушкин считал панораму предвзятой. Но даже он, человек XIX века, познавший выгоды и невыгоды независимости, потрясен не столько отвагой Радищева (отважен был и Фонвизин), сколько его одиночеством: «Заметьте: заговорщик надеется на соединенные силы своих товарищей; член тайного общества, в случае неудачи, или готовится изветом заслужить себе помилование, или, смотря на многочисленность своих соумышленников, полагается на безнаказанность. Но Радищев один. У него нет ни товарищей, ни соумышленников».

Может ли это служить упреком Денису Фонвизину, всегда стремившемуся иметь покровителей (вначале Елагин, потом Панин, затем неудача с Потемкиным)? Нет. Потому Радищев и является белой вороной, выразив это, можно сказать, гениально (в отличие от *Путешествия*, не отмеченного оригинальным талантом) в стихотворении предположительно 1791 года: «Ты хочешь знать: кто я? что я? куда я еду? / Я тот же, что и был и буду весь мой век. / Не скот, не дерево, не раб, но человек! / Дорогу проложить, где не бывало следу, / Для борзых смельчаков и в прозе и в стихах, / Чувствительным сердцам и истине я в страх / В острог Илимский еду».

Вообще же российский XVIII век отмечен тем, что, по словам Герцена, все лучшее, что есть в обществе (и литературе), старается идти вместе с правительством. Не из корысти и лести — хотя можно ли их исключить совсем? В это время как раз начинался мощный рост национального самосознания. И если каламбурное выражение князя Вяземского, что Петр I, по рождению русский, сделал из нас немцев, а немка Екатерина II «хотела переделать нас в русских», — если эти слова не совсем точны, то вот отчего. Дело было не в немкином хотении, а в ходе истории. В центростремительной тяге Российского государства. Его по-плотницки сколачивал Петр, действительно пользуясь «струментом» иностранного производства; оно разваливалось при Анне Иоанновне, Анне Леопольдовне и т.п.; оно начало собираться, пускай в нескладное, но уже неразложимое целое при Екатерине.

Даже политические враги, те же Панин с Потемкиным, ревностно делают одно дело; повышенное государственное сознание — вот отличие русского человека той эпохи, подчас предстающее странно, а то и курьезно.

Вот, к примеру, все тот же Фонвизин в 1777 году впервые въезжает во Францию — и, едва пересекши границу, поносит страну почём зря: «Словом сказать, господа вояжеры лгут бессовестно, описывая Францию земным раем. ...Мы не видели Парижа, это правда, но ежели и в нем так же ошибемся, как в провинциях французских, то в другой раз во Францию не поеду».

Брюзгливый характер? Или, хуже того, шовинизм? Ни то, ни другое: инстинкт государствостроительства, а ежели ревность, то вот какого характера: «Если здесь прежде нас жить начинали, то по крайней мере мы, начиная жить, можем дать себе такую форму, какую хотим, и избегнуть тех неудобств и зол, которые здесь вкоренились. Nous commencons, ils finissent». («Мы начинаем, а они кончают».) Между прочим, возможно, тут перефразирован Дени Дидро, писавший Екатерине: «Как счастлив народ, у которого ничего не сделано». Стало быть, и французскому просветителю историческая запоздалость России казалась ее преимуществом.

По всему по этому, говоря о словесности XVIII столетия, мы не столько разглядываем каждую личность в отдельности, сколько озираем групповой портрет. Или скульптурную группу — вроде памятника Екатерине Великой работы Микешина на Театральной площади Петербурга. Правда, у нас императрица — не вершина и центр, а все остальные — не подножье вершинной, центральной фигуры. Однако и обойтись без нее, без Екатерины Алексеевны, невозможно — в том числе как писателя. Как деятеля литературы. «Старшего учителя», по ее собственному определению.

Строители

Ровно через сорок лет после рождения *Недоросля* (срок достаточный, чтобы те времена стали уже легендарными) Кондратий Рылеев вспомнит о судьбах своих предшественников в словесности. Например: «Любимца первого российской Мельпомены / Яд низкой зависти спокойствия лишил / И, сердце отравив, дни жизни сократил».

Мельпомена — муза трагедии, стало быть, речь о Владиславе Александровиче Озерове (1769–1816), трагике. Но вот — о любимце Талии, музы комедии: «Судьбу подобную ж Фонвизин претерпел, / И Змейкина, себя узнавши в Простаковой, / Сулила автору жизнь скучную в удел / В стране далекой и суровой». Трудно ль понять, что в России была лишь одна дама, способная ссылать в Сибирь? Коли так, значит, она-то и есть прототип матушки Митрофана?

Отчего бы и нет, в конце концов.

Начать с того, что в *Недоросле* владычествует хозяйка, а не хозяин: тот отринут от дел, хоть и не так радикально, как Петр III. А то, что она в то же время порабощена Митрофаном, «своим недостойным любимцем»?

И. Иванов. Иллюстрация к трагедии В. А. Озерова *Дмитрий Донской*

Ведь закавыченные три слова — цитата из *Рассуждения о непременных государственных законах*, чьи авторы Фонвизин и Панин метили прямо в императрицу: «Подданные порабощены государю, а государь обыкновенно своему недостойному любимцу... Пороки любимца не только входят в обычай, но бывают почти единым средством к возвышению... Порабощен одному или нескольким рабам своим, почему он самодержец? Разве потому, что самого держат в кабале недостойные люди?»

Совпадений или того, что кажется ими, множество. И все-таки — именно «кажется». Здесь совсем не тот случай, как с Новиковым, задевавшим лично «пожилую даму нерусского происхождения».

...24 сентября 1782 года в Санкт-Петербурге, в деревянном театре на Царицыном лугу (нынешнее Марсово поле), состоялась премьера *Недоросля*. Восторженная публика «аплодировала пиесу метанием кошельков», и наивысший успех имели не исполнители ролей Простаковой и Митрофана. Не актер Шумский, как говорили, гениально сыгравший няньку Еремеевну. Нет, Иван Дмитревский, выступивший в неблагодарнейшей (с нынешней точки зрения) роли Стародума. Резонера. И успех был непосредственно вызван его прямыми — подчеркиваю, прямыми! — высказываниями о низости и благородстве, о «непременных законах», о честном труде и развращенных придворных нравах.

Со стороны Фонвизина то была логика его философа Каллисфена, дорожившего хоть единым шансом для вразумления беспутного государя. Логика Просвещения с его культом разума, которой следовали Вольтер и Дидро, с надеждой издалека взиравшие на русскую императрицу как на олицетворение просвещенной монархии, и — наши, из которых иллюзии вышибались той же Екатериной. Вышибались, но никак не могли быть вовсе вышиблены.

Как ни странно, но в этом наивном упрямстве были резоны, которые не мог опровергнуть даже ужасный финал Екатерининого царствования — с маниакальным страхом перед заговором, в коем подозревался сын Павел. С погромами, учиненными словесности: с арестом Радищева и Новикова, с преследованиями молодого Крылова, с уже бессмысленной, низко мстительной опалой, вконец отравившей век Фонвизина.

«Дней Александровых прекрасное начало» — так ностальгически вспоминал Пушкин раннюю пору правления внука Екатерины, которого впоследствии припечатает: «Властитель слабый и лукавый, / Плешивый щеголь, враг труда...» Что ж, тем понятнее ностальгия. И начало самой Екатерины — не только убийство Петра III.

«Власть без народного доверия ничего не значит... Свобода, душа всех вещей!.. Я хочу, чтоб повиновались законам, а не рабов...» Очень легко счесть эти слова молодой царицы лицемерием. Но — куда девать Комиссию Уложения, то есть первый русский парламент, когда в 1767 году в Москву съехались депутаты, избранные от дворян, горожан, казаков, пахотных солдат, даже крестьян (правда, не крепостных, не помещичьих, а «черносошных», казенных)? Но — *Наказ*, писанный самой Екатериной и вдохновляющий депутатов на принятие справедливых законов... Но, наконец, и словесное творчество Екатерины...

Да. Екатерина Алексеевна Романова, она же Екатерина II Великая, Мать Отечества, урожденная Софья Августа Фредерика, принцесса Ангальт-Цербстская (1729–1796, царствовала с 1762), — заметнейший русский писатель XVIII века. Автор политических трактатов. Мемуаристка. Драматург. Прозаик. Детский писатель. Издатель. Историк. Можно было б добавить: и стихотворец, ибо в ее комедиях немало рифмованных фрагментов, если бы эту работу за нее не делали другие. В частности, упомянутый Храповицкий. Что скрывать, ее словесные опыты вообще нуждались в основательной редактуре, так как русский язык Екатерина знала нетвердо. Но уж вовсе несправедлив анекдот о ее чудовищной малограмотности, заставляющей делать четыре ошибки в трехбуквенном слове: «исчо».

Несправедлив потому, что подобное было тогда неизбежно для всех. Та же Екатерина Романовна Дашкова, урожденная Воронцова, а не Ангальт-Цербстская, подписывалась: «ДашкАва»: орфография не устоялась, всяк писал на свой лад.

Конечно, сегодня трудно представить читателя комедий Екатерины, знакомящегося с ними не по обязанности. И, понятно, не уровень произведений — причина того, что говорим о ней наряду с литераторами, чьи сочинения остались жить. Просто судьба и история распорядились так, что сама ее роль в словесности тогдашней России была живой. Хотя не всегда животворной.

Императрица в качестве литератора была... Да можно просто сказать: литератором, по-своему пользуясь той свободой, которую начали обретать Фонвизин или Державин. Екатерина-комедиограф не являлась прямой исполнительницей «социального заказа», исходившего от нее же как от царицы. Обличаемые ею пороки были достаточно разномастными, чтобы не смешивать комедии с императорски-императивными указами. Роскошество и развращенность дворян, невежество, суеверия, ханжество, сплетни, погоня за модой — все это было общей добычей тогдашних комедий и, в согласии с эстетикой времени, отражалось в фамилиях персонажей: Ханжахина, Вестникова, Спесов, Ворчалкина, Выпивайкина. А если Ворчалкина с Выпивайкиной — не Бог весть что по части изобретательности и остроумия, то и Простаковы-Скотинины не чета тем значащим именам, что возникнут под пером Сухово-Кобылина и Островского.

Вот что, однако, существенно.

Отбиваясь — покамест как литератор — от язвящего *Трутня*, журнала Николая Новикова, Екатерина давала ему уроки мягкости, снисходительности, терпимости. «Я веселого нрава и много смеюсь, — сообщал некто Афиноген Перочинов, за каковым псевдонимом царица скрывала лицо и закипавший мало-помалу гнев, — признаться должен, что часто смеюсь и пустому; насмешник же никогда не бывал».

Проступало, правда, и раздражение: «Я почитаю, что насмешники суть степень дурносердечия». Сказывалось то же противоречие, что в политических начинаниях Екатерины (Комиссия Уложения, обещавшая многое, но вскоре распущенная) и в сфере интимной (начиналось обычно со страсти, которая многое извиняет, кончилось же безумием старческого любострастия, готовностью жертвовать самим государством ради прихотей юного фаворита). Но, как ни странно, именно в этой противоречивости — своеобразная цельность личности Екатерины. В том числе как литератора.

«Что касается до моих сочинений, — утверждала она, — то я смотрю на них как на безделки». Скромность? О нет! «Безделки» — это позиция, и совсем не та, что у Карамзина, озаглавившего книгу своих стихотворений будто по подсказке императрицы: «Мои безделки». Одно дело, когда подданный, не спросясь, уходит в отпуск, а то и подает в отставку из официальной словесности, заявляя, что хвалебным одам или гражданским сатирам отныне предпочитает безделки. В точности как государственной службе — частную жизнь. И — другое, когда монарх говорит: бросьте насмешничать. Не суйтесь, куда не след. Веселитесь, подобно мне («делай, как я»). А не то...

«...Чтобы впредь о том никому не рассуждать, чего кто не смыслит... чтоб никому не думать, что он один весь свет может исправить». Это — в назидание Новикову. Это — Фонвизину, на его вопрос, отчего в законодательный век столь мало людей отличилось на данном поприще: «Оттого, что сие не есть дело всякого». Наконец, еще одному их собрату: «Господин Сумароков очень хороший поэт, но слишком скоро думает. Чтоб быть хорошим законодавцем, он связи довольно в мыслях не имеет».

И вот уже голосом государя-монополиста заговорил литератор.

В комедии 1786 года *Шаман сибирский* Екатерина не в первый раз взялась осмеять «мартышек» — мартинистов, как скопом именовали всех вообще масонов. Не только осмеять: в финале шамана Амбан-Лая берут под стражу, и одна из причин, в сущности, главная — та, что «завел шаманские школы». А это уж не шаловливая фантазия. Годом раньше было повелено ревизовать все московские школы и строго цензуровать издания новиковской Типографической компании. Был издан указ, объявивший масонов «скопищем нового раскола». Указ был вызван и тем, что по масонским правилам женщина, будь она хоть царица, не могла присутствовать на заседаниях этого религиозно-этического братства, предпочитающего тайну. И Екатерина подозревала, что там-то и зреет заговор против нее в пользу Павла, а уж охотников укрепить ее в подозрениях было сколько угодно: «Люди, находившие свою выгоду в коварном злословии, старались представить мартинистов заговорщиками и приписывали им преступные политические планы».

Чего — не было. Было другое. Пушкин (я процитировал именно его очерк *Александр Радищев*) так характеризовал мартинистов XVIII столетия: «Странная смесь мистической набожности и философического вольнодумства, бескорыстная любовь к просвещению, практическая филантропия ярко отличали их от поколения, которому они принадлежали». А кто ж любит тех, которые отличаются от целого поколения?..

Как объяснить превращение Екатерины? В чем дело? Только ли в лицемерии, неотъемлемом — по общему мнению — от ее облика?

Но и с лицемерием не все так просто. Оно, конечно, порок. Но само его существование — не свидетельствует ли о том, что есть резон и соблазн не быть бессовестным циником? Что есть причина хотя бы притворяться бескорыстным, порядочным, добрым? «Присвойте себе добродетель, если у вас ее нет», — советовал матери принц Гамлет, и если бы матушка «русского Гамлета», Павла Петровича, последовала такому совету... Если бы до конца выдержала принятую (пусть всего только принятую) позу, не сняла бы надетой (пусть всего лишь надетой) маски, чего бы, кажется, лучше?

Главное, впрочем, не это.

Вернемся к слезам, пролитым Екатериной над одой *Фелица*. К самим по себе похвалам Державина. «Мурзам твоим не подражая, / Почасту ходишь ты пешком, / И пища самая простая / Бывает за твоим столом...» Что было, то было, включая неприхотливость в еде и снисходительность к дурному повару, которого жалела прогнать. «Еще же говорят не ложно, / Что будто завсегда возможно / Тебе и правду говорить. / ...Что будто самым крокодилам, / Твоих всех милостей зоилам / Всегда склоняешься простить». Да, и такое бывало — по крайности до поры, до времени. Но как отнестись к таким комплиментам? «Стремятся слез приятных реки / Из глубины души моей. / О! коль счастливы человеки / Там должны быть судьбой своей, / Где ангел кроткий, ангел мирный, / Сокрытый в светлости порфирной, / С небес ниспослан скиптр носить!»...

«...Хвалы мои тебя приметя, / Не мни, чтоб шапки иль бешметя / За них я от тебя желал». Что говорить, лукавит певец Фелицы, но сама его лесть, во-первых, — снова скажу, — свободна по-своему, в пределах помянутой клетки. А во-вторых, она, как теперь говорят, конструктивна.

Именно так. Державин поистине конструировал образ идеального монарха, надеясь, что Екатерина, ежели покамест и не дотянула до идеала, то, глядишь, дотянет. На что ж, мол, тогда и потребна словесность — в понимании XVIII столетия, просветительства, классицизма? Державин был государственником, строителем (как и сама Екатерина, как и нелюбимый ею Фонвизин), — даром, что его своевольный гений выпирал из всех рамок. И, кажется, не будь его фамилия родовой, он мог бы взять ее псевдонимом — как певец державности и державы. Что вышло бы совсем в духе времени, когда литературный герой, стоящий за правду, именуется Правдиным, а не желающий льстить — Нельстецовым.

Взрывники

Меж тем крушение психологии, общей, при всех оговорках, для литераторов XVIII столетия, готовилось, назревало. И готовил его — исподволь, невзначай — тот, кто как бы вслед за царицей признал свои стихотворные сочинения безделками.

Николай Михайлович Карамзин (1766–1826), конечно, памятен прежде всего *Историей государства Российского*. Его статьи, стихи да и проза — в тени этого грандиозного сооружения; ну, может быть, выглянет из затемнения *Бедная Лиза* (1792) — в основном по причине названия, что у всех на слуху. Вроде крылатого слова.

Но сперва не о нем, не о Карамзине.

Конечно, нет ничего глупее, чем изобразить державность литературы той эпохи как апофеоз единомыслия. Бунтарей хватало помимо Радищева, и не всем удалось избежать расправы. Пусть Василию Васильевичу Капнисту (1758–1823) посчастливилось от нее ускользнуть, хотя его *Ода на рабство* (правда, оставшаяся в рукописи) осуждала Екатерину за крепостничество, учрежденное ею на родной Капнисту Украине. А комедия *Ябеда*, хоть и будет изъята из обращения, но уже при Павле. Зато по

Набгольц.
Заглавный лист сочинений
В. Капниста

заслугам (и по приказу царицы) сожгут антитираническую трагедию *Вадим Новгородский* Якова Борисовича Княжнина (1740 или 1742 — 1791). Был даже слух, которому верил Пушкин, будто и сам автор умер от пыток в Тайной канцелярии.

А скандально прославленный Иван Семенович — или Степанович, тут все приблизительно — Барков (около 1732–1768)? Прославленный, впрочем, скорее тем, чего отнюдь не писал: взять хоть того же *Луку*, столь очевидно принадлежащего XIX веку, что ее даже приписывали Пушкину. Только не Александру Сергеевичу, сочинившему в юности скабрезную *Тень Баркова*, а его легкомысленному брату Льву, Левушке.

Ведь и он, Барков, на благопристойной поверхности выглядевший как переводчик античных поэтов и автор *Жития князя Антиоха Дмитриевича Кантемира*, в неподцензурной, подпольной части своего творчества — тоже бунтарь, взрывающий основы современного ему стихотворства, чей стиль определялся прежде всего чинной торжественностью оды.

Но — зачем? Ради чего?

В 1872 году в Санкт-Петербурге наконец издадут *Сочинения и переводы И.С. Баркова 1762–1764 гг.* (то есть лишь ранние, где нет ничего «такого»). И автор анонимного предисловия, назвав Баркова «одним из даровитейших современников Ломоносова», тем острей пожалеет о «полном падении» такого значительного таланта. Обвинит его в «цинизме», в «грязи» — и нечаянно, как бывает с хулителями, выскажет правду, совсем не обидную: «сквернословие для сквернословия». Дескать, ладно бы сквернословил с пользой и целью, а так... И вот аналогия, которая может и озадачить, однако способна прояснить феномен сквернословия для сквернословия. «Ты спрашиваешь, какая цель у *Цыганов*? — писал Пушкин Жуковскому. — Вот на! Цель поэзии — поэзия...»

Это — формула творческой свободы. В частности, свободы от цели, заранее заданной хоть бы и себе самому, следовательно, спрямляющей путь, ограничивающей кругозор. Лишающей поэта самозабвенной радости творчества. Вот и Барков — разумеется, на доступном ему уровне — озорничал ради озорства, сквернословил ради сквернословия.

Говорят: «срамные» барковские сочинения «имели явно выраженную цель: пародирование серьезных литературных жанров, особенно жанров высоких — трагедии, оды, притчи, сатиры». Вероятно. Даже — наверняка. А ежели так, то, выходит, Барков пародировал и себя самого. Он мог сочинить поздравительную оду с невыносимо длинным заглавием: *Ода на всерадостный день рождения его величества благочестивейшего государя Петра Федоровича, императора и самодержца всероссийского и проч. и проч. и проч.* И он же откровенно издевался над одическим жанром в *Оде кулашному бойцу*; не говорю уж: воспевал самым высоким стилем предметы неудобопроизносимые.

Так или иначе, пародию (и тем паче автопародию) производят на свет непременно «веселый нрав и беспечность», как — не слишком-то одобрительно — аттестовал Баркова Николай Новиков, сам к беспечности не расположенный.

Трудно ли было распознать, во что целил Василий Иванович Майков (1728–1778), автор, согласно тогдашней терминологии, «ироикомической» поэмы *Елисей, или Раздраженный Вакх*? Не сыскав лавров как сочинитель скучных трагедий, он обрушил свое раздражение на Энея, на перевод-переделку *Энеиды* Вергилия, вышедшую из-под пера Василия Петровича Петрова (1736–1799). Создателя тяжеловесных поэм и од, которого тем не менее Екатерина II привечала настолько, что звала его «вторым Ломоносовым».

Заодно досталось и ей самой. На манер тех дерзостей, что позволял себе Новиков, в *Елисее* являлась начальница Калинкина дома, принудительного обиталища проституток, старуха, лакомая до молодых мужчин, — с нею-то и крутил роман ямщик Елеся. Таким образом Майков пародировал эпизод, где Петров вслед Вергилию изображал любовь Энея с царицей Дидоной, — а ведь автор перевода-переделки прямо объявлял, что в Дидоне взялся восславить Екатерину.

Да, была непосредственно пародийная — то бишь внутрилитературная — цель. Было и намерение уязвить царственную персону. Но и тут, как у Баркова, «веселый нрав и беспечность» бушевали сами по себе; ямщик, озорник и пьяница, путешествовал по петербургскому дну, забавляя читателей и самого автора.

Так же — но и совсем иначе — Ипполит Федорович Богданович (1743–1803) самой легкостью и игривостью изложения, отличавшей его поэму *Душенька*, бросал вызов... Ну, например, *Россиаде*, чей автор Михаил Матвеевич Херасков (1733–1807) не опускался, как Богданович (а до него — римлянин Апулей и француз Лафонтен), до столь незначительных тем, как авантюрно-фривольные приключения царской дочки Психеи и бога любви Амура. *Россиада* изображала и воспевала не менее чем покорение Казанского царства Иваном Грозным.

Впрочем, вызов, брошенный *Душенькой*, был по крайней мере второстепенен. А возможно, и вовсе нечаян. Сама увлекательность рассказа именно увлекала, была заразительна, что, кстати сказать, породило один замечательный казус.

«Я помню море пред грозою: / Как я завидовал волнам, / Бегущим бурной чередою / С любовью лечь к ее ногам!» Общепамятны эти строки *Евгения Онегина*, причем наша памятливость подкреплена, так сказать, свидетельством очевидца. Очевидицы. Мария Волконская, «декабристка», пишет в своих мемуарах: это о ней. Это за ее шаловливой игрой с черноморским прибоем наблюдал влюбленный в нее Пушкин. Ей, выходит, и посвятил «чувствительные стихи, в которых опоэтизировал эту детскую игру...».

Наверное, так. Но как объяснить, что строки, отразившие виденное и пережитое самим поэтом, суть почти заимствование из *Душеньки*? Сравним: «Гонясь за нею, волны там / Толкают в ревности друг друга, / Чтоб, вырвавшись скорей из круга, / Смиренно пасть к ее ногам...»

Как такое возможно? Неведомо. Необъяснимо, и эта необъяснимость — свойство поэзии. Очевидно одно — та самая заразительность. Увлекательность и увлеченность, которые выше всех на свете полемик одной школы с другой, одного направления — с другим направлением...

Но вернемся к Баркову — как к наиболее радикальному нарушителю норм и приличий. Хотя и тут выразительнее всего язык аналогий.

Поэт-гусар Денис Давыдов всю жизнь гордился признанием, сделанным молодым Пушкиным: будто бы тот, прельстясь бесшабашной свободой давыдовского стиха — если не от приличий, то уж точно от норм, — «стал писать свои круче». Удастся ли сосчитать, скольких поэтов раскрепостил непотребный Иван Семенович или Степанович? Скольких отучил от чрезмерной серьезности, доказав своим непочтенным примером, что поэзия — дело веселое?..

И все же самым результативным из взрывников был не этот злостный нарушитель приличий, но тот, чье благонравие вечно служило укоризной для многих литературных буянов, включая Пушкина. Карамзин, чья внешняя биография (обычная: обучение в пансионах Симбирска и Москвы, посещение университетских лекций, формальная приписка к Преображенскому полку) уже с юных лет оказалась как бы поглощена внутренней, духовной жизнью. Уж это вам не мятущийся в своей клетке Державин.

Началось с того, что Карамзин попал под влияние Новикова и вообще масонства, возмечтав вместе с «вольными каменщиками» о нравственном возрождении человечества. Потом пришло охлаждение (счастливо совпав с началом гонений Екатерины на масонские ложи и школы), но лишь к самому по себе масонству с его ритуалами и утопизмом; надежда Карамзина, рано, с семнадцати лет, приступившего к занятиям литературой, обратилась к облагораживающей роли искусства. И рано воспитавшаяся в нем чувствительность естественно привела его к сентиментализму...

Стоп. Мы ведь договорились не вдаваться в подробности касательно школ, направлений, литературных движений. Избрали двучлен «писатель и время» — по возможности без посредников, как ни важна была некогда их роль. Да и сейчас не станем взывать к традиции того же сентиментализма, к иноземным предшественникам Карамзина (в Англии — Ричардсон, Юнг, Грей, Голдсмит, Стерн, во Франции — прежде всего Руссо). Ограничимся всем понятной этимологией термина, возникшего во Франции, а происходящего от английского sentimental — «чувствительный».

Зато отметим вот что. Просвещение с культом разума, как считалось, всесильного, родило классицизм с его жесткими требованиями все подчинять долгу. Даже сами добрые побуждения обязаны с ним соотноситься или даже им диктоваться — как в *Недоросле*. Хотя, скажем, в трагедиях Сумарокова эта зависимость представлена много прямее. Прямолинейнее. И потому, что это — трагедия, коей нравоучительность больше пристала, и потому, что Сумароков не столь одарен, чтобы, подобно Державину, нарушать канонические установления.

Сентиментализм же уверен: мы творим добро, подчиняясь своей изначальной природе. Потому что мы — люди.

Вспомним, как бранился Фонвизин, едва въехав во Францию: частный человек, у которого были все основания с любопытством взирать на новое и непривычное, на глазах превращался в государственного мужа, ревниво прикидывающего, в чем «мы» лучше «их». Но вот всего двенадцатью годами позже, в 1789-м, за границу отправляется Карамзин. И вот как он ведет себя или, вернее, себя ощущает, поведав о том в *Письмах русского путешественника* (1791–1795): «У прекрасной девушки купил я корзину черной вишни, хотя мелкой, однако ж отменно сладкой и вкусной, которая прохладила внутренний жар мой. Теперь, сидя в трактире за большим столом, дожидаюсь ужина».

Всего-навсего признание в гурманстве? Но таким ли еще гурманом, даже обжорой был Денис Иванович! Нет, здесь совершенно иное самосознание — и литературное, и общественное:

«Перечитываю теперь некоторые из своих писем: вот зеркало души моей в течение осьмнадцати месяцев! Оно через 20 лет (если столько проживу на свете) будет для меня еще приятно — пусть для меня одного! Загляну и увижу, каков я был, как думал и мечтал; а что человеку (между нами будь сказано) занимательнее самого себя?.. Почему знать? Может быть, и другие найдут нечто приятное в моих эскизах; может быть, и другие... но это их, а не мое дело».

Что вспоминаем прежде всего, услыхав заглавие *Бедная Лиза*? Конечно: «И крестьянки любить умеют». Экое открытие, скажите на милость! Кто ж этого прежде не знал? Но, оказывается, в самом деле — не знали. По крайней мере не ощущали столь остро, сердцем, — и вот влюбленные начинают ездить к Симонову монастырю, дабы погрустить над «Лизиным прудом», где якобы утопилась бедная поселянка, жертва легкомысленного Эраста. (А иные девушки топятся.)

И сама беспримерная в русской литературе трогательность *Бедной Лизы* — не оттого ли, что Карамзин вывел свою героиню из того сословного круга, в котором, как полагали, лишь и возможны утонченные, просвещенные чувства?

Не в том дело, что он призвал взглянуть на язвы нищего брата. Ему в голову не пришло поселить Лизу в курной избе, сделать скотницей или пряхой. Карамзин извлекает ее из быта, помещает, используя нынешнее сравнение, в лабораторную колбу, — и этого достаточно. Лизе нужно сочувствовать не за то, что она существо «нашего» круга, и не за то, что она «не наша»; что, в отличие от благородных читательниц, страдает под ярмом рабства. Она — человек, вот и все. И любить умеет, как все люди. Чего же еще потребно для сострадания?

«Палашка где?» — лютует фонвизинская Простакова. И, услышав доклад Еремеевны: «Захворала, матушка, лежит с утра», — подает знаменитую реплику: «Лежит! Ах, она бестия! Лежит! Как будто она благородная!» При всей комической заостренности это сознание распространенное. Обыденное. Палашка — это бедная Лиза, за которой не признают права чувствовать и страдать. Карамзин — признал.

Его смелость (а это не меньше, чем смелость) была и в том, что открытие насчет умения чувствовать, доступного поселянам, наводило на мысль: у народа... Да что «у народа»?! У всякого человека безотносительно к состоянию есть личные функции, не подвластные ни монарху, ни даже нормативно понимаемому долгу. Не имеющие отношения к строгому распорядку феодального общества, где государь правит, дворянин служит, крестьянин исполняет барщину или платит оброк. А поэт не нарушает стройности, восхваляя государя или хотя бы непосредственное начальство; то есть и он служит в поэзии, как в департаменте.

О службе — или, выражаясь почтительнее, служении — нельзя позабыть, даже находясь в отпуске. Даже уйдя в отставку. Так что Державин в стихотворении 1807 года *Евгению. Жизнь Званская*, превознося уединение в своем имении Званка, все же твердо помнит о наиглавнейшей своей заслуге: «Здесь бога жил певец, — Фелицы».

Но: *Мои безделки* — назовет Карамзин, как помним, свой поэтический сборник 1794 года. И мысль, отнюдь не бездельная, будет понята и подхвачена. *И мои безделки* — озаглавит уже свою книгу друг и соратник Иван Иванович Дмитриев (1760–1837), поэт, автор басен, которого никак не упрекнешь в уклонении от государственных дел: был полковником гвардии, обер-прокурором Сената, министром юстиции.

Странное дело. В своей знаменитой *Истории*, создававшейся в XIX веке, Карамзин — словно бы человек XVIII столетия (не случайно главным пособием для него были не только архивы, но и труды историков той эпохи, князя Михаила Щербатова и Василия Татищева). И напротив: его художественные произведения, писанные как раз в эпоху Екатерины, рождают ассоциации не с тем, что было, а с тем, что будет. Притом не так чтобы скоро.

«Давно, усталый раб, замыслил я побег...» — напишет измученный Пушкин. Но нечто подобное — да просто неотразимо похожее! — замыслит и Карамзин, еще никак не уставший. Ни по возрасту (двадцать восемь лет), ни по царящим в его обществе настроениям. Тем не менее:

«А мы, любя дышать свободно, / Себе построим тихий кров / За мрачной сению лесов, / Куда бы злые и невежды / Вовек дороги не нашли / И где б, без страха и надежды, / Мы в мире жить с собой могли, / Гнушаться издали пороком / И ясным, терпеливым оком / Взирать на тучи, вихрь сует...»

Жить в мире с самим собою — «без страха и надежды...» Сказано поразительно. Страх — понятно, но, стало быть, и надежда мешает умиротворению?

Кажется, именно так: «Ах! зло под солнцем бесконечно, / И люди будут — люди вечно». А потому: «Пусть громы небо потрясают, / Злодеи слабых угнетают, / Безумцы хвалят разум свой! / Мой друг! Не мы тому виной».

Сегодня бы, пожалуй, сказали: что за цинизм! Да и по тем временам — достойно ли утешаться собственным бессилием, находя в нем даже некое удовлетворение? Еще более странно, что: «Мой друг!» — это взывает не отщепенец к отщепенцу, а Карамзин — к Дмитриеву. Человек с истинно государственным мышлением — к человеку, не прекращавшему государственной службы. И удивительное противоречие означает, что — «порвалась связь времен».

Как дуралей Иванушка из фонвизинского *Бригадира* демонстрировал свою дурацкую межеумочность: «Тело мое родилося в России, это правда; однако дух мой принадлежал короне французской», — так тело великого, умнейшего человека Карамзина как бы живет по законам внешнего мира, в настоящем, в сегодняшнем. А дух просится куда-то вовне, в будущее, в завтра.

И тем самым заявляет, что настоящее себя исчерпало. То, что покуда кажется «металлов тверже» и «выше пирамид», зашаталось. Только видят это не все.

Конец и начало

Внимательный читатель русской поэзии вспомнил: о металлах и пирамидах — это из Державина. Из оды 1796 года *Памятник*.

«Я памятник себе воздвиг чудесный, вечный, / Металлов тверже он и выше пирамид; / Ни вихрь его, ни гром не сломит быстротечный, / И времени полет его не сокрушит. / Так! — весь я не умру; но часть меня большая, / От тлена убежав, по смерти станет жить, / И слава возрастет моя, не увядая, / Доколь Славянов род вселенна будет чтить». «Славянов род» — вот величественная единица счета в пору национального самоутверждения. Не человек. Не человечество. То, что больше и выше первого. То, что меньше второго. Государство. Народ. Род. Причем «меньше второго» не означает «ниже». Напротив, интересы государства главней интересов не только одного человека, но и всего человечества. Правота — правее. Нравственность — нравственнее.

А в другом *Памятнике*, в пушкинском, который, конечно, невозможно не вспомнить, — как изменилась единица счета! Не слитная масса, не «род», державно осеняющий своего певца, но — индивидуальность. «...И славен буду я, доколь в подлунном мире / Жив будет хоть один пиит». «Хоть один» — больше не надо.

Пушкинский *Памятник* вообще постепенный, построфный ответ державинскому. Строфа аукается со строфой, подчас теряя без этого ауканья смысл, и параллелизм способен сказать, до чего изменилось самоощущение поэта. Да и попросту человека.

Итак: «Я памятник себе воздвиг чудесный, вечный...» Пушкин исправляет: «нерукотворный». И добавляет, что его памятник выше имперского Александрийского столпа. Впрочем, существенны все поправки — даже такие, что почти незаметны, как в начале второй строфы. «Так! — весь я не умру...» — и: «Нет, весь я не умру...» Восклицательное «так!», то есть, по-тогдашнему, «да!» — и спокойное отрицание «нет».

Насколько увереннее Державин! Не оттого ли как раз, что за ним целый славянский род, в чьей вечности он не сомневается? А Пушкин не то чтоб пессимистичен, но ведь «пиит» может родиться или не родиться. Подать или не подать голос.

Перейдем к третьей строфе.

Вот державинская: «Слух пройдет обо мне от Белых вод до Черных, / Где Волга, Дон, Нева, с Рифея льет Урал, / Всяк будет помнить то в народах неисчетных, / Как из безвестности я тем известен стал...» Пушкинская... Но она памятна всем, к тому же тут его вмешательство — наименьшее. Серьезная разница, если и есть, так в том, что у Державина — границы империи. У Пушкина — «всяк сущий в ней язык»: народы, люди, души.

Главное различие — впереди. Вчитаемся.

Державин: «...Что первый я дерзнул в забавном русском слоге / О добродетели Фелицы возгласить, / В сердечной простоте беседовать о Боге / И истину царям с улыбкой говорить».

Пушкин: «И долго буду тем любезен я народу, / Что чувства добрые я лирой пробуждал, / Что в мой жестокий век восславил я свободу / И милость к падшим призывал».

Вот в чем суть! Вот что подняло Державина из безвестности: прикосновенность к царям — небесному и земному. В космосе XVIII века они, Бог и царь, равно необходимы человеку для самоуважения и самоутверждения. Вне их, вне религии и государства, он — ничто. Вернее, нечто, дорожащее не самостоятельностью и отдельностью, а тем, что является средством связи. Связности. Как в оде *Бог*: «Частица целой я вселенной, / Поставлен, мнится мне, в почтенной / Средине естества я той, / Где кончил тварей Ты телесных, / Где начал Ты духов небесных / И цепь существ связал всех мной».

Так ощущает себя типичный человек той эпохи: он входит кирпичом в общую кладку и боками удовлетворенно ощущает ее прочность и тесноту.

Сама истина, к которой извечно стремится разум, не самоценна. Ее ценность зависит от того, кому ее внушают: «...И истину царям с улыбкой говорить». А улыбка, или «забавный русский слог» — это та доля независимости, какую может себе позволить принципиально зависимый. Как и граница своеволия: улыбайся, шути, но не бунтуй.

Улыбка, в отличие от дерзкого смеха, — знак домашности, союзничества, мира. Всего того, на что надеется всякое государство, постоянно разочаровываясь в своей надежде.

Так у Державина. Что же у Пушкина?

Совсем, совсем иное: «чувства добрые», «свобода», «милость к падшим...» Правда, царскую милость — но к восставшим на царя.

Пушкин — государственник и в этом смысле как бы человек XVIII века, который не зря в оде *Клеветникам России* прямо-таки по-державински стал на сторону государства против человечества. «О чем шумите вы, народные витии? / Зачем анафемой грозите вы России?» — корил он французских парламентариев, возмущенных расправой его страны над своей провинцией Польшей. «Оставьте: это спор славян между собою... / ...Вам непонятна, вам чужда / Сия семейная вражда...» И, ежели что, угрожал обратить против незваных гостей «измаильский штык». Почти как Державин, который, скорбя о смерти Суворова, скорбел и вот по какому поводу: «С кем мы пойдем войной на Гиенну?»

Почти — и не больше того, потому что Пушкин все же готов к обороне, а Державин сожалел, что не будет похода на Францию. «Гиенна, — объяснял он для непонятливых, — злейший африканский зверь, под коей здесь разумеется революционный дух Франции...»

Сходство? Да. Но Пушкин ушел — если не из-под самой власти, то из-под обаяния самодержавной государственности. В *Медном всаднике* он мучительно искал равновесия между Петром Великим и маленьким Евгением. Памятник, воздвигаемый поэтом себе самому, выше столпа, воздвигнутого одним царем другому, и главное, разницу не измерить погонными метрами. Она нерукотворна. Она выше любой вышины, то есть неподвластна меркам почета и славы: кому орден Андрея Первозванного, кому хватит и Владимира в петлицу.

Державин обращался к тем, кто выше его: к Богу, к царям. С Богом беседовал, царям улыбался, порою — смело. Пушкин — вне власти царя; конечно, не физической — тут все равно беспомощны. «Чувства добрые» существуют помимо царей, они не ими определены. «Свобода» — тем более. «Падшие» оттого и пали, что на царя поднялись.

Об этом — четвертая строфа пушкинского *Памятника*.

А о чем пятая? Та, что до сих пор вызывает споры: «Веленью Божию, о муза, будь послушна, / Обиды не страшась, не требуя венца, / Хвалу и клевету приемли равнодушно / И не оспоривай глупца».

Но спорить, в сущности, не о чем. Смысл и пятой строфы зависит от державинского *Памятника*, этой главной декларации XVIII столетия. А как иначе? Пушкин писал для тех, у кого знаменитый и, общем, недавний завет Державина был на слуху: «О Муза! возгордись заслугой справедливой, / И презрит кто тебя, сама тех презирай; / Непринужденною рукой неторопливой / Чело твое зарей бессмертия венчай».

«Возгордись... Презирай...» Рядом с этим Пушкин как-то странно покорен. Чуть не безволен: «...будь послушна... не оспоривай...» Но это — продолжение все того же коренного различия. Между поэтом и поэтом. Между веком и веком.

Вдумаемся в сюжет этого противостояния. Державин обозначил свою прикосновенность к царям, небесному и земному, ощутил себя частью и мироздания и государства, — только после этого он готов принять венец бессмертия. И не просто готов, а настроен решительно: «венчай» — повелительно разрешает он музе. А непринужденность и неторопливость, с какими муза должна увенчать свое чело, как раз говорят об ощущении заслуженности. Незачем торопиться: заслугу никто не отнимет. И принудить не смеет никто: заслуга, выслуга дали ему право на венец — по законам, принятым в державе.

«Венчай», — требует Гаврила Романович. «Не требуя венца», — говорит Александр Сергеевич. Вскользь, в деепричастном обороте: «не требуя» вместо «не требуй».

Казалось бы, почему? Ведь сам же Пушкин, не скромничая, перечислил свои заслуги — только что. А потому что: у кого требовать? У Бога? Невозможно. Тогда — у царя? Или, может быть, у народа? Но: «Иные, лучшие мне дороги права; / Иная, лучшая потребна мне свобода; / Зависеть от царя, зависеть от народа — / Не все ли нам равно?» В общем: «Ты сам свой высший суд».

Так укрепился в своем самосознании XIX век русской литературы. Для этого должен был начаться, продолжиться и закончиться, исчерпавшись, век XVIII.

Хвала ему. Он оставил нам гениального *Недоросля* и гениальные стихотворения Державина — то есть произведения, не просто написанные людьми, одаренными гениально, но такие, где этот гений уже сумел воплотиться. А все-таки лучшее, что можем сказать о XVIII веке, — то, что без него не родилась бы великая словесность века последующего. Выражаясь грубее, он унавозил почву, на которой взросло самое лучшее, что дала миру история Российского государства.

Да и в чем тут грубость? Так и есть. Многие — да и попросту большинство русских талантов легло в эту почву, будучи обреченными не дойти до читателя поздних времен. В этом, если угодно, их невольный культурный подвиг самопожертвования.

Столетия обычно завершаются не точно по хронологии, а, как правило, позже или раньше, чем на табло истории появятся два нуля. Вот и на сей раз: державинский *Памятник* появляется в пору, когда Пушкин уже подрастает, ему восемь лет. А сам Гаврила Романович, успев передать ему лиру...

Впрочем, задержимся. Точно ли так? Сам-то Державин, кажется, намечал совсем другого наследника. «Тебе в наследие, Жуковский! / Я ветху лиру отдаю...» — писал он уже после того, как восхитился кудрявым лицеистом. Просто история рассудила по-своему.

Итак, Гаврила Романович умер лишь в 1816-м. Новиков — два года спустя. Карамзин даже успел перешагнуть первую четверть нового века. Дмитриев — вовсе в один год с Пушкиным. Другим повезло меньше. Радищев, истерзанный жизнью, покончил с собой почти на рубеже эпох, в 1802-м. Фонвизин не дожил до этого срока целых десять лет.

Оттолкнувшись от года его кончины, и попробуем произвести подсчет, дающий ошеломительный результат.

Стало быть, год 1792-й. Проходит всего три года, и на свет появляется преемник Фонвизина в комедии Грибоедов. (А может быть, он уже находится в двухлетнем возрасте: тут неясность с датой рождения.) Минет еще четыре года — и явится Пушкин. Еще год — Баратынский. И пойдет, пойдет, пойдет. Три года спустя родится Тютчев, спустя еще шесть — Гоголь, два — Белинский, год — Герцен и Гончаров, два — Лермонтов, три — Сухово-Кобылин и Алексей Толстой, год — Тургенев, три — Достоевский и Некрасов, два — Островский, три — Щедрин, два — Лев Толстой...

Дело не в счастливой случайности рождений: богато одаренные натуры рождаются всегда. Но возникла непрерывная цепь, звено цепляется за звено — и это уже неразрывно.

ЧАСТЬ ВТОРАЯ

Удачники и неудачники

В маленькой трагедии *Каменный гость* Дон Гуан взывает к сердцу Доны Анны — прямо у могилы убитого им мужа: «О пусть умру сейчас у ваших ног, / Пусть бедный прах мой здесь же похоронят...» И дальше: «...Чтоб камня моего могли коснуться / Вы легкою ногой или одеждой, / Когда сюда, на этот гордый гроб / Пойдете кудри наклонять и плакать».

Век спустя Юрий Олеша восхитится этими строчками, посчитав, что их «наличие... у поэтов той эпохи кажется просто непостижимым»: «Это слишком «крупный план» для тогдашнего поэтического мышления... Это шаг поэта в иную, более позднюю поэтику».

Последнее — неверно. Поэтика тут не «более поздняя», а самая что ни на есть пушкинская. Пушкиным созданная, верней, создававшаяся, и любопытно, что в *Каменном госте* — всего за два десятка стихов до «наклоненных кудрей» — как раз и запечатлен процесс создания. Словно бы черновой набросок: «Я только издали с благоговеньем / Смотрю на вас, когда, склонившись тихо, / Вы черные власы на мрамор бледный / Рассыплете — и мнится мне, что тайно / Гробницу эту ангел посетил...»

Так Дон Гуан расчетливо льстит Доне Анне, продолжая: «И думаю — счастлив, чей хладный мрамор / Согрет ее дыханием небесным / И окроплен любви ее слезами...»

В самом деле: это похоже (и непохоже), как черновик и беловик. А то даже выглядит соревнованием двух поэтов: такие турниры, когда каждый состязающийся сочинял стихи на заданную тему, были обычным делом, скажем, в эпоху европейского Средневековья.

Женщина, которая приходит плакать на гроб мужа, — вот тема, заданная для этого состязания. Кто же — и как — победил?

«...Склонившись тихо, / Вы черные власы на мрамор бледный / Рассыплете...» — так описывает женщину первый поэт. Так — второй: «...Пойдете кудри наклонять и плакать».

«Власы» — сказано у одного. «Кудри» — у второго. Уже разница. Общее, несколько обезличенное слово «власы» заменено «кудрями», тем, что конкретней. Что характеризует не женщину вообще, но *эту* женщину.

Далее. Первый поэт не удерживается от чисто зрительного контраста: «черные власы на мрамор бледный». Действительно, эффектно: черное — на белом. Второму — не до эффектности.

«...И окроплен любви ее слезами» — первый и здесь изысканно-витиеват. Второй говорит просто: «плакать».

Но и это не главное.

Вчитаемся. Всмотримся. В изображении первого из поэтов женщина будто замедленно меняет позы. «Склонившись тихо» — одна поза. «Рассыплете» — другая. И только спустя несколько строчек образ дополнится еще одной подробностью: «...И окроплен любви ее слезами».

У второго поэта все сжалось в одно слитное движение: «кудри наклонять и плакать». Нет пауз. Нет замедленности. Плачущая женщина воспринята сразу, мгновенно, остро. Именно — женщина, живая, земная, с легкой походкой и черными кудрями. А не «ангел», посетивший гробницу и похожий на прочие кладбищенские изваяния.

Пожалуй, второй из состязающихся поэтов заслужил право сказать первому: «Любовь не изъясняется пошлыми и растянутыми сравнениями». Да и сказал — пусть заглазно. Ибо это — запись, сделанная Пушкиным в 1830 году на полях книги стихотворений одного из самых близких своих предшественников Константина Батюшкова. В юности он у него учился; в зрелости вдруг оказался суров к учителю.

Не только суров. «Очень мило». «Прекрасно». «Прелесть». Но и: «Дрянь». «Пошло». «Слабо». Или: «Темно». «Вяло». В точности как оценил элегию своего героя Владимира Ленского: «Так он писал *темно и вяло...*»

Так что же, с точки зрения Пушкина, было «пошло и растянуто»?

Например, следующее: «Ты здесь, подобная лилее белоснежной, / Взлелеянной в садах Авророй и весной, / Под сенью безмятежной, / Цвела невинностью близ матери твоей...» И, напротив, вот строки, заставившие Пушкина восхититься: «Звуки италианские! Что за чудотворец этот Батюшков!» Это двустишие: «Нрав тихий ангела, дар слова, тонкий вкус, / Любви и очи и ланиты...»

Казалось бы, коли на то пошло, «италианской» звукописью скорее следовало признать то, что охаяно: «...лилее белоснежной, взлелеянной...» Пять «л» — чем не неаполитанская мелодия? А ведь тут к тому же спрятан секрет, как в музыкальной шкатулке: «лилея» аукается со словом «взлелеянной». Это — как долгое нежное эхо. Но Пушкин к этому глух. Почему?

Белоснежная лилея, безмятежная тень, цветущая невинность — это сплошь банальности, доступные многим, как их ни оркеструй. Да и первая строчка понравившегося двустишия (рискнем быть придирчивей самого Пушкина) — тоже не больше, чем перечисление неких свойств: «Нрав тихий ангела, дар слова, тонкий вкус...»

И вдруг: «... Любви и очи и ланиты»!

К. Батюшков. *Автопортрет*

А не начать ли и здесь придираться? Это же косноязычно! Не надо ли перестроить строку: «Ланиты и очи любви»?

Но в том-то и чудо. Сама алогичность расположения слов говорит о непроизвольности, с какой они вырвались из души. Само косноязычие: «любви и...» означает: голос словно дрожит от нежности и волнения. Хотя разъяснять подобное — безнадежное дело. Важно, за что́ Батюшков получил пушкинское одобрение: за то, что за словом, в слове — не просто умение искусного стихотворца, способного, например, нанизать несколько «л», а живое чувство живого человека.

Вот что еще понравилось Пушкину (подчеркивания — его): «...И Гела сияла в *соленой* волне... Но волны напрасно, яряся, хлестали: / Я *черпал их шлемом; работал веслом*». Эти строки из *Песни Гаральда Смелого* оценены так: «Прекрасно».

За что? За то, что волна названа не «хладной», не «бурной», не «синей». Она названа «соленой». Это невыдуманное ощущение человека, плывущего среди яростных волн. Они брызжут ему в лицо, он чувствует на губах соль. А «черпал их шлемом» — тоже действия подлинного человека в подлинных обстоятельствах. Подлинность в особенности заметна в соседстве со строчками, где, в сущности, то же передано совсем по-другому: «Я, хладную влагу рукой рассекая, / Как лебедь отважный по морю иду...»

Вот это действительно «пошло», «темно», «вяло». Что, уж конечно, не приговор Батюшкову в целом, но свидетельство неудачи тех его строк, что как бы остановились на полдороге.

Вообще Константин Николаевич Батюшков (1787–1855) есть, быть может, несчастнейшая фигура во всей истории русской поэзии.

Потому ли, что был застигнут переломом эпох? Нет. Не говорю уж о том, что рубеж, разделяющий столетия, черта все же условная. Но вот пример мирного перехода из эпохи в эпоху — классик их обеих Карамзин. И больше того: даже не столь идиллический переход, а поистине перелом, переламывающий судьбу пополам, может — самым причудливым образом — оказаться во благо. Что и произошло с Иваном Андреевичем Крыловым (1769–1844).

Неимоверная туша, увенчанная головою престарелого льва. Малоподвижность и лень, возведенные в степень легенды. Столь же мифическое обжорство. Образ, который располагал бы к насмешке, если б не обаяние лукавой мудрости и неколебимого благодушия. Держа в уме такое изображение, трудно представить, каков был Крылов смолоду. В XVIII веке.

Тринадцати лет оказавшись в Петербурге и уже поступив на службу (а до того едва не погибнув с отцом-капитаном от рук пугачевцев), Крылов очень скоро нашел попечителей. И каких! Среди тех, кто высмотрел его словесный талант (плюс способности математика, рисовальщика, скрипача, полиглота), были Державин, Княжнин, актер Дмитревский, российский Леонардо да Винчи Николай Александрович Львов (1751–1803) — поэт, фольклорист, переводчик, инженер, музыкант, архитектор, археолог, художник, ботаник. Впрочем, характер юноши оказался таков, что с иными из покровителей, а главное, с меценатом, вельможей Соймоновым произошел скандальный разрыв — по не столь уж серьезной причине. Если, конечно, не считать таковой обостренное чувство достоинства.

Словом, сумасброд, задира, буян! В быту — картежник, гуляка; в словесности — отчаянный журналист, издающий журнал *Почта духов*,

запрещенный Екатериной в пору гонений на Радищева и Новикова. Правда, острога Крылов избежал, но из столицы был выслан.

Не унялся. Сочинил сатиру *Каиб* (1792), где под глумливыми именами вывел могущественных Потемкина и Безбородко вкупе с генерал-прокурором Вяземским, чем вызвал симпатию наследника Павла, ненавидевшего матушкиных приближенных. Так что тот, взойдя наконец на престол, пожелал с наглецом увидеться («Здравствуйте, Иван Андреевич. Здоровы ли вы?..»)

Известно, однако: разговор не заладился. Пошла полоса нового оппозиционерства — вплоть до комедии *Трумф* (1800), пошедшей в «самиздат», где и пробыла семьдесят с лишком лет. Там сквозь личину идиота-капрала просвечивал уже новый царь.

«Диссидент»? Лучше сказать: мизантроп. В тогдашнем смысле: тот, кто не то чтобы ненавидит людей, но к ним взыскующе строг. В XVIII веке таков фонвизинский Стародум, удалившийся от разочаровавшего его общества, в XIX — Чацкий, убегающий из Москвы, попросту эмигрирующий.

И вдруг — как отрезало. Иван Андреевич сам переломил судьбу.

В Чацкие он не годился. Он эмигрировал в самого себя. Словно разом перешел в иной возраст: «дедушкой» его нарекли задолго до стариковского возраста. Спрятался в своей великолепной туше, доигрывая и наигрывая действительные наклонности к обжорству и лени. Правда, вот лень... Как совместить эту репутацию с великими баснями, поражающими не только своим множеством и тщательностью отделки, но — решительным преображением жанра?

Не говоря об античных Эзопе и Федре, в нашем XVIII веке, у Сумарокова или Дмитриева, басня, как и положено этому жанру, была куда больше нравоучением, чем поэзией. Да и после Крылова, вплоть до XX века, разве не так? Между тем замечено (лучше и раньше прочих — советским психологом Львом Выготским), что у него навязчивая мораль часто расходится с реальным содержанием притчи. Скажем, в басне *Волк и Ягненок* агнец — не жалкий трус, но «маленький человек» со своим чувством достоинства, говорящий чистую правду и ею, правдой, все более раздражающий неправую силу. Торопящий свою гибель. Так что выходит не басня, а драма...

Что же произошло с Крыловым? Да то, что он над собою поставил, говоря языком XX века, эксперимент. Вполне удавшийся.

Ничего удивительного. Испытывать себя было в постоянном обычае этого человека. Он мог, побывав на выступлении жонглера-индуса, взревновать к его ловкости и добиться такой же. Мог выучить в старости древнегреческий — дабы прочесть наконец в подлиннике Эзопа. Мог, поселившись в имении графа Татищева в пору отъезда хозяев, перестать стричь ногти и волосы, мыться, а сверх того и разгуливать по окрестностям нагишом. Все она же, пресловутая лень? Ничуть не бывало: «Мне хотелось попробовать, каков человек в первобытном состоянии».

Крылов ушел в себя. Скрылся в себе, тайно разыгрывая в душе множество драм, притворившихся баснями-притчами, — чтобы выжить. Физически, но и творчески. И победил обстоятельства. В отличие от Батюшкова, кто, оставив ряд прекрасных стихотворений, все же воспринимается как олицетворенная историческая неудача.

Не потому лишь, — хотя, конечно, с лихвою хватило б и этого, — что в расцвете таланта, тридцати пяти лет, он сошел с ума, всю вторую половину жизни проведя в душевной тьме. Тут и другое. «Злодей! Как он начал писать!» — вскричал Батюшков, прочитав одно из стихотворений юного Пушкина. Рассказавший об этом Иван Сергеевич Тургенев сочувственно прокомментировал: «Быть может, воскликнув: «Злодей!», Батюшков смутно предчувствовал, что иные его стихи и обороты будут называться пушкинскими, хотя и явились раньше пушкинских».

Так и вышло. «Это еще не пушкинские стихи, — писал Белинский, — но после них уже надо было ожидать не других каких-нибудь, а пушкинских». Но выразительней всех высказался Мандельштам: «Батюшков — записная книжка нерожденного Пушкина». Действительно — черновик! Набросок!..

Батюшков нервно сознавал двойственность своего положения, пронизывающую саму его поэтическую образность: «...И гордый ум не победит / Любви холодными словами». «О память сердца! ты сильней / Рассудка памяти печальной...» Или (это уже не из метафорической, а его настоящей записной книжки): «Оба человека живут в одном теле. Как это? не знаю... Белый человек спасает черного...»

(Читателю, конечно, не отвязаться от аналогии с поэмой Есенина *Черный человек*. Тем паче и там ведь — картина безумия!)

А. С. Пушкин. *Автопортрет*

Кажется, все в Батюшкове было соткано из противоборств. Воспитанный во французском пансионе и в любви к французской словесности, к Буало и Парни, он по офицерскому долгу оказался вовлечен в войну с обожаемой Францией. И потрясен тем, что творят на его родине дети его же возлюбленных просветителей: «Мой друг! я видел море зла / И неба мстительного кары; / Врагов неистовых дела, / Войну и гибельны пожары. / Я видел сонмы богачей, / Бегущих в рубищах издранных; / Я видел бледных матерей, / Из милой родины изгнанных!» (*К Дашкову*, 1813).

Но все это — трагизм, приходящий извне, вмешательство войны и истории, а если и изнутри, то изнутри рода, наследственности, как была наследственна психическая болезнь. Однако не оставляет ощущение, что поистине сводила с ума драма *поэта*. Батюшков мог, должен был сделать то, что удалось Пушкину. Но: «Злодей, как он начал!..» Он, а не я. Отчего символической кажется история, происшедшая уже во время душевного помешательства. Батюшков спросил себя самого: «Который час?» И сам же ответил: «Вечность». Да, время, отпущенное ему на то, чтобы стать, по пушкинскому словцу, «чудотворцем» — но не отдельных строк, а всей русской поэзии, — это время словно потеряло ориентиры.

Что ж до «злодея», то именно он в России открыл язык любви. Язык непосредственного чувства. Раз навсегда научил русскую поэзию и русских поэтов выражать чувство. Выражать по неким общим законам, помогающим высказаться с предельной искренностью, — и в то же время всякий раз сообразно с данным, конкретнейшим состоянием. Отныне мир обжит поэтом, одухотворен его постоянным присутствием, соучастием, — как в тех строчках Батюшкова, что были оценены: «Прекрасно», «Прелесть».

А. Пушкин. *Дон Гуан*

Именно этому научил Пушкин своего Дон Гуана, — а, может, как знать, в процессе животворения сам продолжал учиться у героя?

Между первым и вторым монологами любви, обращенными к Доне Анне, всего один шаг. Но это шаг из одного состояния души в другое. И даже от одного человека к совсем другому. Переродившемуся.

«...Вы черные власы на мрамор бледный / Рассыплете...» — это взгляд соблазнителя, поверхностно-льстивый. «...Пойдете кудри наклонять и плакать» — взгляд влюбленного. Вдруг полюбившего.

«Дон Гуан распоряжается своими чувствами, как полководец солдатами», — заметил Белинский. Вернее, распоряжался. В войске случился бунт, и сам полководец беззащитен перед мятежными чувствами.

Конечно, кто поручится, что соблазнитель с таким предыдущим опытом не изменит и этой любви? Но Пушкин не дает нам возможности узнать ответ. Его Дон Гуан гибнет в соответствии с традиционным сюжетом, как в фольклорной легенде, у испанца Тирсо де Молины, у француза Мольера, у австрийца Моцарта. Но гибнет, пытаясь защитить любимую и с ее именем на устах. «...О Дона Анна!» — последнее, что он произносит в своей жизни.

Однако любопытней всего, что эволюция преображения произошла — да, да! — с самим Пушкиным.

В юности он, как все, испытал целый ряд влияний, притом разнородных. Подражал высокопарным одам русского классицизма и игривому стилю Эвариста Парни. Прельщался похабством Баркова и кощунством *Орлеанской девственницы* Вольтера. Конечно, не миновал уроков сентименталистов. Дело обычное. Но если говорить о том, как *Пушкин стал Пушкиным*, можно выделить две вехи. Даже — две эпохи.

«Без Пушкина, — писал в книге *Русская идея* Николай Бердяев, — невозможны были бы Достоевский и Л. Толстой. Но в нем было что-то ренессансное...»

Внимание! Речь о первой вехе, о первой пушкинской эпохе, о подобии европейского Ренессанса, Возрождения, с чем мы связываем общее раскрепощение духа (как и плоти). И разве не «ренессансная» фигура Дон Гуан? Своеволец, бросивший вызов укладу Средневековья? У Мольера да и у Пушкина — тут они родственны — воплощение суровых средневековых устоев, конечно, статуя Командора.

Но дальше: «...И в этом на него не походит вся русская литература XIX века, совсем не ренессансная по духу... Великие русские писатели XIX века будут творить не от радостного творческого избытка, а от жажды спасения народа, человечества и всего мира, от печалования и страдания о неправде и рабстве человека».

Это так — и не так.

«Радостный творческий избыток» был весьма свойствен автору озорной поэмы *Гавриилиада* (1821), где непорочное зачатие Девы Марии

изображалось более чем фривольно — вслед поэме Парни *Война богов*, а
отчасти и в прямое подражание ей. И — автору, скажем, послания Юрьеву (год тот же), которое и вырвало у Батюшкова памятное завистливое
восклицание: «А я, повеса вечно праздный, / Потомок негров безобразный, / Взращенный в дикой простоте, / Любви не ведая страданий, / Я
нравлюсь юной красоте / Бесстыдным бешенством желаний...»

«Избыток — и в *Братьях-разбойниках* (1821–1822), и в *Бахчисарайском
фонтане* (1823) и т.д. Но — какой стремительный и огромный проделан
путь к *Борису Годунову* (1825) с «печалованием и страданием», внушенными самому царю Борису! К тем же маленьким трагедиям (1826– 1830),
где Скупой рыцарь, возмечтавший об абсолютной, сверхчеловеческой независимости среди своих сундуков, вдруг оказывается — как Дон Гуан! —
беззащитен перед сомнением в его рыцарской чести. Где убийца Сальери,
также попробовавший стать сверхчеловеком, коему все дозволено, сражен самим своим преступлением. Где Вальсингам, председатель «пира во
время чумы», горд своей невозмутимостью перед угрозой собственной

смерти и, больше того, перед гибелью близких ему людей, — но одно слово священника повергает его в смятение...

Что касается Дон Гуана, трудно не вспомнить слова, сказанные будто нарочно о нем. А именно: чувство, которое он испытал, пустившись, казалось, в очередное любовное приключение, «было совсем не то, что он ожидал. Ничего веселого и радостного не было в этом чувстве, напротив... Это было сознание новой области уязвимости».

А сказал это Лев Толстой. Сказал о герое *Анны Карениной* и в некотором смысле своем двойнике Константине Левине, увидавшем впервые своего новорожденного ребенка.

Когда речь шла о двух *Памятниках*, мы наблюдали переход от одного века к другому. В *Каменном госте* непроизвольно запечатлелось движение от поэта к поэту. От Батюшкова к Пушкину. Движение, проследить которое составляет задачу моей книги, и Пушкин — как раз и есть это олицетворенное движение. В том числе внутри себя самого.

Говорить об «удаче» здесь еще менее оснований, чем в случае Крылова, где все-таки, хоть и неявно, но было совершено почти мускульное усилие по переустройству темперамента и души. У Пушкина все естественно, гармонично. Словно само по себе.

«Неудача» — дело иное. Оно, конечно, тоже условно, коли уж и разнесчастный Батюшков все же остался автором нескольких удивительных произведений. Но подобные соображения редко бывают утешением для самих авторов. Вопреки суровому постулату, если и не сама история, то историки знают сослагательное наклонение. Прикидывать: «если бы да кабы» — неотъемлемое занятие потомков и, что важнее (и драматичнее), самих творцов. В этом смысле очевиднейший неудачник — двойной тезка Пушкина Грибоедов (1795 или, вероятнее, 1790–1829).

Снова не оттого лишь, что его жизнь трагически оборвалась; снова речь о неудаче иного рода. И даже не в том дело, что он оказался создателем всего одного шедевра (зато какого!). Неудача — в разрыве. В надрыве.

«Творческое бессилие Грибоедова после *Горя от ума* несомненно». Жестокость сказанного поэтом Владиславом Ходасевичем можно смягчить оговоркой: дескать, были и после некоторые удачи... Строфы... Строки... Но что они значат сравнительно с *Горем от ума*?

Даже наброски трагедии *Грузинская ночь*, на которую автор возлагал надежды, говорят: нельзя сравнивать несравнимое. И в этой неудаче была закономерность, которая характеризует как раз ситуацию смены эпох.

Вот загадка! *Горе от ума* было задумано в 1821 году, закончено — в 1823-м. А всего четырьмя годами раньше возникновения замысла Грибоедов вместе с поэтом и критиком Павлом Александровичем Катениным (1792–1853) сочинил комедию, мягко сказать, не великую. Выражаясь решительнее, посредственную.

Дело, однако, не в качестве. Эту пьеску, *Студент*, можно рассматривать как эскиз *Горя от ума*. А ее персонажей — как наброски едва ли не всех главных героев великой комедии.

В самом деле. Петербургский барин Звездов, хозяин открытого дома и враг всего новомодного, — это в зародыше москвич Фамусов. Молодой чиновник Полюбин, который приударяет за его воспитанницей и уговаривает идти служить «студента» Беневольского, нагрянувшего из Казани в звездовский дом, — как бы грядущий Молчалин. Сам Евлампий Аристархович Беневольский, человек из «новых», напропалую декламирующий Батюшкова, подражающий Пушкину и Жуковскому, — он... Выходит, предтеча Чацкого? А добавим еще и гусара Саблина, который может сойти за родича Скалозуба.

Итак, и здесь черновик? Набросок? Записная книжка нерожденного *Горя от ума*?

Ничего подобного. В том и загадка, что в *Студенте* все наоборот. Беневольский — дурак и бездельник. Звездов, Полюбин, Саблин, конечно, изображены не без иронии — комедия как-никак, — но мягко, даже сочувственно. Как, в сущности, очень милые люди.

П. Соколов. Иллюстрация к комедии А. С. Грибоедова *Горе от ума*

А. Пушкин.
Портрет А. С. Грибоедова

Причина такой расстановки симпатий и антипатий понятна. Молодой Грибоедов, как и его соавтор, примыкали к «консерваторам», «архаистам», критиковавшим поэзию Карамзина, Жуковского да и Пушкина как слишком — якобы — европейскую. Пренебрегающую исконно национальными корнями. Но — как произошел переворот? Каким образом идиот Беневольский преобразился в умницу Чацкого?

На этот счет размышлять можно бесконечно. Но, сдается, отгадка хотя бы частично кроется в словах Ивана Александровича Гончарова, сказавшего о комедии *Горе от ума*: «Как картина она, без сомнения, громадна. Полотно ее захватывает длинный период русской жизни — от Екатерины до императора Николая».

Вот!

«Длинный период», но вместившийся в четыре акта комедии. В один-единственный день, с утра до ночи. «От Екатерины», с которой так живо связаны ностальгические воспоминания Фамусова, «до императора Николая», дух эпохи которого воплотился в Молчалине. Фигуры старых и новых времен сосуществуют рядом, что понятно тем паче, учитывая место действия. На сцене — Москва, полупровинция, где все перемены происходят медлительней, чем в Петербурге.

А Чацкий? Он, говорит Гончаров, «неизбежен при каждой смене одного века другим». Он — герой промежутка. Ему равно отвратительны косность старухи Хлестовой и бесхребетность Молчалина, но сам он — насколько определенный характер?

Недоумевать по этому поводу начал еще Пушкин: «В комедии *Горе от ума* кто умное действующее лицо? ответ: Грибоедов. А знаешь ли, что такое Чацкий? Пылкий, благородный и добрый малый, проведший несколько времени с очень умным человеком (именно с Грибоедовым) и напитавшийся его мыслями, остротами и сатирическими замечаниями». И далее: «Все, что говорит он, очень умно. Но кому говорит он все это? Фамусову? Скалозубу? На бале московским бабушкам? Молчалину? Это непростительно. Первый признак умного человека — с первого взгляду знать, с кем имеешь дело...» (из письма 1825 года).

Но, может быть, Чацкий и не был задуман как умник?

Историк Василий Осипович Ключевский утверждал: положительные герои комедии *Недоросль* (Правдин, Софья, Милон), эти, как он говорил, «моралистические манекены», суть верные списки с натуры. «...Их действительные подлинники были не живее своих драматических снимков. ...Они являлись ходячими, но еще безжизненными схемами новой, хорошей морали, которую они надевали на себя как маску».

Положим, причины появления «манекенов» были все же иными. Литература XVIII столетия, склонная к резонерству, не умела оживлять своих «положительных». Но Чацкий! Чацкий со странной его близорукостью: эка задача — понять нелюбовь к нему Софьи, когда она все режет в глаза... Чацкий с его неумением выбирать собеседников... Тем не менее он таков, каким мог быть в *такое* время *такой* человек.

Замыслил ли его точно таким сам Грибоедов? Вряд ли. По справедливому замечанию Пушкина, он напичкал своего собственного резонера, фигуру, еще столь привычную для словесности, не совсем расставшейся с XVIII веком, своими же любимыми мыслями. Не слишком и озаботясь, чтобы вышел объемный характер. И ежели так, значит, удача *Горя* случайна?

Сказав: «да, случайна», не унизим тем самым — ни Грибоедова, ни его комедию. Потому что зато уж никак не случаен его огромный талант. А ответить: «нет, не случайна» мешает то самое (что ж, приходится согласиться) «творческое бессилие», наступившее после создания *Горя от ума*.

Не потому ли Грибоедов ушел, бежал, эмигрировал — как его выдуманный Чацкий, как реальный Крылов? (Только не в никуда, подобно первому, не в себя самого, подобно второму. Он ушел с головой в поприще дипломата, посла в Персии, где и ждала его гибель.) Трудно сказать. Возможно, не только поэтому: ему было весьма не чуждо честолюбие государственного человека. Но очевидна его растерянность — перед сложностью нового времени, новой реальности, явившей свою дисгармонию. А ведь еще так недавно, в только что миновавшем веке, мир казался отчетливо ясным, простым, как все было просто и ясно в комедии *Студент*.

Так вышло с Александром Сергеевичем Грибоедовым. Александр Сергеевич Пушкин начал и продолжил свое движение, обретя среди сложности мира гармонию. Понятие, которое мы поминаем всуе, походя, воспринимая его как всего лишь синоним (цитирую современный словарь) «благозвучия, стройности и приятности звучания».

А оно очень многое значит в истории российской словесности. Да и просто — в истории.

Что такое гармония

Вот строки, которые можно использовать в телеиграх — с почти абсолютной гарантией, что участники попадут пальцем в небо: «...И жалует миром соседей-врагов... / Кудесник! скажи мне, что будет с тобой?.. / ... Безумный старик?»

Откуда это? И — ответ хором: «Из Пушкина! *Песнь о вещем Олеге!*»

Действительно, похоже, что эти слова — ну, пусть не из самого по себе канонического текста *Песни*, но из ее черновых набросков. Сравним с собственно пушкинским, подчеркнув совпадения: *«Скажи мне, кудесник, любимец богов, / Что сбудется в жизни со мною? / И скоро ль на радость соседей врагов... / ...Кудесник, ты лживый, безумный старик!»* А меж тем строки, годящиеся для розыгрыша, — из Николая Михайловича Языкова (1803– 1846). Только на сей раз то, что мы приняли за черновик и набросок, появилось не до пушкинской *Песни о вещем Олеге*, а спустя пятилетие, в 1827. И в языковском стихотворении *Кудесник* трудно не угадать недобрый спор с Пушкиным, даром что кудесник другой, и сама история — другая.

В языковском варианте (отрывок из Лаврентьевского списка *Повести временных лет*, рассказ 1071 года) кудесник-волхв приходит в Новгород и смущает православный народ чудесами. В городе — смута, которую князь Глеб разрешает радикальным способом. Подходит к кудеснику, спрятав топор под одеждой, и вопрошает: «Знаешь ли, что утром случится и что до вечера?» «Знаю», — говорит волхв. «А знаешь ли, что будет с тобою сегодня?»...

Читатели *Мастера и Маргариты*! Узнаете ли разговор Воланда с Берлиозом, кончившийся для последнего гибелью под трамваем?

Далее — по Языкову: «Я сделаю чудо». — «Безумный старик, / Солгал ты!» / И княжеской дланью своею / Он поднял топор свой тяжелый — и вмиг /Чело раздвоил чародею».

Между прочим, и *Песнь о вещем Олеге* родилась в поэтическом споре — с Кондратием Федоровичем Рылеевым (1795–1826). С поэтом, которого больше помним как вождя декабристов, кончившего жизнь на виселице, в то время как его *Думы* (1825), стихотворения на сюжеты русской истории, были весьма популярны.

Среди «дум» и *Олег Вещий*, где этот исторический князь увенчан народом за ратные подвиги во славу Руси: «Весь Киев в пышном пированье

/ Восторг свой изъявлял / И князю *Вещего* прозванье / Единогласно дал». Но «Вещего» — в каком смысле?

В *Словаре языка Пушкина* — два значения этого слова. «Обладающий даром предвидения» и «мудрый». Что до Рылеева, тут все просто: его Олег, разумеется, «мудрый», «догадливый», «хитрый». Ведь киевляне почтили своего князя именно за военную хитрость: он догадался пустить посуху парусные корабли.

А у Пушкина... Похоже, его вещий Олег назван так лишь потому, что носил это звание в исторической реальности. Других причин нет. В стихах не заметно ни особенной его мудрости, ни тем более дара предвидения. Наоборот! «Вещим» оказывается кудесник, предсказавший князю гибель «от коня». А князь не сумел предсказание расшифровать.

Рылеев и Пушкин, в жизни приятели, были антиподами в поэтическом смысле. «Я не поэт, а гражданин», — сказал о себе декабрист, явственно предпочтя поэзии идеологию. Пушкин же, говоривший, как помним: «Цель поэзии — поэзия...», насмешничал: «...Если кто пишет стихи, то прежде всего должен быть поэтом; если же хочет просто гражданствовать, то пиши прозою».

Но спор, возникший у Языкова с Пушкиным, много резче.

В *Песни о вещем Олеге* сходятся князь, воплощение власти, и кудесник, пророк, откровенный аналог поэта. И незачем объяснять, чью руку держит Пушкин, — притом, что к *этой* власти, к благородному Олегу, он расположен. Просто — что делать! — не князю принадлежат высшее знание и высшая правда. Да и высшая смелость: «Волхвы не боятся могучих владык...»

Не боятся? О, языковский-то кудесник еще как боится. Он труслив и в своей трусости гадок: «Замялся кудесник, — и сам он не свой, / И жмется и чешет затылок». А правда — на стороне князя. Там, где сила и власть. (Заметим: стихи, где спор решен топором, написаны через год после повешения Рылеева и его четырех товарищей.)

Ответ Языкова Пушкину, явно недоброжелательный, может показаться неожиданностью: ведь их как будто объединяла дружба. «Издревле сладостный союз / Поэтов меж собой связует...» — еще в 1824 году обратится старший к младшему, воззвав (забегаю вперед: как в воду глядел!): «...Моих надежд не обмани». Младший ответит с должным почтением — идиллия!

Но она разлетится в прах, если заглянем в частные письма Языкова: «Онегин мне очень-очень не понравился; думаю, что ето самое худое из всех произведений Пушкина...» «Стихи Пушкина *К друзьям* — просто дрянь...» Зависть? Непохоже: Языков — во всяком случае смолоду — был замечательно благодушного нрава.

Гуляка и пьяница, он, отучившись в «ливонских Афинах», в Дерпте (нынешний Тарту), — если, конечно, гулянки и пьянки можно назвать ученьем, — был радушно принят в семью поэтов. Сама беспечность и склонность к вину воспринимались как дань молодости и даже признак свободолюбия. Да и он сам был в этом уверен: «Две добродетели поэта: /Хмель и свобода. Слава им!»

Но дело было не в пьянстве. Оно лишь поспособствовало тому, что пухлощекий здоровяк задолго до пожилого возраста превратился в иссохшего, обезножившего старика. Но еще раньше этот сочинитель прелестных стихов (из которых на общем слуху остался прежде всего ставший песней *Пловец*: «Нелюдимо наше море...»), вечный юноша, общий любимец явил черты, которые должны были насторожить.

То ожесточение, с каким он в *Кудеснике* выступил наперекор Пушкину и, что хуже, на стороне карательной силы, в дальнейшем получило, так сказать, идеологическое обоснование. Примкнув к движению славянофилов, Языков попробовал стать их глашатаем, — чем не столько укрепил славянофильские ряды, сколько ослабил.

Спор русского славянофильства с «западниками» (например, с молодым Александром Герценом) — не предмет этой книги. Нам достаточно отметить, что среди тех, кто пылко сражался с влиянием Запада, будто бы сбивающего Русь с предначертанного пути, были деятели замечательные. «Русский Дон Кихот» Иван Васильевич Киреевский (1806–1856), критик, философ, публицист. Его не менее достойный брат Петр (1808–1856), также публицист, но и переводчик, археолог и археограф. Чистейший и образованнейший Константин Сергеевич Аксаков (1817–1860), религиозный философ, критик, поэт. Наконец, Алексей Степанович Хомяков (1804–1860), человек и вовсе неисчислимого ряда дарований: поэт, драматург, философ, лингвист, социолог, теолог, историк, экономист, изобретатель, врач, художник, иконописец, а ко всему наипрочему — хозяин-помещик, и тут достигший блистательных результатов...

И уж вот чья любовь к России не опустилась до национального высокомерия. Напротив! В стихах, обращенных к отчизне, Хомяков звал искать на родном, родительском теле опасные язвы — дабы болезнь не пошла внутрь. Сама богоизбранность России, в которую свято верили славянофилы, налагала ответственность: «Но помни: быть орудьем Бога / Земным созданьям тяжело. / Своих рабов Он судит строго, / А на тебе, увы! как много / Грехов ужасных налегло!»

И еще жестче, даже жесточе, на что способна лишь высокая душа: «О недостойная избранья, / Ты избрана! Скорей омой / Себя водою покаянья, / Да гром двойного наказанья / Не грянет над твоей главой!»

А Языков, чьей нестойкой душе оказалось доступно ожесточение, кто искал, к чему бы понадежнее прислониться, не умел подняться до высоты национального покаяния. «Вы все — не русский вы народ!» — вот его аргумент в споре с западниками. А взявшись обличить выдающегося философа Петра Яковлевича Чаадаева (1794–1856), он не находил ничего более

убедительного, как объявить его предателем родины: «Вполне чужда тебе Россия, / Твоя родимая страна! / Ее предания святые / Ты ненавидишь все сполна... / Свое ты все презрел и выдал, / Но ты еще не сокрушен...»

«Еще» — это о том, кто и без того объявлен безумным по указанию Николая I. Язык не поэзии, а жандармерии. Снова логика топора.

Являлось ли это следствием того, что слабел талант, или талант слабел от напора дурных чувств, однако поздний Языков не только грубо прямолинеен, но и косноязычен. «Заживо умерший талант», — беспощадно отзовется Белинский. И вот как проводит его в могилу Гоголь, некогда восхитившийся Языковым: «...Хмель перешел меру... поэт загулялся чересчур на радости от своего будущего... дело осталось только в одном могучем порыве».

58

Печально. Но — закономерно, даже если не иметь в виду глубоко индивидуальных причин вырождения таланта. Закономерна общая картина того, что будет названо *пушкинским периодом* русской литературы (о конце которого тот же Белинский объявит еще при жизни Пушкина. А тот не обидится и даже захочет зазвать критикана в свой журнал *Современник*.

Да и насколько этот период именно пушкинский?

Ведь тот, кого в некрологе назовут «солнцем русской поэзии», как и положено солнцу, не только светил и согревал. Он и затмевал своих спутников собственным нестерпимым сиянием. И ослеплял, и мешал их отдельному существованию.

Собственно, есть лишь один пример идиллического согласия: союз Пушкина с Антоном Антоновичем Дельвигом (1798–1831), нежнейшим другом с лицейских времен, — что, впрочем, само по себе, конечно, не обеспечивало близости поэтической. Другой лицейский товарищ, Кюхля, то бишь Вильгельм Карлович Кюхельбекер (1707–1846), как поэт и теоретик литературы противостоял Пушкину еще более, чем Рылеев. Приверженец исключительно высокого стиля, взывающего к традиции классицизма, Кюхля в качестве такового раздражал гениального друга, и взаимная их приязнь возросла скорее в ту пору, когда замешанный в декабристский заговор Кюхельбекер оказался в ссылке.

С Дельвигом было совсем иначе. Особая близость к Пушкину ему дорого обошлась: возникла насмешливая легенда, будто «стихотворения барона Дельвига» — фальсификация. И написали их друзья, Пушкин и Баратынский.

Мало того. Возможно, что поэтическое своеобразие Дельвига — невеликое, но очевидное — впрямь тонуло в лучах «солнца», и не только для стороннего взгляда. Могучее пушкинское влияние действительно подавляло менее самобытного собрата, и лишь в отдельных стихах самобытность пробивалась с упрямой силой. Ярче всего — в *Элегии* (1823), ставшей известным романсом: «Когда, душа, просилась ты / Погибнуть иль любить...»

Пушкинскому периоду суждено носить это имя хотя бы и потому, что никто не оспорит первенства «солнца». Но процесс самосознания, самоопределения личности, рванувший вперед с окончанием XVIII столетия, шел и помимо Пушкина. Шел бы, конечно, и без него, отчего на языке повисает вопрос: а если бы Пушкина не было? Ну, не появился бы на свет. Как пошла бы наша словесность?

Вопрос неотвязный. «Величие Пушкина — это случайность?» — спросил интервьюер у культуролога Михаила Гаспарова. (Отметим притом: не «рождение», в самом деле связанное со случаем, но — «величие». Значение. Роль.) И получил ответ: «Если бы у нас не случился Пушкин, то на его месте в нашем сознании стоял бы, скорее всего, Жуковский. И стоял бы с полным правом, и мы видели бы в нем много достоинств, которые сейчас небрежно не замечаем».

Возможно. Но вышло, как вышло, и достоинства того же Жуковского или иных мы оцениваем на пушкинском ослепительном фоне. Можно сказать, на фоне его — и нашей! — удачи. Его *гармонии*.

Объяснюсь — на скромном уровне исторического конспекта.

Александр Иванович Герцен (1812–1870) писал о «большой перемене», происшедшей в русском общественном мнении после войны 1812 года: «В обществе стали часто распространяться рыцарские чувства чести и личного достоинства, неведомые до сих пор русской аристократии плебейского происхождения, вознесенной над народом милостью государей».

Герцен, как видим, невысокого мнения о старинных дворянских родах. Пушкин, напротив, высоко их ценил, презирая «новую знать», то есть дворянство жалованное, целиком обязанное своими знатностью и богатством царям — от Екатерины, щедрой на такие пожалования, до Николая I (тот материализовал фразу, вырвавшуюся у его старшего брата Александра: «Мне нужны не умные, а послушные»). Не это ли стало причиной того, что Пушкин заметно преувеличивал заслуги своего рода, действительно древнего, но давно уже захудалого и покорного?

Он был не вполне историчен, приписывая собственным предкам «чувства чести и личного достоинства», присущие ему самому. Ему — и тем

60

его современникам, кто, по герценовским словам, как раз и испытал духовный подъем. Временный. Сами потомственные дворяне казались Пушкину оплотом «чести и честности», а их права, как раз и гарантированные потомственностью, — возможностью наилучшим образом исполнить долг перед обществом и отечеством.

Если бы так... Но «рыцарские чувства» потому-то — хотя бы отчасти — и пробуждались с такой очевидностью, что родовые дворяне, отодвигаемые «новой знатью» (при Екатерине) и бюрократией (при Николае) ненавидели своих победителей. И, ненавидя, с тем большею силой презирали их низменные свойства.

Коротко говоря, у российского дворянства — в независимом, благородном, рыцарском смысле — не было истории. Был прекрасный исторический миг, промежуток — с 1812 по 1825 год. С момента, когда всколыхнулось горделивое самосознание, не равное, а противоположное старой боярской спеси (оборотной стороне холопства). И до момента, когда самосознание победителей Наполеона, Бог знает что возмечтавших о будущем своего сословия, не было оглушено на Сенатской площади. Пока не получило и дальнейшего опровержения своих иллюзий.

Но это все-таки — было. И дальнейший путь русской литературы был определен тем, что Пушкин угадал сформироваться именно в этот миг-промежуток.

Миг, промежуток — если вести летосчисление по Герцену. И хотя в его исторической правоте усомниться трудно, весьма кстати отметить, что ее помогал достигнуть личный, биографический, опыт. Опять-таки характерна и символична сама дата герценовского рождения: как раз 1812 год, год перелома в русском дворянском сознании. Словно родители подслушали зов Истории, повелевшей произвести отпрыска в расчете на времена, когда «чувство чести и личного достоинства» будет готово к безыллюзорности. Когда не останется надежды, еще согревавшей Пушкина, — что твой класс возьмет тебя на свои сплоченные плечи.

Рискну сказать, что символична, пожалуй, даже герценовская незаконнорожденность (как известно, он был сыном родовитого московского барина Яковлева и привезенной тем из Германии дочери мелкого штутгартского чиновника Генриетты Луизы Гааг).

«До безумия неправильным» назвал (восхищенно!) Тургенев язык *Былого и дум*, до сих пор, а возможно, и навсегда лучшей в России мемуарной книги, создававшейся с 1852 по 1868 год и значительно превзошедшей, в том числе эстетически, беллетристику Герцена. Не исключая знаменитого романа *Кто виноват?* (1841–1846), — знаменитого, впрочем, скорее своим зацитированным названием. Но так же «неправилен», и если не до безумия, то до гениальности, сам Герцен со своей невероятно откровенной исповедью... Как у Жан Жака Руссо, некогда тоже заголившего в *Исповеди* свою сокровенность? Нет. Тот, великий во всем, в частности и в непомерном тщеславии, заголяясь, эксгибиционистски любовался, как перед зеркалом, даже своими пороками: «Я иначе создан, чем все люди, и совсем не по подобию их». А беспощадная откровенность Герцена, долгое время (по крайней мере до XX века) непривычная для русской мемуаристики, не имела ничего общего с самоутверждением. То был прорыв в новую, трагическую, область бесстрашия. Бесстрашия исторического одиночки, о чем, возможно, точнее многих высказался ныне забытый автор *Опыта философии русской литературы* (1909) Евгений Андре́евич (Соловьев): «В такой многогранной и утонченной натуре, как Герцен, голос чувства чести не замолкал никогда. Обиженное и возмущенное чувство чести заставило его покинуть Россию и на всю жизнь обратиться в международного скитальца...»

Или — вот слова самого Герцена: «С человеком, который ставит свою честь выше жизни, с человеком, идущим добровольно на смерть, нечего делать: он неисправимо человек».

Конечно, и Пушкин поставил честь выше жизни, добровольно ради чести пойдя на смерть, а все же он был человеком и дворянином иной, повторю, гармонической, породы. Так что странно — нет, страшно — подумать, но родись он десятью годами позже (не говорю: раньше, потому что перед глазами судьба Батюшкова), сам характер последующей русской литературы был бы совсем иной. *Мы были бы иными.* Но «удача» легла на «удачу». Случайность рождения Пушкина совпала с исключительностью тех лет, на которые пришлось его возмужание. И этот двойной каприз судьбы дал в результате такую несомненную объективность, как наши российские представления об искусстве. О его назначении. О том, что такое вкус. Что такое гармония.

Но что же она, наконец?

Гармония — понятие многозначное, хотя все значения, в общем, стекаются к греческому корню, к «связи», «согласию», «взаимному соответствию». Однако в российском понятии, заложенном Пушкиным, *гармония — это способность, не закрывая глаз на все несовершенства мира, трагически ощущая их, сверять этот мир с совершенством собственного идеала.* Вводить в постоянную систему координат.

Гармония в эстетическом смысле — синоним свободы. Той, с какой поэт обживает мир. Усваивая его. Даже — присваивая. Гармонизируя в качестве того, кто создан по образу и подобию Бога. Не как колонизатор, а как миссионер.

Это и совершил Пушкин, с видимой легкостью одолев крутизну, на которую карабкался, падая и срываясь, его бедный предтеча Батюшков.

Одинокий Александр Сергеевич

Путь к гармонии вообще крут, и, может быть, ни в одном из пушкинских произведений одоление кручи не наглядно в такой степени, как в романе *Евгений Онегин.* Хотя бы по той простейшей причине, что роман писался с 1823 по 1830 год, печатаясь отдельными главами и постепенно, *ступенчато* свидетельствуя, насколько меняется и растет его автор.

Как и герой романа. Евгений первой главы, первой строфы — циник, пусть не со зла, а по легкомыслию не скрывающий, что с нетерпением ждет смерти дядюшки и, стало быть, наследства. В первых встречах с Татьяной он стереотипен, поверхностен; в ссоре с Ленским он не способен заглянуть в последствия схватки двух самолюбий, предугадать ужас смертного исхода, который Пушкин словно заставит его (и нас) пережить, когда Онегин увидит содеянное: «Скажите, вашею душой / Какое чувство овладеет, / Когда недвижим, на земле / Пред вами с смертью на челе, / Он постепенно костенеет».

«Постепенно» — страшное слово, насколько и мучительное умирание страшнее мгновения смерти. Слово непривычно новое для недавнего нетерпеливца, которому умирание дяди казалось чересчур «постепенным».

А Онегин финала? Он выходит из романа все потерявшим, всему познавшим цену, — но ведь и сам Пушкин начал роман одним человеком, кончил — другим, продемонстрировав ту самую эволюцию преображения. Ирония — вот главная стихия первой главы, роднящая ее молодого автора с юным сочинителем поэмы *Руслан и Людмила* (1817–1820), задуманной как пародия на старшего друга Жуковского, — правда, и тогда насмешливый тон не был выдержан до конца, не исчерпав собою смысла поэмы. Но тот, кто прощается с читателем и героями в последних строках девятой главы романа, успел и сумел познать (снова вспомним Бердяева) «печалование и страдание» — за Онегина, тем более за Татьяну и, главное, за многое в жизни. Его эпическое спокойствие, его душевное равновесие поверяются печальным и трезвым сознанием: «Иных уж нет, а те далече... / О много, много рок отъял!», так что Федор Михайлович Достоевский не преувеличил, сказав, что в *Евгении Онегине* «воплощена настоящая русская жизнь с такою творческою силою и с такою законченностью, какой и не бывало до Пушкина, да и после его, пожалуй». А сам Пушкин предстал в романе «великим народным писателем».

Не странно ли? «Народный писатель», «настоящая русская жизнь» — это говорит создатель Макара Девушкина и мужика Марея, «подростка» Аркадия Долгорукого и Сони Мармеладовой о романе в стихах, чей заглавный герой — «светский бездельник» да и Татьяна — не из «униженных и оскорбленных». Тем не менее. «Законченность» — вот важное слово, означающее, что писатель, преодолев и отбросив случайное, маловажное, окончательно вошел в круг наиважнейших вопросов — жизни и смерти, нравственного преображения, греха и возмездия. Вопросов, неизменно занимающих Пушкина с той поры, как он и стал *Пушкиным*, основателем и основанием нашей словесности.

И все же трудность пути к настоящей гармонии еще нагляднее на примерах тех, кто, как Батюшков, этого пути не одолел. Или хотя бы не вполне одолел.

Выдающийся литературовед Григорий Гуковский в статье о Василии Андреевиче Жуковском (1783–1852) писал:

«Классицизм — это мировоззрение объективное, но абстрактное. Романтизм — субъективное, но конкретное»...

Задержимся. Не затем, чтобы нарушить наш уговор, углубившись в анализ указанных «направлений», а напротив, чтоб доказать оправданность этого уговора.

О классицизме мы вскользь говорили. А романтизм? Вот как определяет это понятие нынешний словарь: «Направление в литературе и искусстве конца XVIII — первой половины XIX века, боровшееся с канонами классицизма, стремившееся к национальному и индивидуальному своеобразию, к изображению идеальных героев и чувств».

Определение упрощенное, что словарям не в укор, но дело в том, что мы и вовсе могли бы без него обойтись. Вот почему:

«...Романтизма, как философского или общественного движения, мы, русские, почти не знали. В русской жизни есть много такого, отчасти скудного и нелепого, отчасти быстро отрезвляющего людей, что смешны заоблачные грезы и полет фантазии в беспредельность. Для нас романтизм прежде всего школа, великолепная литературная школа».

Сказано уже поминавшимся Соловьевым-Андрее́вичем в той же книге *Опыт философии русской литературы*.

И разве в самом деле не так? Это там, на Западе, история сложилась таким образом, что бывали «буря и натиск». В Англии, в драме Шелли *Освобожденный Прометей* титан восставал на тирана, Прометей — на Юпитера. Байрон отправлял своего Чайльд Гарольда сострадать униженной Греции. В Германии Клейст открывал в прошлом своей родной Пруссии «трагедию рока», а Гофман и вовсе наворотил трагической фантасмагории, весь мир представив чудовищным гротеском. Во Франции Гюго вздымал на вершину благородства уродливого звонаря собора Нотр-Дам и Стендаль принуждал читателей слезно сочувствовать преступному честолюбцу Сорелю. Это — там. В России же...

Нет, разумеется, были пушкинские Алеко, кавказский пленник и т.д., но смирим патриотическую гордыню: даже это, не говоря о том, что мельче, шло всего лишь вослед тому же Байрону. А когда ведущий себя «прямым Чильд Гарольдом» российский ипохондрик Онегин покинет область «смешных заоблачных грез» и лицом к лицу столкнется с отечественной реальностью, то его «полет фантазии в беспредельность» обернется нелепым убийством ни в чем неповинного Ленского и оплошностью с Татьяной, в ком он не разглядит своего счастья...

Да, романтизма как такового в России не получилось. Ту роль, что в Европе сыграл его тамошний вариант, у нас взял на себя сентиментализм. Чувствительность.

Продолжим цитату из литературоведа, оборванную в самом начале: «Жуковский открыл в русской поэзии душу человеческую, психологический анализ. Это значит, что он возвел в идеал, сделал принципом своего искусства право всякой души на независимость».

Не только искусства. Принципом самой жизни. Самой судьбы.

Василий Андреевич, этот кроткий человек, ангел-хранитель и примиритель при строптивом Пушкине, поражает, ежели вдуматься, именно независимостью. Не вызывающей, такой же мягкой, каким был он сам, но совершенно неуступчивой.

Его уединенную мечтательность сурово порицали радикалы-декабристы, люди поступка. Но и друг Жуковского Вяземский, далеко не столь радикальный, смеялся над его «дворцовым романтизмом», и Пушкин злословил насчет придворной службы Василия Андреевича, взявшего на себя труд быть воспитателем наследника трона, будущего Александра II. Освободителя. Хотя есть ли сомнения, что самые значительные деяния воспитанника, освобождение крестьян или судебная реформа, не могут не быть обязаны урокам «ангела»?

И, как бывает, критика слева и критика справа (ибо в «ласкательстве» Жуковского уличали даже такие холопы правительства, как одиозный Фаддей Булгарин) своим единодушием доказывала: тот, кого критикуют, живет так, как полагает нужным только он сам.

«Право всякой души на независимость...» По тем временам это нешуточное открытие. Но мало того: «...Искусство Жуковского утверждает, что мир существует лишь в эмоции субъекта познания и творчества и даже сам Бог — едва ли не только чувство переживающей его бытие личности».

Это снова Гуковский, и ради проницательности замечания придется стерпеть стиль, принятый у литературоведов. «Сам Бог» — только чувство, то, что субъективно донельзя!

Да и патриарх советского литературоведения, эклектик-марксист Петр Сакулин скажет (неважно, что неодобрительно): Жуковский, де, «один из самых *субъективных* поэтов русской литературы». А мы, развивая все вышесказанное, можем даже добавить: с точки зрения гармонии стихи Жуковского *слишком* субъективные. *Слишком* личные.

Не странно ли это «слишком»? Говорим: гармония — это свобода, и вот она же в положении ограничителя свободы?

Но в поэзии, следующей российским законам гармонии, поэтическое «я» («лирический герой», как еще говорят) далеко не равно «я» житейскому.

Г. Нарбут. Иллюстрация к сказке В. А. Жуковского *Как мыши кота хоронили*

Много позже остроумный Саша Черный, этот лирический сатирик, выступит с назиданием критику и читателю: «Когда поэт, описывая даму, / Начнет: «Я шла по улице. В бока впился корсет», — /Здесь «я» не понимай, конечно, прямо — / Что, мол, под дамою скрывается поэт. / Я истину тебе по-дружески открою: / Поэт — мужчина. Даже с бородою».

Но то, что стало непонятным разве лишь редкостным идиотам, достойным сатиры, некогда поражало своей новизной и сбивало с толку людей совсем не глупых. Еще Державин, говоря «я», обычно имел в виду только и именно себя, Гаврилу Романовича, владельца имения Званка, супруга Плениры, она же Катерина Яковлевна. А Пушкин, обнажая, подчас жестоко, свое бытовое «я», то, что из плоти и крови, уже отграничивает его от «я» стихотворного. Это два разных «я» или по крайней мере два разных состояния.

Вспомним то, что обязаны помнить: «Пока не требует поэта к священной жертве Аполлон, / В заботах суетного света / Он малодушно погружен; / Молчит его святая лира; / Душа вкушает хладный сон, / И меж детей ничтожных мира, / Быть может, всех ничтожней он». Другое дело, когда: «Но лишь божественный глагол / До слуха чуткого коснется, / Душа поэта встрепенется, / Как пробудившийся орел».

Поэтическое «я» пушкинской породы гармонически воплощало в себе мир, им же освоенный и упорядоченный. Оно и само было готово в нем словно бы полурастовриться — не теряя себя, не утрачивая своеобразия и самоценности, но и не настаивая на них. Не выделяя себя из общего «взаимного соответствия» (что, напомню, есть расшифровка слова «гармония»). Даже изъявляя готовность пожертвовать всем слишком личным — чтобы стать и остаться такой личностью, которая возвышена ощущением идеала. Личностью, являющей свою сущность тогда, когда «божественный глагол...» — и т.д. Не иначе.

А Жуковский?

«Он пел любовь — но был печален глас; / Увы! Он знал любви лишь муку...» Эта автохарактеристика верна — и поэтически, и житейски. Начиная с надрыва, происшедшего в детстве (положение незаконнорожденного сына помещика Бунина и пленной турчанки), усиленного любовной драмой, несчастной любовью к Маше Протасовой (она, приходившаяся ему племянницей, вышла замуж за другого да к тому ж рано скончалась). А возможно, поэтическое существо Жуковского и было предрасположено к «муке»?

Так или иначе: «Он бренчит на распятии, — заметил острослов Вяземский, — лавровый венец его — венец терновый, и читателя своего не привязывает он к себе, а точно прибивает гвоздями, вколачивающимися в душу. Сохрани Боже, ему быть счастливым... Жуковский счастливый — то же, что изображение на кресте Спасителя с румянцем во всю щеку, с трипогибельным подбородком и куском кулебяки во рту».

Образ полукощунственный и уж во всяком случае парадоксальный. Современный исследователь Ирина Семенко выскажется не столь красочно: «Это был человек, глубоко травмированный побеждающим злом». А я добавлю: как Батюшков, также искавший путь к гармонии, но и также остановленный на полпути.

Тихое имя Жуковского прогремело в 1813 году. Поступив в Московское ополчение поручиком (а кончив службу штабс-капитаном с орденом Святой Анны), оказавшись в нужном месте в нужное время, он и сочинил то, что было жадно востребовано. Оду *Певец во стане русских воинов*, которую, говорит современник, «все наши выучили наизусть».

И как было не выучить? «Хвала тебе, наш бодрый вождь, / Герой под сединами! / ...Хвала сподвижникам-вождям! / Ермолов, витязь юный... / Хвала наш Вихорь-Атаман, / Вождь невредимых Платов! / ...Давыдов, пламенный боец...» Словом, вдохновенный реестр боевой славы, где «никто не забыт, ничто не забыто», не исключая павшего Багратиона, рядовых солдат, «русского Бога», царя и предтеч во главе с Петром Великим. Но первая и негромкая слава пришла к Жуковскому с элегией 1802 года *Сельское кладбище* (с английского, из Томаса Грея), — такой уголок Вселенной избрал для характерных своих размышлений «переводчик-соперник». (Таково, как известно, место, занятое им в сфере поэтического перевода. Таков его принцип, осуществленный в переложениях Шиллера, Гете, Бюргера, Уланда, Байрона, Саути, Вальтера Скотта: «...Подражатель-стихотворец может быть автором оригинальным... Переводчик в прозе есть раб; переводчик в стихах — соперник...)

Да и дальше: привидения, мертвецы, встающие из гробов, жених-покойник, прискакавший за невестой, братоубийцы и детоубийцы, скелеты... Сюжеты баллад *Людмила, Светлана, Варвик, Замок Смальгольм* или (выразительное заглавие!) *Баллада, в которой описывается, как одна старушка ехала на черном коне вдвоем и кто сидел впереди*, — эти сюжеты, заимствованные или сочиненные им самим, казались странными для человека, внешне исполненного умиротворения. Но тем, значит, глубже сидела в нем неспособность видеть жизнь иначе как в погребально-заунывных тонах.

Это не было монотонностью. Это было особой сосредоточенностью, когда «сама мечта о счастье — это печаль о том, что счастья нет» (Гуковский). Сосредоточенностью, исключающей уравновешенность. Являющей гипертрофию одного чувства в ущерб другим.

В этом смысле Жуковский не был одинок. Коли на то пошло, одинок (ибо уникален) был Пушкин.

Молодой Корней Чуковский заметил в начале нашего века: «У Пушкина как одинаково была распределена тяжесть образов между всеми его словами! Как радостно быть в такой равномерности идей и ощущений!.. Подле Пушкина все уроды, и только уродством своим различаются друг от друга: и Тютчев, и Фет, и Некрасов».

Фельетонный стиль не должен нас отпугнуть от серьезности замечания. «Уродство» — это именно гипертрофия, подчеркнутость, не больше и не меньше. Будь то тютчевская погруженность в философию природы, или фетовский импрессионизм, или гневная скорбность Некрасова. Что ж до неназванного здесь Жуковского...

У него есть баллада *Рыцарь Тогенбург* (из Шиллера) — о влюбленном, который отвергнут любимой, принявшей монашество, но который не изменил ей в сердце своем. Также ушел в монастырь, поселившись напротив ее обители и проводя время в маниакальном занятии: «...Там — сияло ль утро ясно, / Вечер ли темнел — / Он один сидел. / И душе его унылой / Счастье лишь одно, / Дожидаться, чтоб у милой / Стукнуло окно...»

Трогательно. И кажется неожиданным то, что годы спустя Козьма Прутков, это великолепное создание братьев Алексея и Владимира Жемчужниковых при участии Алексея Константиновича Толстого, якобы сочинит пародийную *Немецкую балладу* — о бароне Гринвальдусе, давшем обет неподвижности и воздержания от еды. Причина — та же, что у Жуковского — Шиллера: «Отвергла Амалья / Баронову руку!..» И вот: «Года за годами... / Бароны воюют, / Бароны пируют... / Барон фон Гринвальдус, / Сей доблестный рыцарь, / Все в той же позицьи / На камне сидит». То есть с точки зрения насмешников середины XIX века ведет себя совершенно по-идиотски.

Заметим: для пародии понадобился совсем незначительный сдвиг. Фанатическая верность рыцаря Тогенбурга никак не располагала к юмористическому восприятию ситуации, к тому же привычной для романтических баллад. Но как же, оказалось, легко было обернуть эту сосредоточенность — «уродством»! Подметить ее доступность шаржу. Карикатурности... (А попробуйте, замечу я вскользь и потому бездоказательно, представить пародию на стихи Пушкина «Жил на свете рыцарь бедный...»)

Конечно, степень соответствия — или несоответствия — законам гармонии не означает: если не соответствует, значит, неполноценно. Тем более, как уже сказано, влияние самого Пушкина было не сплошь благотворным — и больше того! В пору, когда авторитет — его и гармонической поэтики — был очевиден, требовались немалые усилия, дабы стать да еще и остаться, по пушкинскому словцу, «беззаконной кометой». Без усилий подобное удалось, быть может, лишь партизану Денису Васильевичу Давыдову (1784–1839).

Партизану не только в военном деле, чем он прославился, удостоясь в оде Жуковского места рядом с Кутузовым и Багратионом. «Я не поэт, я — партизан, казак», — упорствовал он сам в определении своего полудилетантского положения в поэзии. Отчасти, впрочем, лукавя, ибо трудился над отделкой стихотворений, и когда однажды обратился к тому же Жуковскому со смиренной просьбой «исправить» его вполне мастерские стихи, то получил отповедь: «Нет, голубчик, ты меня не проведешь». Да и само сознание: «Я не поэт...» не мешало, а помогало быть самим собой. «Сам творец своего поведения» — определил Грибоедов его характер, равно проявлявшийся и в поэзии, и в быту, и на царской службе.

Но вообще с благотворностью (или неблаготворностью) пушкинского влияния все непросто. Не однолинейно.

С одной стороны, вот судьба Ивана Ивановича Козлова (1779–1840). Мелодраматическая, как сама мелодрама, и выразительная, как библейская притча о человеке, который все потерял и, находясь на пределе падения, тут-то и услыхал взывавший к нему Божий глас. Пусть даже то был не Бог, но — бог, языческий покровитель муз Аполлон.

Блестящий гвардейский офицер, первый танцор Москвы, затем чиновник, сыскавший путь к верной карьере, Козлов на тридцать седьмом году жизни (отметим: смертный пушкинский возраст!) вдруг получает удар. По-нынешнему — инсульт с параличом ног, а затем и полной слепотой. И с той же внезапностью в нем пробуждается поэтическое дарование: «Певец, когда перед тобой / Во мгле сокрылся мир земной, / Мгновенно твой проснулся гений...» (Пушкин — ему).

Именно — «мгновенно». Козлов миновал период ученичества, представ вполне сложившимся мастером, который завоевал публику прежде всего поэмой в байроническом роде *Чернец*. А испытание временем выдержал двумя шедеврами — вольными, в духе Жуковского, переводами из англичан Чарльза Вольфа и Томаса Мура «*Не бил барабан перед смутным полком...*» и превратившимся в песню *Вечерним звоном*.

Чудо? Нет, не совсем. Общий уровень поэзии пушкинского периода так высок, стартовая площадка настолько благоприятствует рывку и полету, что уже первый результат может быть ослепителен. А успех у читателей безусловен. (Скажем, забегая вперед: не то что во второй половине XIX века, в эпоху господства великой прозы. Тогда самую просвещенную публику может забрать в полон, допустим, Семен Яковлевич Надсон (1862–1887) человек чистой души, но очень слабенький стихотворец.)

А пока стихотворческая умелость у всех в крови, гармонический идеал способен окрылить даже заурядное дарование. Двадцатилетний Андрей Иванович Подолинский (1806–1886) восхитит читателей поэмой *Див и Пери*, переложением *Лаллы Рук* того же Томаса Мура. Девятнадцатилетний Петр Павлович Ершов (1816–1869) создаст бессмертного *Конька-Горбунка*. А что дальше? Подолинский за последующие шесть десятилетий жизни не напишет ничего путного. Все остальное, написанное Ершовым, окажется так слабо, так неумело, что Белинский из презрения к этому словесному хламу спишет туда по инерции и *Горбунка*, отказав ему в каких бы то ни было достоинствах. Что ж. Все же душе обоих хватило сил на кратковременный взлет; сделала свое дело неосязаемая, но мощная поддержка.

Но вот вопрос: сделав дело, не должна ли она устраниться? Или, вернее: не устранившись, не начнет ли она раздражать самим своим наличием? Аналогия грубая и понятная: так авторитарная рука может вывести слабого на дорогу, но вести по ней вечно — не значит ли превратить первую помощь в принуждение? Лишить свободы?

Огромность фигуры Пушкина, ее вдохновляющее, но и подавляющее присутствие сознавалось всеми. Что создавало ситуацию как центростремительности, так и центробежности.

Друг Пушкина Баратынский. Друг Пушкина Вяземский. Благоговевший перед Пушкиным Бенедиктов (о них — позже). Как мало имели они отношения к пушкинской, пушкинианской гармонии! А уж тот, кто считается, и по праву, его непосредственным наследником...

Говорим, понятно, о Михаиле Юрьевиче Лермонтове (1814–1841).

Право же, он, прогремевший впервые стихами на смерть Пушкина, мог бы, опередив известного революционера, спросить себя самого: от какого наследства я отказываюсь?

А вот от какого.

«Я жить хочу, чтоб мыслить и страдать...» — говорит Пушкин, для кого и само страдание неотделимо от желания жить. Он не сосредоточен на нем, подобно Жуковскому, но оно ему необходимо для полноты, полносущности бытия. Нет, отвечает наследник: «И жизнь, как посмотришь с холодным вниманьем вокруг — / Такая пустая и глупая шутка...»

Пушкин: «И сердце вновь горит и любит — оттого, / Что не любить оно не может». Лермонтов: «Любить... Но кого же?.. на время — не стоит труда, / А вечно любить невозможно».

Пушкин: «Я вас любил: любовь еще, быть может, / В душе моей угасла не совсем...» Но тут и гадать незачем, выискивая антитезы, — с замечательной наглядностью это сделал за нас сам Лермонтов.

Екатерина Сушкова, лермонтовская знакомая (и одна из муз его лирики), вспоминает: однажды, слушая, как лицейский приятель Пушкина Яковлев исполнял романс на эти стихи, «Мишель» взялся словно бы отредактировать их. По крайней мере начиная со строк: «...Но пусть она вас больше не тревожит; / Я не хочу печалить вас ничем».

« — О нет, — продолжал Лермонтов вполголоса, — пускай тревожит, это — вернейшее средство не быть забыту.

Я вас любил безмолвно, безнадежно,
То робостью, то ревностью томим...

— Я не понимаю робости и безмолвия, — шептал он, — а безнадежность предоставляю женщинам.

...Я вас любил так искренно, так нежно,
Как дай вам Бог любимой быть другим.

— Это совсем надо переменить; естественно ли желать счастия любимой женщине, да еще с другим? Нет, пусть она будет несчастлива; я так понимаю любовь, что предпочел бы ее любовь — ее счастию; несчастлива через меня, это бы связало ее навек со мною! ...Жаль, что я не написал эти стихи, только я бы их немного изменил».

Немного? Вот как написал *он*: «Ты не должна любить другого, / Нет, не должна, / Ты мертвецу святей слова / Обручена́...»

Другой характер — что естественно. И время другое — что неизбежно. Но и мироощущение другое, притом безоговорочно. Можно сказать: антипушкинское.

Что это, если не бунт? Пусть неосознанный, пусть сопровождаемый традиционным для нашей словесности преклонением перед Пушкиным (с годами переходящим в кликушество). Да и бунтуют не против него самого — против гармонии. Против того, что определило характер пушкинского периода русской литературы, тем не менее не будучи ни всеобщим, ни тем более вечным.

Вечным оно не могло быть и потому, что, являясь типом мировоззрения, а не просто системой поэтики, гармония не случайно возникла именно в определенное время. Когда лучшие люди обладали той внутренней свободой, которая естественна, как дыхание, — заметим при этом, что банальное это сравнение, в сущности, драматично. Без воздуха — задыхаются.

Впрочем, ведь и о Пушкине, о предопределенности его гибели Александр Блок скажет: его убила не пуля Дантеса, а «отсутствие воздуха»...

Как бы то ни было, но если уж говорить о традиции Пушкина, пусть не чересчур благодарно, зато понятливо воспринятой русской словесностью, это вряд ли традиция гармонии. Не зря у Пушкина не было учеников и было очень мало подражателей, по крайней мере заметных. Что — понятно: как подражать «равномерности идей и ощущений» (Корней Чуковский)? Так же трудно, как эту равномерность пародировать — удачных пародий на Пушкина и не существует.

Усвоенная потомками традиция Пушкина происходит из его уникальности. Единственности. Споря с ним, отвергая и опровергая его, продолжатели и потомки восприняли тягу именно к этой единственности. К наивысшему, самому полному выявлению собственной личности — собственной! (Другое дело, другой разговор, ка́к потом многие распорядятся этой традицией, впав в грех эгоцентризма и самодовольства.)

Сам Пушкин заплатил за свою гармоничность дорого.

Правда, это станет понятно позже, в эпоху дисгармонии и катастроф. Тогда-то и прозвучит слово «цена» — как у Анны Ахматовой, написавшей о Пушкине: «Кто знает, что такое слава! / Какой ценой купил он право, / Возможность или благодать / Над всем так мудро и лукаво / Шутить, таинственно молчать / И ногу ножкой называть?..»

Хотя многое стало ясно и при пушкинской жизни. Его единственность обернулась одиночеством и уж во всяком случае непониманием. Тем большим, что единственность становилась все очевиднее, а гармоничность совершенствовалась.

На распутьях

И вот современник Пушкина, притом замечательный, дожив до 50-х годов, пережив тот период, что называют пушкинским, выразит категорически антипушкинское самоощущение: «Нет! При распре духа с телом, / Между верою и знаньем, / Невозможно мне быть целым, / Гармоническим созданьем. / Спорных сил разорван властью, / Я являюсь, весь в лоскутьях, / Там и здесь — отрывком, частью — / И теряюсь на распутьях».

Имя поэта пока утаим, дабы не озадачить читателя, который не привык считать его «замечательным». Но и несомненно великий пушкинский современник и друг Евгений Абрамович Баратынский (1800–1844) еще в 1835 году, при пушкинской жизни, напишет стихотворение *Недоносок*. Тогда это могло пониматься как «мертворожденный»: «Я из племени духов, / Но не житель Эмпирея, / И едва до облаков / Возлетев, паду слабея. / Как мне быть? Я мал и плох; / Знаю: рай за их волнами, / И ношусь, крылатый вздох, / Меж землей и небесами».

Поэты обычно говорят не напрямую, не в лоб, а обиняками. И именно потому могут вдруг, будто нечаянно, уловить то, что не дается самой мощной мысли, идущей на бесстрашный приступ. Оттого в *Недоноске*, в этой жалобе неполноценного, ущербного духа, не только голос того, кто вправду выпал из своего времени. Тут и голос самого времени, которое позволило пушкинской гармонии возникнуть и расцвести, но само в ней вовсе не умещается.

Чтоб заполучить это болезненное ощущение, Баратынскому надо было иметь судьбу такую, как у него.

Началось с того, что он был с позором изгнан из Пажеского корпуса. Причина была серьезной: кража — пусть даже деньги пошли на конфеты для однокашников, пусть само преступление было неотделимо от игры (в корпусе тайно существовало «Общество мстителей», изводившее преподавателей). Как бы то ни было, за исключением последовала солдатчина, хоть и не обременительная физически (служил в Финляндии, был обласкан начальством, не раз наведывался в Петербург, — да и на службу пошел сам, чтобы выслужить чин. То есть удовлетворить комплекс сословной неполноценности).

Удовлетворил. Выслужил, несмотря на то, что Александр I не раз мстительно отвергал просьбы на этот счет. И — ушел навсегда в частную жизнь, вызывающе независимую. Стал живым воплощением «лишнего человека», опередив в этом смысле словесность с ее Печориными и тем паче Базаровыми.

Правда, материализовав ту Утопию, которую сладостно рисовал Карамзин (и — Батюшков, Дельвиг, Пушкин), Баратынский ее же и разоблачил. Именно как Утопию. Ощутил и выразил реальную горечь одиночества, от которого, однако, уже не захотел отказаться. Если его предшественникам оно грезилось как добровольное заточение с ключом, который торчит с внутренней стороны двери, то Баратынский свой ключ выбросил в окошко.

Его упрямый выбор отразила даже поэтика. Когда в 30-х годах он возьмется редактировать свои более ранние стихотворения, то, редактируя, станет нещадно архаизировать их. Вплоть до непонятности для читателя, который успел отвыкнуть от старомодной архаики XVIII столетия. И это, помимо причин, в поэзии не всегда объяснимых, означало разочарование — именно в читателе. Безразличие к его суждению. На что читатель не преминул ответить тем же: выход в 1842 году вершинной книги Баратынского *Сумерки* был встречен неприязненно.

Что ж, это тоже одна из форм независимости — но совсем, совсем не пушкинская. Надрывная. Безрадостная.

Поэтом мысли нарекли Баратынского современники и историки литературы, притом сделав это отличительным — и именно от Пушкина — знаком. Тот же титул не раз вручался Вяземскому, Бенедиктову, Шевыреву, и независимо от справедливости той или иной репутации, в таком подчеркивании был свой резон. Полемический.

Уже было сказано: гармония как соразмерность не располагает к выделению того или иного характерного свойства. Совершенство рождает иллюзию легкости в его достижении. И недаром сам Баратынский, лучше многих знавший и понимавший Пушкина, заглянув после смерти друга в его бумаги, потрясенно напишет жене: ненапечатанные пушкинские стихотворения «отличаются — чем бы ты думала? — силою и глубиною».

Или: «Пушкин — мыслитель! — по-своему перескажет эти слова Иван Сергеевич Тургенев. — Можно ли было это ожидать?»

Подобное — неизбежно. Уже в нашем веке Михаил Михайлович Пришвин (1873–1954) задумается в своем дневнике, который едва ли не интереснее всей его незаурядной прозы: «Толстой и Достоевский не смеются... Гоголь смеется, Лесков шутит, Пушкин... есть ли юмор у Пушкина? Должен быть: у Пушкина есть все».

Вот как. «Должен быть». Возможно. Наверное. Это — про блестящего эпиграмматиста, про автора сказок, *Гавриилиады*, *Графа Нулина*, *Домика в Коломне*, повести *Гробовщик*, сцены в корчме из *Бориса Годунова*... Все равно — Пришвин по-своему прав в этой близорукости: да, незаметно. Не бросается в глаза, не выпирает, не застит все остальное. Точно так же, как и мысль.

Но, как пелось в куплетах: «И Пушкин стал нам скучен, / И Пушкин надоел...» Новое, меняющееся время, новое, меняющееся общество захотели «лоскутьев», «отрывков». «Часть», а не гармоническую цельность. Захотели задолго до пушкинской смерти.

Стали происходить вещи забавные.

Допустим, общественное внимание закономерно приковалось к группе литераторов, которая в 1823 году объединилась вокруг Общества любомудрия. К группе достаточно разношерстной. Кроме уже поминавшихся Хомякова и Ивана Киреевского, в нее входили поэт Дмитрий Владимирович Веневитинов (1805–1827); прозаик Михаил Петрович Погодин (1800–1875), впоследствии заслуживший почтение как архивист-историк; также поэт и также историк, правда, скорее, литературы Степан Петрович Шевырев (1806–1864). Захаживал к любомудрам и Федор Иванович Тютчев (1803–1873).

В конце концов группа, разумеется, расслоилась. Киреевский и Хомяков стали апостолами славянофильства. Шевырев и Погодин провозгласили идею официальной «народности», крайне лояльной самодержавию. А сошлись все вначале на поклонении философии Шеллинга (также — Канта, Фихте, Спинозы) и на уверенности, что поэзия есть прежде всего «любомудрие». То есть как раз «философия» — в переводе с греческого на русский. А мысль как таковая предпочтительней всех иных качеств стиха — настолько, что Шевырев даже гордился неуклюжестью собственных стихотворений, ощетиниваясь на гармоническую поэтику: «Вменяешь в грех ты мне мой темный стих. / Прозрачных мне не надобно твоих: / Ты нищего ручья видал ли жижу? / Видал насквозь, как я весь стих твой вижу».

Молва утверждала, что это нападки на самого Пушкина. На самом деле — на Петра Александровича Плетнева (1792–1865), пушкинского друга, поэта из его окружения, но молва, и ошибаясь, бывает права.

Самой представительной фигурой среди любомудров был рано умерший Веневитинов, «юноша дивный», «соединение прекрасных дарований с прекрасной молодостью», «способностей поэта-художника с умом философа». Таким образом отзывались о нем не только друзья, но и Дельвиг, Герцен, Чернышевский.

Да, одаренность многообразна. Веневитинов рисовал, музицировал, писал на философские темы, но, вопреки распространившемуся мнению, поэтические способности в этом скопище дарований ни в коем случае не выделялись.

О его стихах пишут: «Философия переходит в лирику, а лирика становится философией». Но если иметь в виду не намерения поэта, которые вполне могли быть именно таковыми, а то, что свершилось и воплотилось, это, скорей, характеристика гениального Тютчева. Это он, Тютчев, сумел впитать представление Шеллинга о природе как о комплексе тайн и богатств, доступных только тому, кто сам может с нею слиться. Вступить в диалог равных: «О чем ты воешь, ветр ночной? / О чем так сетуешь безумно?.. / Что значит странный голос твой, / То глухо жалобный, то шумно? / Понятным сердцу языком / Твердишь о непонятной муке...» Он, Тютчев, а

78

уж никак не Веневитинов увидел в этом слиянии, в этом диалоге и поэзию, и неразрешимую драму: «Природа — сфинкс. И тем она верней / Своим искусом губит человека, / Что, может статься, никакой от века / Загадки нет и не было у ней». Да, собственно, в самой по себе неразрешимости этой вечной драмы для Тютчева и таится источник его поэзии...

Тогда, может быть, стихи Веневитинова — «записная книжка» Тютчева (как Батюшков — Пушкин)? Но и этого нет.

Литературовед Лидия Гинзбург говорит: стихи Веневитинова дают возможность «двойного чтения». «Их можно было прочитать в элегическом ключе и в ключе «шеллингианском», в зависимости от того, насколько читатель был в курсе занимавших поэта философских идей... Стихотворение, которое в отдельности могло быть воспринято как обычная элегия (обычная, привычная, ничем новым не отличающаяся. — *Ст. Р.*), в контексте поэзии Веневитинова звучало уже иначе».

«В контексте поэзии»? Или той репутации, которую друзья так трогательно хотели создать своему любимцу, к тому же умершему безвременно? Ведь и Герцен, составив список погубленных царизмом поэтов, поместил Веневитинова рядом с повешенным Рылеевым. «Убит обществом». Хотя тот умер от тривиальной простуды: после бала, разгоряченный, выскочил на мороз.

Тем не менее — а вернее, тем более — этого очень посредственного поэта можно рассматривать как историческую фигуру. Потому что с него невзначай началось то, что затем, особенно в веке XX, станет могучим поветрием.

В своей статье *Блок* (1921) Юрий Тынянов скажет о том, что сочтет блоковским феноменом. Что, «когда говорят о его поэзии, почти всегда за поэзией невольно подставляют человеческое лицо — и все полюбили лицо, а не искусство». Тынянов еще не знал, насколько слова его будут пророческими, насколько «лицо», то есть частный, личностный облик, «имидж», по-нынешнему, примется даже вытеснять и подменять «искусство». Но заметил ли он, что то же было и раньше? Например, с Веневитиновым?

Не только с ним. Так был придуман поэт Николай Платонович Огарев (1813–1877), человек славный, но стихотворец также не более чем посредственный. В 1856 году выйдет сборник его стихов, отличающийся (если подобное можно признать отличкой) унылым пессимизмом, бесконечными пререканиями с возлюбленной на тему «кто виноват?», и у Чернышевского не дрогнет рука объявить: «Имя г. Огарева... позабыто... будет разве тогда, когда забудется наш язык»!!!

Дело опять-таки ясное. Огарев — уже дважды пострадавший революционер, друг Герцена — до стихов ли тут, в самом деле? Но работает та же тенденция. В стихах все более выделяется — и отделяется — нечто, внушающее иллюзию, будто оно самоценно и вне поэзии. Вне искусства. Скажем, гражданственность. Или философская мысль. Или (вот самая загадочная из категорий этого ряда) народность.

Неизвестный художник. *Н. П. Огарев*

Предположу, что примерно так возникла и репутация Алексея Васильевича Кольцова (1809–1842). Трогательнейшей фигуры русской поэзии, изгоя родной мещанской среды, которого обласкал Пушкин и крепко забрал в руки Белинский: он-то и начал пестовать это «истинно народное» дарование.

Но самую верхнюю ноту взял опять-таки Чернышевский. Написал, что если и можно сравнить с кем-то Кольцова «по энергии лиризма», то только с Лермонтовым. «По совершенной самобытности» — только с Гоголем. И этот экстаз был снова понятен: разночинные интеллигенты получили поэта не из петербургской гостиной, а прямо «из гущи народной». Хотя на деле напевные, милые кольцовские стихотворения очень мало имели общего с настоящим крестьянским фольклором. Образцом для них были скорей, уж конечно, не деревенские плачи, не былины, не сказы из сборника Кирши Данилова, а условно-народные песни, сочинявшиеся именно в Петербурге или Москве. Скажем, Дельвигом. Или Евгением Павловичем Гребенкой (1812–1848), оставившим нам как украинские *Очи черные*, так и русскую песню *Молода еще девица я была...* Или Алексеем Федоровичем Мерзляковым (1878–1830), сочинившим *Среди долины ровныя...*

Так смещаются оценочные критерии. Рождаются миражи. И вот в группе тех же любомудров заметней крикливый и малоодаренный Шевырев, а не талантливейший Хомяков. Баратынский не понят. Тютчева — проглядели. Его — даже Пушкин.

Правда, он Тютчева напечатал — в 1836-м, в своем журнале *Современник* (цикл *Стихи, присланные из Германии*, подпись: «Ф. Т.»). Правда, удостоил его упоминания — еще раньше, в 1830-м, сделав это, однако, странным образом. Назвав трех стихотворцев, Шевырева, Хомякова и Тютчева, оскорбительно присовокупил: «Истинный талант двух первых неоспорим».

В чем причина этой нечуткости? Или, напротив, сверхчуткости? Фантазирую: не испытал ли наш гармонический гений интуитивное отторжение от того, кто не то что посягнет на гармонию (посягали — многие, не исключая друзей Пушкина и его любимых поэтов), но докажет мрачное великолепие дисгармонии? «Двойного бытия»?

«О вещая душа моя, / О сердце, полное тревоги, — / О, как ты бьешься на пороге / Как бы двойного бытия!.. / Так, ты — жилица двух миров, / Твой день — болезненный и страстный, / Твой сон — пророчески-неясный, / Как откровения духов...» Да, душа Тютчева жила в постоянной муке раздвоенности; и житейская его биография была такова.

Существованием «на пороге» было — все! Даже и то, что, говоря в служебной жизни, как, впрочем, и дома (обе жены — немки), исключительно по-немецки и по-французски, в поэзии он словно дышал и не мог надышаться русским языком. И то, что, дружа с Генрихом Гейне, «резал» его стихи как старший цензор при министерстве иностранных дел. И то, что, увлекаясь политикой, которая и составляла всю его внешнюю жизнь, в своих «политических» стихотворениях, как правило, вял и даже неуклюж. Значит ли это, что сама его поэтическая русская речь как бы за него сознавала, что дана ему для другого? Ведь записки по вопросам внешней политики, подававшиеся им Николаю I, дышат, напротив, страстью государственного человека, истого монархиста и панслависта...

Наконец, то, о чем чаще всего вспоминают — о поздней страсти, о «последней любви» к Екатерине Денисьевой, вызвавшей к жизни «денисьевский» цикл. Тогда-то, кстати сказать, и прозвучали слова о пороге «двойного бытия», а утрата любимой женщины до крайности обострила самоощущение, которое было для Тютчева постоянным: «О, этот Юг, о, эта Ницца!.. / О, как их блеск меня тревожит! / Жизнь, как подстреленная птица, / Подняться хочет — и не может... / Нет ни полета, ни размаху — / Висят поломанные крылья, / И вся она, прижавшись к праху, / Дрожит от боли и бессилья...»

«...Хочет — и не может...» Вот что страшно. Страшнее, чем то состояние, когда: «...не хочет, не может...»

Последнее — из стихотворения Владимира Григорьевича Бенедиктова (1807–1873), где речь о «горных высях», о «могучих восстаньях земли», чья гряда «в мир дольный ринуться не хочет, / Не может прянуть в небеса».

Бенедиктова, строчками которого — о «распре духа с телом», о том, что он сам лишь «отрывок, часть», — начата эта глава. Поэта, действительно замечательного, несмотря на погром, учиненный ему Белинским (позже — и Добролюбовым), когда возникло словцо «бенедиктовщина». Как ярлык всякой безвкусицы.

В «бенедиктовщине» Бенедиктов был в самом деле грешен, даже если сделать существенную оговорку: Белинский высмеивал, в частности, то, что не совпадало с нормами вкуса. Тогдашнего, да и позднейшего.

Скажем, хороший поэт Яков Петрович Полонский (1819–1898), издав стихи Бенедиктова и написав о нем сочувственную статью, тем не менее придирался к метафорам, с нынешней точки зрения самым естественным. Например: «Тучи лопнули...» — это казалось ему непозволительной бенедиктовщиной на том основании, что тучи — не пузыри.

Но замечательно, что Полонский, вспоминая свои же ранние строки: «Снится мне: я свеж и молод, / Я влюблен, мечты кипят... / От зари роскошный холод / Проникает в сад», признавался: теперь он не решился бы «обмолвиться таким эпитетом», как «роскошный». (А ведь чем не «бенедиктовщина»?) «...Написал бы *вечерний холод* — и было бы хуже».

Да, иные из осмеянных образов Бенедиктова ныне воспринимаются как смелые, только всего. И что еще важнее, именно эта смелость (как достижения в области рифмы, звукописи и т.д.) была подхвачена поэтами, идущими следом. Например, Некрасовым.

Но если к тому же судить поэта по лучшему, что он создал, Бенедиктов вообще — другой. *Переход. Перевороты. Прости! Тоска. Недоумение.* Вот названия его сильнейших стихотворений, сами по себе выразительные, — да он и есть поэт, одержимый *тоской недоумения.* Которому мерещатся *перевороты.* Которого завораживает *переход* — от жизни к смерти: «Видали ль вы преображенный лик / Жильца земли в священный миг кончины — / В сей пополам распределенный миг, / Где жизнь глядит на обе половины? / Уж край небес душе полуоткрыт; / Ее глаза туда уж устремились, / А отражать ее бессмертный вид / Черты лица еще не разучились...»

«Уже» и «еще не». Каким образом Бенедиктов, проживший внешне спокойную жизнь, угадал то, что Достоевский выразит, лишь пережив ожидание казни, отмененной только в последний момент? «Бытие только тогда и есть, когда ему грозит небытие. Бытие только и начинает быть, когда ему грозит небытие». В XX веке подобное назовут *пограничной ситуацией.*

Но вот финал стихотворения *Переход:*

«Здесь, кажется, душа, разоблачась, / Извне глядит на это облаченье, / Чтоб в зеркале своем в последний раз / Последних дум проверить выраженье. / Но тленье ждет добычи — и летит / Бессмертная, и, бросив тело наше, / Она земным стихиям говорит: / Голодные! Возьмите: это ваше!»

Стихи — почти тютчевской силы...

Впрочем, именно «почти». Снова сравним: «...Хочет — и не может...» «...Не хочет, не может...» То, чем у Бенедиктова наделен «священный миг кончины», у Тютчева наделена вся жизнь. Дрожащая, по нынешнему сравнению, как под током высокого напряжения. Но в одном поэты схожи до неразличимости.

Бенедиктов, глубоко внутрь загоняя тоску недоумения, пряча от посторонних глаз личные беды, ровно восходил по лестнице чинов и, доказав талант в области финансов, ушел в отставку в чине действительного статского советника (равняется генерал-майору). Карьерный путь Тютчева также успешен: миновав служебные неприятности из-за своеволия, затем он исправно выслуживал награды и доверие начальства. То есть у обоих поэтов разлад между внутренним самоощущением и внешней стороной жизни не выходит пока на поверхность.

Пока... Еще... Потому что есть уже и поверхностный выброс.

Трагично мироощущение Тютчева. Драматичен — по меньшей мере — душевный мир Бенедиктова. С Пушкиным было — напротив: при тягости его жизни, при трагизме финала так привычно и справедливо называть его поэзию «светлой»... Скажем ли так о поэзии (не говорю — о судьбе) Лермонтова? О поэзии (и судьбе) Полежаева?

Время разрушающейся, уходящей гармонии, которая первым делом испарялась из душной общественной атмосферы, делало свое жестокое дело, ломая и сами судьбы. И одна из жертв — Александр Иванович Полежаев (1804 или 1805–1838).

Сын помещика и крепостной, не усыновленный грубым и распутным отцом, он с трудом стал вольнослушателем Московского университета. С трудом же закончил его, но, на беду, разухабистая полежаевская поэма *Сашка* попала в тайную полицию. А затем и на глаза самому Николаю I.

Последовала высочайшая аудиенция (случай нерядовой: вспоминаются Павел I и Крылов, тот же Николай и Пушкин). Прозвучал высочайший крик: «Я положу предел этому разврату! Это все следы, последние остатки; я их искореню!» То есть в полумальчишеском озорстве царю мерещились «остатки» декабризма. Приговор: в солдаты сроком на двадцать пять лет и без выслуги. Потом новые аресты — сперва за «политику», после за пьянство. Кавказ, участие в сражениях. Порка за пропой амуниции. Чахотка. Смерть в военном госпитале. Все, все ужасно, кончая тем, что труп Полежаева в казарменном подвале объели крысы.

Невзгоды, способные сломить хоть кого. Но все-таки прав был Белинский, сказавший о нем: «сильная натура, побежденная дикой необузданностью страстей... жизнь буйного безумия, способного вызывать к себе и ужас и сострадание: Полежаев не был жертвою судьбы и, кроме себя самого, никого не имел права обвинять в своей гибели».

«Никого» — это перехлест. Но что правда, то правда: Полежаев не только нес драму в себе — как Тютчев. Он сам сделал ее драмой судьбы, биографии (не попади *Сашка* на глаза императору, случилось бы что-то еще). Он словно стремился к саморазрушению; «нарывался», «напарывался» — как Лермонтов, едва ли не вынудивший Мартынова убить его.

Ничего не поделаешь: опять и опять возникает образ «записной книжки». Полежаев — как черновой набросок Лермонтова.

Да и Белинский, высказываясь о нем, тоже начерно набрасывал то, что в 1899 году скажет о Лермонтове философ и поэт Владимир Сергеевич Соловьев (1853–1900): «...Страшная напряженность и сосредоточенность мысли на себе, на своем *я*, страшная сила личного чувства... главный интерес принадлежит не любви и не любимому, а любящему *я*, — во всех его любовных произведениях остается нерастворенный осадок торжествующего и бессознательного эгоизма... он любил главным образом лишь собственное любовное состояние...»

С откровенной неприязненностью высказывания вовсе не обязательно соглашаться, но схематически это замечательно верно. «Любящее *я*»

Пушкина осваивало, даже присваивало мир, но всегда сознавало себя его частью. Было не вне целого. Не над ним. У Лермонтова его «я», чаще ненавидящее, чем любящее, вытесняет собою весь мир. Часть целого подменяет собою целое.

«Русское романтическое сознание 1820–1830-х годов, — писала Лидия Гинзбург (а мы имеем право чуть переиначить: «русское поэтическое сознание»), — сосредоточено на идее личности». Но Лермонтов-то довел сосредоточенность до «эгоизма». А лучше — и мягче — сказать: до болезненно-чуткого внимания к своему «я». Ведь самоутверждается именно тот, кто в себе не уверен, кому, как Лермонтову, досталось взирать на мир «с усмешкой горькою обманутого сына / Над промотавшимся отцом». А свою любовь к отчизне осознавать как «странную», не похожую ни на что. И, между прочим, как раз стихотворение *Родина*, написанное в 1841 году, когда автору осталось жить всего ничего, обнажает и «эгоизм», состоящий в демонстративном отстранении от всех и всего, и высоту нового знания, которую он одолел, опередив многих и многих.

«Не победит ее рассудок мой» — сказано о самой по себе любви к родине, в чем странности еще нет. Через многие десятилетия крестьянский сын Есенин, воскликнув: «Но люблю тебя, родина кроткая!», признает, в сущности, то же, что армейский поручик: «А за что — разгадать не могу». Странное в лермонтовском стихотворении — как раз в твердости понимания, что́ не является причиной любви: «Ни слава, купленная кровью... / Ни темной старины заветные преданья...» Ничто из того, с чем принято связывать Россию не то что официальную, речь вообще не о ней, но — историческую. Россию Пушкина и Карамзина.

Родина — это самое первое на Руси приглядывание к мужику, к народу не как к доблестному победителю Наполеона, которым можно гордиться. И не как к крепостному рабу, которого надо жалеть. А... К кому? К какому? Да, смешно сказать, всего-навсего подгулявшему в свободный часок: «...И в праздник, вечером росистым, / Смотреть до полночи готов / На пляску с топотом и свистом / Под говор пьяных мужичков».

Это тот взгляд, тот путь, которым русская литература не пошла или пошла с запозданием, долго не будучи в состоянии освободиться от понимания народа как некоей функции, страдательной или «богоносной». И как к неизбежности следует отнестись к тому, что эта освобожденность взгляда — свобода по-своему страшная (впрочем, как и бесстрашная), означающая вызволение из-под обаятельной власти гармонии. И вот обожающий Пушкина Лермонтов противоречит ему чуть не каждой строкой. Вот обожающий Пушкина Тютчев произносит: «Мысль изреченная есть ложь», — что не просто тезис Шеллинга о природе мышления. Не только согласие с Вильгельмом Гумбольдтом, сказавшим: «Всякое понимание есть непонимание». Тютчевская сентенция звучит, повторюсь,

Г. Нарбут. Иллюстрация к стихотворению М. Ю. Лермонтова *Бородино*

поистине страшно — в устах русского поэта, чье слово, согласно Пушкину, пророческое, а предназначение литератора — «долг, завещанный от Бога»...

Да, «невозможно мне быть целым, / Гармоническим созданьем», — подтверждения этому многочисленны и многообразны.

Например, поэт Каролина Карловна Павлова (1807–1893)... Прервемся, чтобы отметить: именно поэт, а не поэтесса. Задолго до того, как Анна Ахматова станет требовать, чтобы в обозначении ее призвания звучал мужской род, Павлова среди женщин русской поэзии первой заслужила право считаться поэтом без скидок на женственность.

Страстная чисто по-женски, она трудно пережила роман и разрыв с Адамом Мицкевичем, воплотив все это в стихах. Несчастливая в браке с даровитым прозаиком Николаем Филипповичем Павловым (1803–1864), в более чем зрелом возрасте увлеклась человеком, много моложе ее (перипетии и этой драмы вошли в ее творчество). Но, хотя сама говорила в 50-х годах: «...женщина-поэт всегда остается более женщиной, нежели поэтом», эта фраза как раз и свидетельствует, насколько она — поэт среди поэтов. Насколько ее поэзия, как у многих собратьев, «сосредоточена на идее личности». Какова личность, такова поэзия.

Итак, поэт Каролина Павлова может прекрасно выразиться: «Одно, чего и святотатство / Коснуться в храме не могло, — / Моя напасть! мое богатство! / Мое святое ремесло»... Заметим: ремесло, пусть и святое (кстати, это словосочетание подхватит у Павловой Марина Цветаева). Да одно это явственно скажет, как меняется отношение поэтов к своему искусству. Верней, теперь уже — мастеров к ремеслу. «Ремесленник во славу красоты» — откровенно определит новизну своего положения и Бенедиктов.

Гармония ушла. Со временем и ее носитель, Пушкин, подвергнется издевательствам Дмитрия Писарева. А пушкинский друг Петр Андреевич Вяземский (1792–1878), переживший не только его, но и себя самого, получит такой привет от нового поколения: «Судьба весь юмор свой явить желала в нем, / Забавно совместив ничтожество с чинами, / Морщины старика с младенческим умом / И спесь боярскую с холопскими стихами».

Характерней всего, что эпиграмма, сочиненная Василием Степановичем Курочкиным (1831–1875), который больше всего запомнился как блестящий переводчик Беранже, — эта эпиграмма 1861 года есть пародия на панегирик 1820-го, адресованный Вяземскому Пушкиным: «Судьба свои дары явить желала в нем, / В счастливом баловне соединив ошибкой / Богатство, знатный род с возвышенным умом / И простодушие с язвительной улыбкой».

Панегирик и должен быть панегиричен, хотя Вяземский был не только значительным поэтом, притом совсем иной породы, чем Пушкин: меланхоликом, чья склонность к печальному скепсису с годами развилась до ипохондрии. Он был и одной из самых значительных фигур эпохи: еще и журналист, и тонкий критик, и государственный муж, и смелый оппозиционер, и кумир молодежи, и прославленный остроумец, и рисковый игрок, и волокита, и ополченец 1812 года. К старости — что скрывать? — он, конечно, переменился: именно тогда написав свои лучшие стихотворения, грешил он и тем, в чем уличал Курочкин, — суетливым верноподданничеством. Но важно не то, что эпиграмма не во всем неправа; важней, что в ней безжалостно пародируется пушкинская оценка. Вольно или невольно — он сам. Его понимание поэзии.

Поэзия же отныне сама становится — в историческом смысле — «отрывком, частью». При наличии истинных, подчас и великих талантов, она обречена уступить прозе свое право на изображение всецелой картины мира. О Пушкине (поэте, драматурге, прозаике, историке, критике) мы говорим первым делом: «поэт», а теперь, скажем, даже Афанасий Фет существует словно бы при Тургеневе и Толстом. И если кто способен на время оттягать у романистов читательское внимание, то, в худшем случае, это декларативный Надсон, в лучшем — Некрасов. Но и он благодаря не своим лучшим созданиям, а тому, что наиболее прямолинейно.

Началась эпоха прозы. Эпоха реализма? Но это понятие хочется, признаюсь, оспорить решительней, чем какое-нибудь иное. По причине его безразмерности. По причине слишком раздвинувшихся границ, среди которых потеряется смысл любого термина.

Ненормальный Гоголь

Вновь что-то вроде теста для литературной викторины или телеигры: вот начало комедии. Уездный город. Дом городничего. Сбор местных чиновников: судьи, почтмейстера, смотрителя уездных училищ... А если еще добавить, что городничий получает свежую почту, в которой письмо о приезде из Петербурга «важной и знатной особы»? Если случайно подвернувшийся пустопляс принят уездными простаками за эту особу? Если он врет напропалую о своей столичной влиятельности?..

Читатель, которого уважаю, не попадется на удочку. Не вскричит: *Ревизор!* И, заподозрив очередную «записную книжку», не будет неправ.

Во всяком случае, когда *Ревизор* в 1836 году появился в печати, русско-украинский литератор Григорий Федорович Квитка-Основьяненко (1778–1843) имел-таки основания заподозрить в плагиате не кого иного, как Николая Васильевича Гоголя (1809–1852). Ибо комедия самого Квитки *Приезжий из столицы, или Суматоха в уездном городе* была написана еще в 1827-м. Правда, не опубликована.

Был ли плагиат? Гоголь клялся, что нет. Поверим — тем более, сюжет о лжеревизоре был ходовым. Нечто похожее встречаем в повести Александра Фомича Вельтмана (1800–1870) *Провинциальные актеры.* У многогранного Николая Алексеевича Полевого (1796–1846), прозаика, драматурга, журналиста, историка, переводчика; его сочинение даже и озаглавлено близко к Гоголю: *Ревизоры, или Славны бубны за горами.* Наконец, что уж вовсе общеизвестно, фабула *Ревизора* была как будто подсказана Гоголю Пушкиным. «Как будто» — потому, что Павел Васильевич Анненков (1812 или 1813–1887), критик, мемуарист, держался иного мнения: «Известно, что Гоголь взял у Пушкина мысль *Ревизора* и *Мертвых душ,* но менее известно, что Пушкин не совсем охотно уступил ему свое достояние. Однако ж в кругу своих домашних Пушкин говорил, смеясь: «С этим малороссом надо быть осторожнее: он обирает меня так, что и кричать нельзя».

В любом случае разница между комедией Квитки и *Ревизором* превосходит любое сходство — и многократно, принципиально!

Начать с того, что заместитель Хлестакова в *Приезжем из столицы* с фамилией в духе XVIII столетия, Пустолобов, — мошенник сознательный

и заурядный. А Хлестаков... «Лицо фантасмагорическое» — сказал о нем автор.

Сказано, правда, в *Развязке Ревизора* (1846), где Гоголь стал толковать вотчину Сквозник-Дмухановского как «душевный город», лжеревизора — как «ветреную светскую совесть», а ревизора подлинного — как совесть проснувшуюся. И толкование было результатом душевной эволюции, растущего разочарования в художественной силе своего таланта, в его способности преобразить мир и заблудшие души, — но разве и в тексте самой комедии сквозь телесность героев уже не просвечивало нечто, не подвластное законам «первой реальности»? Попросту — самой жизни.

Необычность комедии *Ревизор* не в том, что опытный градоначальник способен «фитюльку, тряпку» принять за значительную персону. Это как раз объяснимо накалом безумия, а само безумие — в границах реальности, так как является порождением страха перед расплатой. Но вот вопрос: в страхе ли дело?

Нет. Открытие Гоголя, сделанное не на поверхности быта, а в глубинах российского бытия, больше того, бытия человеческого («душевный город»!), в другом. Потребность врать, которую Хлестаков являет непроизвольно, а поначалу и бескорыстно, равна потребности самообманываться, каковую являет уже городничий. И тоже — непроизвольно.

П. Боклевский. Иллюстрации к комедии Н. В. Гоголя *Ревизор*

Иннокентий Анненский, один из лучших русских поэтов и лучших критиков, сравнивал — не *Ревизора*, так *Мертвые души* — с произведением, которое можно твердо назвать реалистическим. Честно и прямо отразившим *реальность*: «...В *Записках охотника* мы будем иметь уже подлинное изображение крепостнической России, памятник не только художественный, но исторический. А в *Мертвых душах* в какие годы происходит действие? Что это, в сущности, за страна? Есть ли в ней какая-нибудь вера, обрывок исторических воспоминаний, обычай?.. Чьи дети, чьи внуки эти Маниловы?»

Ахматова шутила по поводу одной из первых фраз *Мертвых душ*: «...Только два русские мужика, стоявшие у дверей кабака против гостиницы...» А кого же, спрашивала она, он надеялся встретить в губернском городе NN»? Может быть, португальских? Да Гоголя и всерьез уличали в незнакомстве с реалиями российской жизни, по крайней мере провинциальной. Подсчитывали: живя то на Украине, то в Петербурге, то в Италии, в провинции он провел проездом пятьдесят три дня. А если учесть еще его нелюдимость — то, например, что, пробыв в Курске неделю (экипаж сломался), он проторчал весь этот срок в гостинице, почти не выходя из нее...

Оттого, дескать, и путаница в подробностях: откуда в российском уездном городе столь очевидные, по фамилиям судя, малороссы, как Земляника и Сквозник-Дмухановский? И если возможно прочертить маршрут Хлестакова, то не проляжет ли он по воздуху?

Больше того. Сам Петербург, Гоголю, несомненно, известный, — вправду ли он именно Петербург?

Вот самая «правдоподобная» из гоголевских вещей, *Женитьба*. Неспешный быт. Точность деталей. Мается перестарок-невеста, хлопочет сваха, тянутся в дом женихи. Прямо Островский, даром что тут не Замоскворечье, а петербургские адреса: «поближе к Пескам, в Мыльном переулке», «в Шестилавочной», «в Восемнадцатой линии».

Правда, именно Островский имел «реалистические» претензии к Гоголю. Хлестаков или Плюшкин, говаривал он, «не столько русские типы данного времени, сколько вечные образцы общечеловеческих страстей» (что чистая правда). А сам гоголевский талант называл «ненормальным». Но *Женитьба* ведь дело другое. Иван Павлович Яичница — не эстетическая родня феноменальному Ноздреву. Он из другого теста. Отставной мореход Жевакин, перекусивший «селедочкой», — не Петр Петрович Петух и не Собакевич, российские подобия Гаргантюа. И «данное время» наличествует. Тот же Жевакин дает возможность высчитать точную дату происходящего, излагая биографию своего обтерханного мундира: «...В восемьсот четырнадцатом сделал экспедицию вокруг света, и вот только по швам немного поистерлось; в восемьсот пятнадцатом

П. Боклевский. Иллюстрация к комедии Н. В. Гоголя *Ревизор*

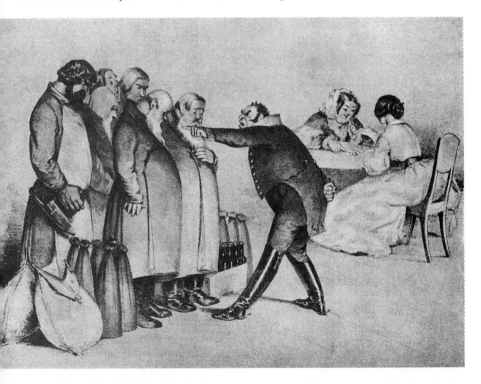

П. Боклевский.
Иллюстрации к поэме Н. В. Гоголя
Мертвые души

вышел в отставку, только перелицевал; уж десять лет ношу — до сих пор почти что новый».

Ба! Дело-то относится к 1825 году, что сильно звучит для русского уха. И, может быть, пока сваха собирает в невестин дом женихов, а Подколесин обдумывает свой бунт против тирании Кочкарева, в этот момент на Сенатской площади восставшие строят каре?

Может быть. Но это не имеет никакого значения.

В мире, подобном миру Островского, и Яичница с Подколесиным посудачили бы насчет «людей гнусного вида во фраках», как правительственная печать изображала мятежников (стараясь скрыть, как много средь них было военных). Моряк Жевакин, глядишь, обеспокоился бы, нет ли среди заговорщиков его знакомцев по флотскому экипажу (были). Но в *Женитьбе* — не столько Петербург, сколько опять же «душевный город». Или Атлантида, по выражению Иннокентия Анненского.

Объяснить Гоголя с точки зрения «первой реальности» невозможно. Плохо знал Россию? Но Украину-то знал, и что ж, его хутор близ Диканьки, его Голопупенки и Черевики — разве не фантазия, больше подпитанная фольклором, чем реальными наблюдениями?

«Он не реалист и не сатирик... Он фантаст, изображающий не реальных людей, а элементарных злых духов, прежде всего духа лжи, овладевшего Россией». Это слова философа Бердяева, относящиеся, конечно, не только к фантастике повестей *Нос* или *Портрет*. И если тут есть что возразить, так следующее: духов не только злых. И не только лжи, но — фантазии, выдумки, утопических мечтаний.

Гоголь не столько знал, сколько создавал свою, гоголевскую, Россию. И именно это — троекратно подчеркиваю! — *стало чертой едва ли не всей российской словесности*. Во всяком случае — наиболее характерной части ее. Наиболее русской, включая Достоевского и Толстого (Гончарова, Лескова, отчасти и Чехова).

Литература — не только самое лучшее из того, что Россия сумела дать миру. Возможно, в определенном, условном смысле наша словесность и *есть — Россия, то бишь и мировое и наше внутрироссийское представление о ней. Она придумала нас, и мы все время стараемся быть похожими на этот придуманный ею образ. Сверяем себя с ним. Потому что иного у нас нет.*

Что же до Гоголя, то разве его скандально нашумевшие, демонстративно нравоучительные *Выбранные места из переписки с друзьями* (1847) — не летопись «душевного города», который не желает да и не обязан

Н. Альтман. Иллюстрация к повести Н. В. Гоголя *Нос*

Ю. Рыжик. Иллюстрация к повести Н. В. Гоголя *Записки сумасшедшего. Испанский король*

считаться с правилами и законами, по которым вынуждены жить Петербург или «губернский город NN»?

Разговор о *Выбранных местах* нет смысла вести, не исследовав (обстоятельно, скрупулезно, долго) все «за» и все «против». Потому согласимся бегло: да, там есть и тенденциозность, и ханжество, без чего редко обходится любая нравоучительность. Есть и иное: представ утопическим (утопическим!) монархистом, Гоголь не стал и не мог стать «проповедником кнута, апостолом невежества», как трактовал его в своем знаменитом письме Белинский. Сам монарх, без которого Гоголь не мыслил будущего России, весьма напоминал тот образ идеального правителя, который конструировал в *Стансах* Пушкин, зовя Николая I следовать пращуру, Петру Великому. «Оставим личность императора Николая, — говорил Гоголь, — и разберем, что такое монарх вообще, как Божий помазанник, обязанный стремить вверенный ему народ к тому свету, в котором обитает Бог...»

«Обязанный» — так ли разговаривает с царем угодливый холоп?

Но — откуда возник сам пафос нравоучительства? И — когда возник? Хотя «когда» и «откуда» связаны крепко.

Обозревая период жизни Гоголя с 1842 по 1852, его последний, год, историк литературы Александр Архангельский пишет, что читающая публика не замечала надрыва, происшедшего в гоголевской душе. Потому не замечала, что продолжали выходить его книги, печатались Сочинения в четырех томах, где впервые явились *Шинель, Женитьба* и *Игроки*, написанные раньше, в 30-е годы. «По существу, последнее десятилетие гоголевской жизни превратилось в непрекращающуюся пытку молчанием. ...Словно жизнь потребовала, чтобы он заплатил немыслимую цену за гениальные озарения, посетившие его 1830-е годы».

В пору этой «непрекращающейся пытки» и возникает надежда, издав *Выбранные места*, вразумить всю Россию. То есть такая честолюбивая

План *Арабесок* с рисунками
Н. В. Гоголя

П. Соколов. Иллюстрация к повести Н. В. Гоголя *Тарас Бульба*

надежда могла быть и раньше, — даже наверняка была, прорываясь к читателю прямыми авторскими обращениями. Но тогда надо было творить: проповеди мешали замыслы, опережающие друг друга. Было не до учительства...

Хотя — учительство ли здесь? По крайней мере — одно ли оно? Возможно, скорее — *соревновательность. Ревность. Страсть преобразования.*

Б. Кустодиев. Иллюстрация к повести Н. В. Гоголя *Шинель*

Все то, что свойственно всякому истинному художнику, — свойственно изначально. То же будет потом и со Львом Толстым. И он, художник до мозга костей, будет лепить *свой* образ народа, искать *свой* путь для России: могучая личность будет вести себя с тем своеволием, без которого не бывает искусства. И лишь убедившись, что реальность неподатлива для задуманных им преобразований, поведет себя так, как и бывает со страстными людьми. Разочаруется в «художестве». Обратится к прямой проповеди, перестав быть...

Нет. Не перестав быть художником, как чуть было не сказалось: оставшись им. Сохранив и страсть, и необузданное воображение, и несбыточные, утопические мечты — все, без чего истинно русского писателя трудно вообразить. Только выразилось это иначе, в иных формах. Как и у Гоголя.

Но тот совершил и вовсе невероятное.

Как известно, Гоголь сжег второй том *Мертвых душ* — осталась лишь незаконченная, черновая рукопись. Известно и то, какую роль тут сыграло истощение духа и тела, не говоря о мрачном соучастии гоголевского духовника отца Матвея Константиновского, ржевского протоиерея. Тот, в частности, маниакально требовал от духовного сына: «Отрекись от Пушкина... Он был грешник и язычник». Сам дух искусства, воплощенный в Пушкине, надо было исторгнуть из слабеющей души Гоголя. Исторгли ли?

«Первый том (*Мертвых душ. — Ст. Р.*) лишь бледное преддверие той великой поэмы, которая строится во мне...» Эти гоголевские слова, в общем, выглядят как естественное стремление любого художника идти дальше и выше. Не больше того — даже если, допустим, Чичикову, законченному плуту, во втором томе была уготована новая жизнь.

В конце концов мало ли что замышляет художник, — важно, как сами герои окажут себя. Позволит ли их художественная плоть совершить над собою насилие (случается, что позволяет). Не воспротивится ли перерождению.

На этот раз — не позволила. Воспротивилась, что и должно было случиться. Ни Чичикову, ни Ноздреву и Собакевичу, прочно пришитым к самим порокам своим как к форме существования, оказалось невозможно переродиться до степени духовного воскресения. И — по той ли, по иной ли причине рукопись полетела в огонь, принеся этим автору неожиданно *творческое* удовлетворение. Именно так: «Как только пламя унесло последние листы моей книги, ее содержание вдруг воскресло в очищенном и светлом виде, подобно фениксу из костра, и я вдруг увидел, в каком беспорядке еще было то, что я считал уже порядочным и стройным...»

В самом деле: это — *акт творчества*. Противоестественный, но подсказанный художнику естественной страстью к совершенству.

Гоголь и был художником с головы до ног, с юности до смерти. В быту — также. Товарищи по гимназии вспоминали его как немыслимого неряху, которому они брезговали подавать руку, а он бравировал этим: «Я предпочитаю быть один в обществе свиней, чем среди людей». А чудачества, которыми Гоголь славился в зрелые годы? Когда опять-таки поражал окружающих — но уже капризами гурмана или вызывающим франтовством: «У него была серая шляпа, светло-голубой жилет и малиновые панталоны, точно малина со сливками».

«Если даже вы в это выгрались, / Ваша правда, так надо играть», — скажет в ХХ веке поэт, обращаясь к артистке и режиссеру. Когда к легкомысленному слову «игра» присовокупляется слово «правда», значит, речь идет не о баловстве, а об искусстве. О художнике, который выгравшись «в это», не оставляет высокой игры даже в трагический час.

В иные часы уже и сама игра не хочет его оставить.

Дела фамильные

Из воспоминаний о Гоголе:
«Кто-то произнес фамилию негоцианта-грека Родоканаки. При этом слове Гоголь на мгновение встрепенулся и спросил студента Деменитру, сидевшего рядом с ним: — «Это что такое? Фамилия такая?» — «Да, — подтвердил Деменитру, — это фамилия». — «Ну, это Бог знает что, а не фамилия, — сказал Гоголь. — Этак только обругать человека можно: ах ты, ррродоканака ты этакая!..»

Что любопытно? Что Гоголь способен, играючи, вообразить родовую фамилию как эмоциональную брань. Как оценку ее носителя. Почему же этой способности нет у его героев?..

Поясним, для начала вспомнив XVIII век с его Простаковыми, Скотиниными, Ворчалкиными и Выпивайкиными. Там все было просто. Мы знали, чего ждать от Скотинина — и, главное, автор хотел, чтоб мы знали. Фамилия — как приговор или, наоборот, орден (Правдин, Милон, Нельстецов).

В XIX веке все переменится.

Пушкин насмешничал над *Иваном Выжигиным* и *Димитрием Самозванцем*, романами Фаддея Венедиктовича Булгарина (1789–1859), которого чаще всего вспоминают как пушкинского врага и агента тайной полиции, хотя он притом был весьма непростой фигурой. Дружил с Грибоедовым и Рылеевым, был редактором самой массовой российской газеты *Северная пчела* и жадно читаемым прозаиком. Что, конечно, не означает: прозаиком сильным, и в данном случае Пушкин метил в очевидную слабость его книг:

«...Что может быть нравственнее сочинений г. Булгарина? Из них мы ясно узнаем: сколь не похвально лгать, красть, предаваться пьянству, картежной игре и тому под. Г-н Булгарин наказует лица разными затейливыми именами: убийца назван у него Ножевым, взяточник — Взяткиным, дурак — Глаздуриным и проч. Историческая точность одна не дозволила ему назвать Бориса Годунова Хлопоухиным, Димитрия Самозванца

Каторжниковым, а Марину Мнишек княжною Шлюхиной; зато и лица сии представлены несколько бледно».

И вот — Гоголь.

Если исходить из эстетики XVIII века, запоздало перенятой Булгариным, то в «делах фамильных» Гоголь отказался от прежнего, назидательно-указательного смысла, не обретя никакого нового.

Конечно, без исключений не обошлось. Например, фамилия Держиморда яснее ясного свидетельствовала, ка́к сей персонаж исполнял свою полицейскую должность. Или — вот случай, который станет предвестием некоей закономерности (о чем позже), но пока остается случаем. Это когда персонаж *Женитьбы* Яичница признается, что своей фамилией недоволен, а Жевакин утешит его воспоминанием, что у них в эскадре многие звались не менее странно: «Помойкин, Ярыжкин, Перепреев лейтенант. А один мичман, и даже хороший мичман, был по фамилии просто Дырка».

Но вообще: Голопупенко... Голопузь... Перерепенко... Довгочхун... Земляника... Шпонька с хутора Вытребеньки... Игра! Игра сама по себе, без смысла и цели (как снова не вспомнить: «Цель поэзии — поэзия...»?). Притом столь увлекательная, что в нее втянулся не только Гоголь, которого с очень большой натяжкой можно счесть «реалистом», но и, казалось бы, такой основательно, обстоятельно бытовой драматург, как Александр Николаевич Островский (1823–1886).

Его репутация бытописателя Замоскворечья, да и воспоминания о нем как о человеке малоподвижном, тяжеловесном, пьющем, с нелегким характером и долгое время с нескладно устроенной жизнью, — все это отвлекает от понимания, что и у его пьес игровая суть. Сами споры великой критики вокруг Островского, оказывая ему честь, создали впечатление, будто он — не творец многоликого мира, не великий мастер юмора, а борец-идеолог. *Темное царство, Луч света в темном царстве* — сами названия статей критика-демократа Добролюбова демонстративно идеологичны, причем эта идеологичность подействовала заразительно на человека совершенно иной породы, друга Островского Аполлона Александровича Григорьева (1822–1864). То есть заразила его желанием спорить на поле, выбранном Добролюбовым, оружием, которое было Добролюбову по руке. Хотя если этот революционер — как раз благодаря своей революционности — отличнейше вписывался в расклад общественных сил предреформенных 50-х годов, где «светлое» четко противостояло «темному», Григорьев был всесторонним изгоем. «Комета» — вот характернейший образ его поэзии, до отчаянности страстной, и не зря в *Цыганской венгерке*, «две гитары, зазвенев», поют об утрате любви как об утрате души и жизни. А в соседствующих стихах, преображенных в знаменитый романс, так биографически выразительны строки: «О, говори хоть ты со мной, / Подруга семиструнная!»

П. Боклевский. Иллюстрация к комедии А. Н. Островского *Не так живи, как хочется*

«Хоть ты» — больше некому...

Внебрачный ребенок, он и в поэзии, в критике был бастардом, «последним романтиком» — с самоощущением именно последнего, лишнего, даже в среде близких ему славянофилов. То он насмешничал над Константином Аксаковым, над его идеализацией семейных и прочих национальных утопий, то жарко хвалил Островского — по сути, за то же самое в пьесах *Не в свои сани не садись* и *Бедность не порок*. В тех, где будущий автор *Грозы* и *Бесприданницы* впадал в слащавость, живописуя,

П. Боклевский. Иллюстрация к комедии А. Н. Островского *Свои люди — сочтемся*

скажем, идеального купца Русакова (фамилия, фамилия!), в чей благообразный уклад вторгается искатель богатых невест Вихорев. А сперва автор хотел было даже назвать его то ли Вольфовым, то ли Ганцем (понимай: вот откуда идет зараза в русацкие, русские семьи).

Так или иначе, но и Григорьев вступал с Добролюбовым в спор по части сугубой идеологии, погружая туда и предмет спора, Островского.

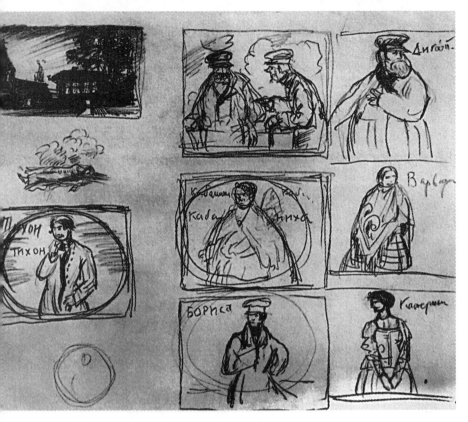

Б. Кустодиев. Наброски к драме А. Н. Островского *Гроза*

«Самодурство — это только накипь, пена, комический отсадок». В Островском, как и в его персонажах, главное «не самодурство, а народность». На что Добролюбов, в свою очередь, запальчиво отвечал: «...Как будто мы не признавали народности у Островского! Да мы именно с нее и начали, ею продолжали и кончили».

Через эту борьбу Островский главным образом и воспринимался все долгие советские годы, и странной прихотью беспартийного эстета казалось замечание Юрия Олеши:

«Какие замечательные фамилии в пьесах Островского. Тут как-то особенно грациозно сказался его талант. Вот маленький человек, влюбленный в актрису, похищаемую богатыми. Зовут Мелузов. Тут и мелочь и мелодия. Вот купец — хоть и хам, но обходительный, нравящийся женщинам. Фамилия Великатов. Тут и великан и деликатность.

...Вдову из *Последней жертвы* зовут Тугина. Туга — это печаль. Она и печалится, эта вдова. Она могла быть Печалиной. Но Тугина лучше».

«Грациозно» — как неожиданно это слово применительно к «купеческому Шекспиру»!..

Можно — вслед за Олешей — продолжить игру в разгадки. Слышна ли в Мелузове мелодия? Скорей уж — звучащее паче гордости (в соответствии с характером студента из *Талантов и поклонников*) слово «мелузина», что в словаре Даля — синоним «мелочи». А Великатов? Все-таки главное здесь — сам процесс превращения «деликатности» в «великатность». Истинного благородства — в благородство подмоченное, полублагородство. Как и в фамилии Паратова из *Бесприданницы* «т» заменило собою «д», уценив парадность, победность бывшего человека чести, променявшего любовь на барыш. Да в первых набросках пьесы он и был — Парадов.

Но дело не в игре словами. Вот диалог актрисы Кручининой и барина Мурова из *Без вины виноватых* (речь, напомню, об их общем сыне, которого отец якобы отдал на воспитание некоему купцу):

« — Фамилия этого купца?

— Я уж забыл. Не то Иванов, не то Перекусихин; что-то среднее между Ивановым и Перекусихиным, кажется, Подтоварников».

И дальше:

« — Что же вы узнали?..

— Что этот купец Простоквашин...

— Вы, кажется, давеча говорили: Иванов?

— Я давеча ошибся, а потом вспомнил...»

Наконец:

« — ...Впрочем, легко узнать: стоит только спросить, за кого вышла замуж купчиха Непропекина.

— Вы сейчас только сказали, что фамилия этого купца Простоквашин, а теперь уж Непропекин?

— Как, неужели? Впрочем, спорить не смею; я очень часто перепутываю фамилии».

Муров не лжет только в одном. Он действительно перепутывает фамилии, что весьма характеризует его барский высокомерный слух, для которого все простонародное не заслуживает внимания. Но Островский, играя в эту путаницу и по-художнически наслаждаясь игрой, невольно, нечаянно (значит, по-настоящему органично) создает свою философию жизни. Не меньше.

В *Воскресении* Толстого графиня Екатерина Ивановна, выражая пренебрежение к «стриженым нигилисткам», окажется словотворцем почище Мурова:

« — Зачем мешаются не в свое дело. Не женское это дело... Это Бог знает что: Халтюпкина какая-то хочет всех учить».

Этой реплике посвятил целую статью Аркадий Георгиевич Горнфельд, автор книги *Муки слова* (1906). «Эта «Халтюпкина» — гениальна... —

106

восклицал он. — ...Это целое мировоззрение... Все, что может думать умная старая аристократка о русской разночинной революции, сказано в этой сочиненной фамилии абстрактной, типовой русской нигилистки...»

«Халда». «Халуй». «Халява». «Халтыга». Эти слова Горнфельд высмотрел у того же Даля, и почти все они, начинающиеся на «хал», выражают, что-то вульгарное. Но мало того:

«...Грубость, наглость, озорство есть лишь часть того представления, которое вызывает в тетушке Екатерине Ивановне мысль о русском революционере и особенно революционерке. Сюда входит еще ощущение чего-то ничтожного, поверхностного, ненастоящего. И как великолепно выражено это пренебрежительное отношение в уничижительном окончании фамилии — тюпкина. ...Тюкают тому, что отвержено, что презрительно...

Хамство плюс ничтожество — вот что одним выдуманным словом намечает в русской революции графиня Екатерина Ивановна. Халда и тюпка — вот кто, по ее мнению, вздумал революционным насилием переделывать величавую русскую историю. ...Представляете вы себе человека, которого назвали Халтюпка? Можно уважать Халтюпку? Можно хоть один миг верить, что Халтюпка и дети Халтюпкины способны создать что-нибудь устойчивое, большое, ценное?»

В самом деле, «это целое мировоззрение». А фамилия Расплюев — разве говорит не о том же и весит меньше?

Создатель этой не менее чем гениальной фамилии и открыватель «расплюевщины» (что не менее всеобъемлюще, чем «обломовщина» и куда пострашней «хлестаковщины» и «маниловщины») — Александр Васильевич Сухово-Кобылин (1817–1903). Ярчайшая и едва ли не самая одинокая фигура русской литературы. По судьбе, по мироощущению.

Отпрыск знатнейшей дворянской фамилии, красавец, богач, блестящий выученик Московского университета, он смолоду заболел отвращением к службе. Изъявлял даже желание, чтоб на его могильной плите было начертано: «Никогда не служил». А обстоятельства внешние тем более поработали на его психологию одиночества, доходящую до мизантропства. В 1850 году он был обвинен в убийстве своей любовницы Луизы Симон-Деманш, попал под арест, и дело тянулось до восшествия на престол Александра II. Его то оправдывали, то вновь обвиняли, пока в 1857 году Государственный совет не вынес оправдательный приговор, который, впрочем, был встречен Сухово-Кобылиным не столько с облегчением, сколько с растерянностью. Одновременно были оправданы слуги Симон-Деманш, сухово-кобылинские крепостные (по всей видимости, и убившие госпожу). Бюрократическая махина, в которую угодил Сухово-Кобылин, отомстила за свою относительную неудачу: оправдав, все же как бы и не оправдала. Не дала оправдаться.

Как ни странно, именно эта трагедия и вызвала к жизни драматическую трилогию — *Свадьбу Кречинского* (1854), *Дело* (1861), *Смерть*

Тарелкина (1869). Собственно, странность лишь в том, что первая пьеса,
писанная во время ареста, вышла на редкость смешной комедией с умо-
рительной ролью простодушного шулера Расплюева. Зато ни следа весе-
лости не осталось к поре, когда была создана драма *Дело* — о злоключениях семейства Муромских, добродетельных персонажей *Свадьбы
Кречинского*. А тот же Расплюев совершил свое первое превращение,
представ, хоть и за сценой, уже не обаятельным плутом, но полицей-
ским осведомителем.

«Предлагаемая здесь публике пиеса *Дело*, — уведомлял в предисло-
вии автор, — не есть, как некогда говорилось, *Плод Досуга*, ниже, как
ныне делается, *Поделка литературного Ремесла*, а есть в полной действительности сущее из самой реальнейшей жизни с кровью вырванное
дело».

Герцен писал, что смех Гоголя таков, что примиряет автора, значит и нас, с такими монстрами, как Собакевич или Ноздрев. Смех Сухово-Кобылина совершенно иной, что четко понимал и он сам.

В письме 1892 года гонимый драматург горько размышлял о цензурной судьбе своих пьес, из которых одна лишь *Свадьба Кречинского* не была запрещена: «Какой ужас: надеть пожизненный намордник на человека, которому дана способность говорить! И за что? За то, что его сатира на порок произведет...» И вот она, точнейшая автохарактеристика: «...Произведет не смех, а содрогание, когда смех над пороком есть низшая потенция, а содрогание — высшая потенция нравственности».

Гнев, ярость, презрение — вот возраставший мало-помалу желчный пафос творчества Сухово-Кобылина, резко отличивший его от Островского. У того, даже и распрощавшегося со слащавостью славянофильства, возникали — то могучий купец Флор Федулыч Прибытков (*Последняя жертва*), то симпатичный капиталист Васильков (*Бешеные деньги*). Люди будущего. Сухово-Кобылину единственно милы герои беспомощные, неотвратимо гибнущие — как помещик-старик Муромский, умирающий на грязном полу канцелярии, как его оклеветанная и униженная дочь Лидочка. Остальные же...

Герц, Шерц, Шмерц — так, без затей, будет названа тройка чиновников из *Дела*. Это даже не Простаковы-Скотинины, какие-никакие, но люди, с какими-никакими, однако страстями. Эти же, по определению самого автора, всего лишь «колеса, шкивы и шестерни бюрократии».

В *Свадьбе Кречинского* один Расплюев носил назывную, разоблачительную фамилию. В *Деле*, напротив, один генерал, глава шайки взяточников-бюрократов, поименован... Ну, не то чтоб совсем без намека на его сущность, но ведь не сразу поймешь, что за фамилией Варравин — Варавва, разбойник, волей толпы иудеев выпущенный на волю взамен Христа. Это многозначительно, но не броско; по оценочной косвенности это сопоставимо с Великатовым или Паратовым. Но вот подчиненные Варравина: два чиновника с рифмующимися фамилиями Чибисов-Ибисов, хищный экзекутор Живец («на живца»), колючий правдолюбец Шило.

В фарсе *Смерть Тарелкина* явится пара «мушкатеров», то есть полицейских солдат, Качала и Шатала. Частный пристав получит анекдотическую фамилию Ох; лекарь — совсем озорную, Унмеглихкейт (в переводе с немецкого — «Невозможность»), помещик — кличку Чванкин. «Не лица, а куклы», — без особого одобрения отметит рецензент пьесы *Дело*, и отчасти так оно есть: сами фамилии не позволяют воспринимать персонажей как «лица».

Путь от *Свадьбы Кречинского* до *Смерти Тарелкина* вправду велик, как протяженность человеческой жизни от свадьбы до похорон. Ибо где тщательный психологизм *Свадьбы* и где отчаянно смелый гротеск *Смерти*?

Фарса, в котором генерал Варравин и его подручный Тарелкин, обобравшие и погубившие Муромского в границах драмы *Дело*, учиняют свои «разборки». Первый надул второго, второй украл «компромат» на первого и, дабы надежней укрыться, меняет обличье и имя. Не удается: все тот же Расплюев, на сей раз как «исправляющий должность квартального надзирателя», разоблачает Тарелкина.

И ничто так не говорит о стремительной эволюции (всего за пятнадцать лет), проделанной Сухово-Кобылиным, как именно образ Расплюева, меняющего обличья, будто истинный оборотень.

Последнее слово пришло на ум не случайно.

Расплюев (сперва, напомню, мошенник, потом — лжесвидетель, наконец — следователь) ведет допрос. Перед ним — прачка, сожительница того покойного человека, чьим именем прикрылся Тарелкин, разыграв свою смерть, и кто у Расплюева под подозрением как «оборотень, вурдалак, упырь и мцырь». Вот их стремительный диалог: « — Ты с ним жила? — Жила. — Ну что, он оборачивался? — Завсегда. — Во что же он оборачивался? — В стену. — Как же он в стену оборачивался? — А как я на постель полезу, так он, мошенник, рылом-то в стену и обернется».

«Остроты — плоски и пошлы... Чисто балаганный характер...» Так неласковый к Сухово-Кобылину критик аттестовал стиль *Смерти Тарелкина*. Но не говоря уж о том, что именно стиль балагана с масками клоунов (как и приемы французского фарса) был ориентиром этой «комедии-шутки», он, можно сказать, был биографически выстрадан автором. К примеру: «Я предпочитаю призвать Вас к себе, дабы эта неблагодарная и коварная женщина была у меня перед глазами и в пределах досягаемости моего кастильского кинжала». Черт дернул Александра Васильевича послать Луизе Симон-Деманш эту игривую записку, где «кинжал» — недвусмысленно-немудреный эротический символ. Этого вполне хватило следствию, чтоб имитировать подозрение в угрозе убийства!..

Как бы то ни было, метафора, помноженная на метафору, оговорка, легшая на оговорку, — все это дало возможность следователю Расплюеву сделать свой вывод: «Вот, стало, уж имеем в деле два свидетельские показания, что арестант оборачивался...» И — сладострастно вообразить картину полицейского всевластия: «Я-а-а таперя такого мнения, что все наше отечество — это целая стая волков, змей и зайцев, которые вдруг обратились в людей, и я всякого подозреваю; а потому следует постановить правилом: всякого подвергать аресту».

Словом: «Все наше! Всю Россию потребуем».

Отметим особо: это во всю свою ширь развернулся тот «маленький человек», чьей судьбой так озабочена литература XIX столетия. Начиная, понятно, с Гоголя.

До него, правда, тоже были — пушкинский *Гробовщик*, романы Булгарина (*Иван Выжигин, Петр Иванович Выжигин*), Вельтмана (романический цикл *Приключения, почерпнутые из моря житейского*). Был Василий Трофимович Нарежный (1780–1825), чьи романы *Бурсак* и *Два Ивана, или Страсть к тяжбам* Гоголю прямо предшествовали и как бы готовили его появление. Даже его стиль. Но до Гоголя не было той сострадательной пронзительности, что возникла в *Записках сумасшедшего* и в *Шинели*. Акакий Акакиевич Башмачкин так и остался синонимом самого понятия «сострадание».

Что было востребовано и продолжено многими, однако — не всеми. «Наперекор гоголевской традиции, — заметит советский литературовед Анатолий Горелов, — Сухово-Кобылин не жалеет «маленького человека», ибо полагает, что в змеином обществе маленький человек отлично оскотинится и станет преопаснейшей общественной чумой. ...Гоголя он любил, но из его *Шинели* выпрастывался твердо и с саркастической улыбкой. «Маленький человек» для него если еще не каналья, то всегда к этому готов».

Как оказался готов Расплюев, имеющий право дать свое имя явлению «расплюевщина», которая не выдумана Сухово-Кобылиным, но, как «обломовщина» или «маниловщина», открыта в русской жизни. Как способность «маленького человека», «бедных людей», обильно политых слезами сочувствия, приспосабливаться ко всему. Примыкать к любому движению, при случае выбиваясь и в главари.

И тут окончательно проясняется решительная разница между тем, как своих «маленьких», «бедных» воспринимают Гоголь, Островский, Сухово-Кобылин. Разница, что отчетливо выявилась и в такой, казалось бы, игровой частности, как выдумывание затейливых фамилий.

Вернемся к Островскому. Его Великатов и Тугина (как Глумов, Прибытков, Карандышев) характеризуют и его самого. Его чувство слова. Его, что еще важнее, нравственный слух. Тонкое чутье на то, что происходит в обществе и в народе.

Вспомним Юлию Тугину из *Последней жертвы*. «Туга — это печаль, — комментировал Юрий Олеша. — Она и печалится, эта вдова. Она могла бы быть Печалиной». Да ведь не только могла бы, но почти так и зовется: Кручинина (*Без вины виноватые*). Печаль, туга, кручина — слова-синонимы, а фамилии говорят о разном. Юлия Тугина тужит не столь приметно для мира, как и «туга» — не самое обиходное из приведенных слов. А Любовь Отрадина берет сценический псевдоним Кручинина: не потому лишь, что отрада в ее жизни сменилась кручиной, но потому, что само новое имя — демонстративно звучное. Она ведь кручинится на подмостках, для публики...

Островский метит своих героев, указывая, кто есть кто. Кто таков Карандышев из *Бесприданницы*? Конечно, мелкий чиновник; не «представитель», не «символ», просто чиновник и именно из небольших, — как Вышневский (*Доходное место*) может быть лишь немалого чина. Вожеватов, Прибытков — купцы, но до очевидности разные. С Прибытковым все ясно, его прибыток у всех на виду, а «вожеватый», согласно Далю, тот, «кто умеет водиться с людьми, обходительный, вежливый». Разве же не портрет многообещающего богатея из драмы *Бесприданница*?

Всяк — особь, лицо, личность. Всяк обитает в такое-то время, в таком-то месте. Не то что у Гоголя, у которого не поймешь, «в какие годы происходит действие? Что это, в сущности, за страна?» (Иннокентий Анненский).

В этом смысле Островский противостоит обоим — и Гоголю, и Сухово-Кобылину. У тех была мощная предвзятость к «маленьким людям»: у Гоголя — заранее заготовленное сострадание, у Сухово-Кобылина — презрение и брезгливость. А Островский? Достоинство — вот что он утверждает. Неброское, но несомненное. Достоинство не тех, кто образец добродетели, не объектов щемящей жалости, а... Да просто достоинство. Само по себе.

И вот появляется писатель, чьи герои являют это достоинство, вернее, жажду его, мечту о нем, каким-то уж очень странным образом. И снова дело не обходится без фамилий.

«Разве можно жить с фамилией Фердыщенко? А?» (Достоевский, *Идиот*).

«Сударыня, — не слушал капитан, — я, может быть, желал бы называться Эрнестом, а между тем принужден носить грубое имя Игнат... Я желал бы называться князем де Монбаром, а между тем я только Лебядкин, от лебедя, — почему это?» (Он же, *Бесы*).

И «маленький человек» Мармеладов (*Преступление и наказание*), назвав себя, виновато добавит: «Такая фамилия». Дескать, где же взять лучше? Зато лакей Видоплясов (*Село Степанчиково*), также мучась неблагозвучием родительского имени, начнет изобретать себе роскошные псевдонимы. Танцев, Эссбукетов, Тюльпанов, Олеандров, Уланов, Верный — тут вся его лакейская эстетика вкупе с казенным патриотизмом.

Словом, если у Гоголя Шпонька и Голопупенко просто не слышат, не ощущают комизма своих фамилий (один Яичница вздумал было роптать, «да свои отговорили»), то здесь герои их дружно стыдятся, как позорной уличной клички. Или, наоборот, болезненно ощущают несоответствие собственного прозвания своему положению:

«Я — кончивший курс гимназист... Фамилия моя Долгорукий, а юридический отец мой — Макар Иванов Долгорукий, бывший дворовый господ Версиловых. Таким образом, я — законнорожденный, хотя я, в высшей степени, незаконный сын...

...Редко кто мог столько выэлиться на свою фамилию, как я, в продолжение всей моей жизни. ...Все, кто угодно, спрося мою фамилию и услыхав, что я Долгорукий, непременно находили для чего-то нужным прибавить:

— Князь Долгорукий?

И каждый-то раз я обязан был всем этим праздным людям объяснять:

— Нет, просто Долгорукий.

Это просто стало сводить меня наконец с ума» (*Подросток*).

Сомнения нет: у персонажей Достоевского подобное — «пунктик». И это снова не пустячок, не каприз автора. Наоборот. Это говорит об огромнейших переменах в самосознании — как писателей, так и целого общества.

Да выдающийся литературовед Михаил Михайлович Бахтин именно это слово, «самосознание», и называет в книге *Проблемы поэтики Достоевского*.

Он цитирует *Бедных людей*, раннюю повесть Федора Михайловича Достоевского (1821–1881), которую Некрасов принес Белинскому с криком: «Новый Гоголь явился!» А именно — монолог Макара Алексеевича Девушкина, мельчайшего чиновника, занятого — заметим! — точно тем же трудом, что и Акакий Акакиевич Башмачкин. Перепиской служебных бумаг. Словом: «У меня кусок хлеба есть свой; правда, простой кусок хлеба, подчас даже черствый, но есть, трудами добытый, законно и безукоризненно употребляемый. Ну что ж делать! Я ведь и сам знаю, что я немного делаю тем, что переписываю; да все-таки я этим горжусь: я работаю, я пот проливаю. Ну что ж в самом деле такого, что переписываю! Что ж, грех переписывать, что ли? «Он, дескать, переписывает! Эта, дескать, крыса-чиновник переписывает!» Да что же тут бесчестного такого?..»

И вот, процитировав это, как сказал он, «корчащееся слово с робкой и стыдящейся оглядкой и с приглушенным вызовом», Бахтин говорит: «Ведь в конце концов это Акакий Акакиевич, освещенный самосознанием. ...Уже в первый, «гоголевский период» своего творчества Достоевский изображает не «бедного чиновника», но самосознание бедного чиновника... Так гоголевский герой становится героем Достоевского».

Тем, который страдает не только от голода-холода, но именно от своего самосознания. От того, что сознает унизительность голода-холода. Что — закономерно. Прежде не то что рабу-крепостному, но и обывателю-горожанину не приходило в голову мериться с господами. Теперь обыватель видит, что блага жизни подчас получает тот, кого он может счесть не лучше себя, — например, вчерашняя мелкая сошка, выслужившая чин и потомственное дворянство. И вот в самоизлияниях героев Достоевского звучит не только: «Я голоден!», но и: «Я голоден в то время как другие сыты!» Даже: «Пусть я сыт, но зачем он сытее меня?» Зачем я не князь де Монбар? Не Олеандров?

Бесы из города Глупова

Что Достоевский — один из величайших наших писателей, было понятно всем и всегда. И ни против кого еще так не ополчались.

Понятно, когда Алексей Максимович Горький, будущий строитель новой литературы, заслуживший звание основоположника социалистического реализма, пишет еще в 1913 году: «...Достоевский — гений, но это злой гений наш». А в 1934-м говорит на I съезде Союза советских писателей: «Достоевскому приписывается роль искателя истины. Если он искал — он нашел ее в зверином, животном начале человека, и нашел не для того, чтобы опровергнуть, а чтобы оправдать».

Но вот — Андрей Белый, который, как мало кто, зависел от Достоевского, больше того, все время соотносил свою реальную жизнь с той «второй реальностью», которую родило воображение автора *Бесов* и *Братьев Карамазовых*. И он пишет в 1905 году: «Напрасно подходят к нему с формулами самой сложной гармонии, чтобы прилично объяснить его крикливый болезненный голос. Нет мужества признать, что он всю жизнь брал фальшивые ноты». Называет «лживым попом и лжепророком». Говорит

В. Фаворский.
Ф. М. Достоевский

о своей «брезгливости» к нему. О том, что Достоевский — голый король, чье несуществующее платье люди просто боятся не похвалить.

Впрочем, понятно и это. Достоевский как бы оглушил всю последующую прозу — в отличие от другого гиганта, Толстого. Тот был благодарно воспринят как непререкаемый образец — хотя бы в отношении стиля, даже прежде всего именно его. Достоевского тоже никто не может вычеркнуть из культурной памяти, обогнуть, но он — мешает. Даже тем, кто пытается ему подражать.

То есть по частностям, по фрагментам его охотно используют, возможно, не сознавая того. «Я много раз хотел сделаться насекомым» (*Записки из подполья*), — не навела ль эта фраза Кафку на мысль написать *Превращение*, новеллу о человеке, именно «сделавшемся насекомым»? Или: «...Всякое сознание есть болезнь» (там же). А у Евгения Замятина в романе-антиутопии *Мы* это становится стержнем повествования. В «Едином Государстве», подавляющем все человеческое, опаснейшие болезни, поддающиеся лишь операции, — и фантазия, и любовь, и жалость, и само ощущение собственной индивидуальности: «Я чувствую себя. Но ведь чувствуют себя, сознают свою индивидуальность — только засоренный глаз, нарывающий палец, больной зуб... Разве не ясно, что личное сознание — это только болезнь».

А все же есть нечто, заставляющее, гордясь Достоевским, заражаясь им, отторгать его от себя.

Может быть, одна из причин — наша привычка искать в литературе ответов (и приписывать ей педагогическую роль). Не зря же и Белый сердился на Достоевского за то, что тот не соответствует формулам. Но если Толстой, как он думал по крайней мере, постиг к старости все основные ответы, у Достоевского подобное не выходило никак.

То есть он искал — и страстно — ответы на мучительнейшие вопросы жизни. Искал! Например: «Роман о русских теперешних детях» — определит он характер и цель работы, принимаясь за нее в 1874 году. Уточнит: должно выйти нечто вроде «моих *Отцов и детей*». Значит, ясен и ориентир. Назовет роман: *Подросток*, возможно, по ассоциации с *Недорослем*, где уж Фонвизин-то твердо знал, кто виноват и что делать. Короче: задача — сказать о несостоятельности «отцов» и понять состояние «детей». Тем самым определить: куда идет Россия и куда ей надлежит идти...

Но все (настаиваю на этом) остается необъясненным. «Отец» как человек уходящего поколения, он же и буквальный, физический отец «подростка» Аркадия Долгорукого, Версилов, сам пытается осознать себя. Мечется, эмигрирует... Куда? — спрашивает, слушая его исповедь, сын: «К Герцену? Участвовать в заграничной пропаганде?» — «Нет, — отвечает отец, — я просто уехал тогда от тоски, внезапной тоски. ...Дворянская тоска, и ничего больше». (То, что в XX веке назовут экзистенциальным

страданием, которое, говорит словарь, «непознаваемо ни научными, ни даже рациональными философскими средствами».)

А сам Аркадий, этот мальчик-монстр — в том смысле, что нагружен и перегружен собственными «комплексами» самого Достоевского, включая его страсть к игре и даже психологический опыт завзятого игрока! Или: «Моя цель — это стать Ротшильдом». Допустим. Но не странно ли, что «подростку» с его семнадцати (!) лет лично понятно и соблазнительно самоощущение пушкинского Скупого рыцаря? То, что сами деньги ему потребны не для удовлетворения желаний, которые переполняют любого нормального мальчика. Нет: «Будь я Ротшильд, я бы ходил в стареньком пальто и с зонтиком. ...Я знаю, что у меня может быть обед, как ни у кого, и первый в свете повар, с меня довольно, что я это знаю. Я съем кусок хлеба и ветчины и буду сыт моим сознанием».

116

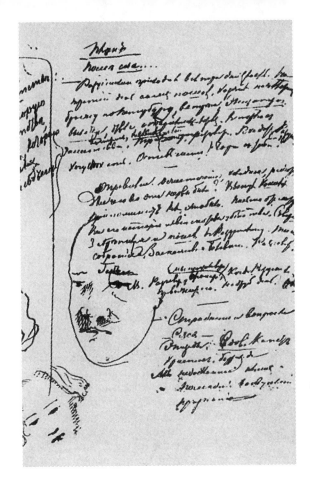

Ф. Достоевский.
План и наброски к роману
Преступление и наказание

Точно по Пушкину: «Я знаю мощь мою: с меня довольно / Сего сознанья...»

Повторю: мальчик-монстр, мальчик-уникум, меньше всего пригодный быть представителем «детей» и, следовательно, ответом на насущный вопрос: куда идти России?

Нечто подобное и в *Братьях Карамазовых* (1878–1880). С этим самым «идеологическим» из романов Достоевского, — как *Бесы*, по словам Юрия Карякина, «самое тенденциозное» из его сочинений.

В *Карамазовых* решаются — и, казалось бы, раз навсегда, как оно и бывает в итоговых произведениях, — вопросы атеизма и социализма, для Достоевского первостепенные. Вновь возникает тема «русских мальчиков». Но автор и здесь «не дает ответа». Не успел? Ибо путь, каким Достоевский хотел провести идеального Алешу Карамазова, наставника

117

«русских мальчиков», остался незавершен. Вряд ли дело лишь в этом. «Тут дьявол с Богом борется, а поле битвы — сердца людей». Это слова одного из братьев, Дмитрия, самого стихийного, наименее «идеологичного», — не то что праведник Алеша и тем паче Иван, теоретик безбожия и вседозволенности. И Достоевский, конечно, здесь с Митей — не рассудком, так своей «сложной гармонией», не поддающейся никаким «формулам».

Правда, есть одна, самая знаменитая формула, повторяемая и в хвост и в гриву: «Красота спасет мир». Но что сие значит?

«Господа, князь утверждает, что мир спасет красота! — смеются над Мышкиным, героем романа *Идиот*. — А я утверждаю, что у него оттого такие игривые мысли, что он теперь влюблен». Но сам Достоевский отнюдь не связывал «красоту» в своем понимании с какой бы то ни было «игривостью». «Что же спасет мир?» — спросит он себя самого в черновике *Подростка*. И ответив: «Красота», тут же задаст новый вопрос: «Устоит ли Россия (от коммунизма)...»

И снова, снова (уже из набросков к *Дневнику писателя*): «Прекрасное в идеале недостижимо по чрезвычайной силе и глубине запроса... Идеал дал Христос. Литература красоты одна лишь спасет». Красота — как идеал, данный Христом. Литература — как то, что озарено именно этим идеалом, который способен спасти целый мир. Спасет ли? Но как раз на это ответа у Достоевского нет. Только надежда.

Сердца людей как поле для противоборства Бога и дьявола, недостижимого идеала и реально существующего зла — вот в художественном итоге главное содержание романа *Братья Карамазовы*. При всей идеологичности первоначального плана. Как и в *Подростке*, где поначалу так много «политики», начинают — и уж не перестают — верховодить разного рода интриги, ревность, шантаж, благородство, низость. «Чистый Диккенс!» — можно было б сказать, если бы не «экзистенциальный» Версилов, не Аркадий, перегруженный «комплексами»...

Что, впрочем, никак не слабость *Подростка*, а его своеобразие. Как и своеобразие самого Достоевского.

Некий одесский журналист, ругая роман *Подросток*, высказался вдруг с неожиданной остроумной точностью. В нем, сказал он (как и в *Бесах*), «вы точно попадаете в неведомый вам мир, где действующие лица не имеют ничего общего с обыкновенными людьми: ходят вверх ногами, едят носом, пьют ушами; это какие-то исчадия, выродки, аномалии, психические нелепости».

Что «аномалии» — это уж точно так.

Однажды было сделано замечательное сравнение «неведомого» нам мира Достоевского с «правильным» миром Толстого. Дескать, если герой второго встретит в пустыне льва, он побледнеет и убежит; герой первого покраснеет и останется на месте. А проницательнейший Василий Розанов (к слову, столь страстный поклонник Достоевского, что молодым человеком женился на его бывшей любовнице Аполлинарии Сусловой, много старше себя) наиболее точно сформулировал противостояние двух гениев русской прозы. Двух медведей в одной берлоге — если понимать «берлогу» широко, не у́же целой России: ревниво следя друг за другом, эти величайшие современники не нашли ни времени, ни охоты встретиться хоть единожды.

«...Толстой, — говорит Розанов, — для мощи которого, кажется, нет пределов, открывает невероятную панораму человеческой жизни всюду, где завершилась она в твердые формы. ...Напротив, Достоевский... аналитик неустановившегося в человеческой жизни и в человеческом духе».

И действительно... Вот Розанов вспоминает эпизод из очерка Достоевского *Зимние заметки о летних впечатлениях*: о шестилетней английской нищенке, которой рассказчик дал полшиллинга. «Она взяла серебряную монету, потом дико, с боязливым изумлением посмотрела мне в глаза и вдруг бросилась бежать, точно боясь, что я отниму у нее деньги».

Реакция, в общем, та же, что у гипотетического персонажа, который при встрече со львом покраснеет и будет стоять как вкопанный. Реальная нищенка словно нарочно явилась, чтобы проиллюстрировать сущность многих героев Достоевского. Может, и его самого?

Критик Александр Скабичевский, которого если и вспоминают, то как курьезного предсказателя (предрек молодому Чехову, что тот умрет под забором), заметил — на сей раз совсем не глупо: в Достоевском сидят два писателя. «Один из них представляется вам крайне нервно-раздражительным, желчным экстатиком...» А другой — двойник, «гениальный писатель», в чьих произведениях есть «глубокая любовь к человечеству». В самом деле, совмещается то, что считается несовместимым, даже враждебным одно другому, и вот несомненный (увы) антисемит и ненавистник поляков-католиков выстраданно говорит в речи о Пушкине: «Стать настоящим русским, стать вполне русским, может быть, и значит только... стать братом всех людей, *всечеловеком*, если хотите».

Искать ли разгадку двойственности того, кто написал повесть *Двойник*, в его биографии и судьбе?

Кто он? По отцу — отпрыск старинного дворянского рода, который, впрочем, уже к XVIII веку утратил дворянство (предки не захотели принять католичества, в те времена главенствовавшего на юго-западе России). Так что отец, как раз с года рождения сына Федора состоявший лекарем московской Мариинской больницы для бедных, выслуживал потомственное дворянство заново. Дед по отцу — священник. Мать — из купцов. Все это в российский дворянский век уже не могло пройти вовсе бесследно, а уж что говорить о катастрофе 1849 года? Выпускник петербургского Главного инженерного училища, успевший к тому времени выйти в отставку, заслужить звание «нового Гоголя» и довольно поверхностно связавший себя с тайным обществом «утопических социалистов» (во главе с Михаилом Васильевичем Буташевичем-Петрашевским), — 22 декабря он с прочими осужденными стоит на Семеновском плацу, слушает чтение «приговора смертной казни расстрелянием» и не знает, что по резолюции Николая I смертная казнь заменена каторгой.

Затем — Омский острог, пережитое в котором отольется *Записками из Мертвого дома* (1860–1862). Служба рядовым в Семипалатинске. Производство в чин унтер-офицера, позже — прапорщика. В 1857 году ему вернут дворянство, но полицейский надзор не снимут до 1875-го.

Не уйти от контрастного сопоставления с другим «медведем»: Толстой, чья биография долго была вполне дворянски типичной, кончает катастрофой — уходом из дома. Но прежде создаст то, что создал. Достоевский начал с катастрофы — она-то и соучаствовала в создании *Преступления и наказания* (1866), *Идиота* (1868), *Бесов* (1871–1872)...

Потом будут *Подросток* и *Карамазовы*, но задержимся на *Бесах*. На романе, который особенно часто поминают сегодня, упирая на провидчество автора.

Разумеется, это чистая правда: путь России, окончательно выбравшей насилие как средство решения социальных вопросов, жестоко подтвердил предсказание Достоевского. Но, с другой стороны, нынешний опыт — уже тем, что он нынешний, что состоялся, стал непреложным и однозначным, — не только обогащает. Он и обкрадывает нас, обедняет. В данном случае — как читателей *Бесов*.

Замечание в сторону: может быть, идеальный читатель — тот, которым нам очень трудно быть. Тот, кто не посвящен в предысторию создания книги, стало быть, непредвзят. А нам — не мешает ли, скажем, знакомство с прототипами персонажей *Бесов*? То, что знаем: в кокетливом и глупом Кармазинове отщелкан Иван Сергеевич Тургенев. Что Верховенский-отец — карикатура на благороднейшего Тимофея Николаевича Грановского, историка-западника. (Понимай: это они, отцы-либералы, ответственны за отход молодежи от национальной духовности и ее вовлеченность в опасное для России революционное дело.)

Главное же, нам известно, что́ подвигло Достоевского писать роман-памфлет. (Именно так: «Пусть выйдет хоть памфлет, но я выскажусь. ...Нигилисты и западники требуют окончательной плети».) То, что в ноябре 1869 года члены организации «Народная расправа», ведомые Сергеем Нечаевым, убили в Петровском парке своего сочлена Ивана Иванова за решение покинуть их ряды. Так из Нечаева-прототипа возник главный «бес» Петр Верховенский.

Однако роман поднялся над памфлетно-разоблачительным замыслом. Да и само «разоблачение» пошло вширь и вглубь. Разве «бесовство» — болезнь одной либеральной интеллигенции? А беглый убийца Федька Каторжный? А «шпигулинцы», то есть рабочий люд, темный и дикий в самом своем протесте? В *Бесах* все страшней и серьезней, чем

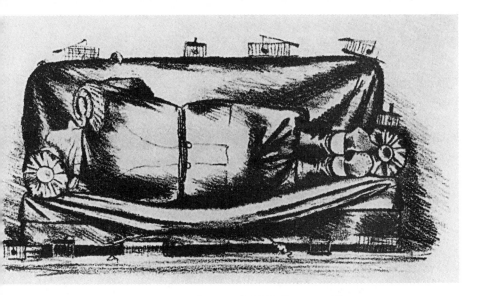

А. Самохвалов. Иллюстрация к *Истории одного города* М. Е. Салтыкова-Щедрина

кажется: верховенские лишь стимулируют припадок той болезни, которой больны и массы, и государство, умеющее лишь подавлять. На интеллигенции как на сознательной части общества просто бо́льшая ответственность — вот и все.

Страшней и серьезней? Да. Но ведь — и смешнее!

Бесы задуманы как памфлет, а исполнены как трагифарс. В смысле и самом высоком (насколько высока трагедия) и самом низком (насколько низок, неприхотлив, неразборчив и грубоват бывает фарс). Вспомните идиота и графомана Лебядкина — в ином контексте он мог и должен был стать фигурой комедии, даже водевиля. Перечитайте главу *У наших*, где презрение автора к сборищу «нигилистов», протестантов из моды, по честолюбию, по легкомыслию, даже теряет меру, рождает слишком резкие шаржи. А то, что в шутовской фамилии пристава Флибустьерова губернатору фон Лембке послышалось страшное «флибустьеры» и почудился бунт? Это словно взято из *Смерти Тарелкина*, а ведь Сухово-Кобылин и писал фарс, к тому же намеренно грубый.

Даже ужасный Петр Верховенский писан почти плакатными красками. (Когда в наши дни исторический прозаик Юрий Давыдов в романе *Соломенная сторожка* выведет *настоящего* Сергея Геннадьевича Нечаева, он — как раз по причине своей *настоящести*, соответствию фактам и документам истории — покажется более страшным.)

Это с одной стороны. С другой же — почти величественные фигуры: правдоискатель Шатов (чей прототип — убиенный Иван Иванов) или

М. Башилов. Иллюстрация к *Губернским очеркам* М. Е. Салтыкова-Щедрина

Кириллов, который впал в атеизм, осознав себя даже не богочеловеком наподобие Иисуса, но человекобогом. И решил убить себя, чтобы «открыть дверь», освободить человечество от страха смерти. «Кто победит боль и страх, тот сам Бог будет».

Хотя Достоевский и тут остается в стихии фарса. В «человекобоге» Кириллове сам его атеизм рождает необходимость трагического поступка, а некий «седой бурбон капитан», наслушавшись разговоров о пришествии атеизма, делает свой вывод: «Если Бога нет, то какой же я после этого капитан?»

Чем не цитата из Салтыкова-Щедрина?

Больше того. Михаил Евграфович Салтыков (1826–1889), выбравший псевдоним «Н. Щедрин», вспомнился не по случайной ассоциации. Его остроумнейшая, беспощадная *История одного города* опередила появление *Бесов* всего на год, и, говорит Юрий Карякин, «Достоевский не мог не учитывать, что читатель *Бесов* уже был читателем хроники Глупова».

Соображение существеннейшее! Тем более Глупов (как впоследствии Пошехонье в очерках 1887–1889 годов *Пошехонская старина*) — модель современной России точно в той же степени, что и город, где протекает действие *Бесов*. Современной — на этом настаивал сам Щедрин: «Не «историческую», а совершенно обыкновенную сатиру имел я в виду…» И среди всех объектов ненависти и презрения у обоих один выделяется по особой страстности обличения: «Нет животного более трусливого, как русский либерал». Его иллюзии, его мягкотелость сказавший это Щедрин не уставал обличать и в *Письмах к тетеньке*, каковая и есть сама либеральная интеллигенция (1881–1882), и в *Современной идиллии* (1877–1883), и в знаменитых *Сказках* (1882–1886). Для Достоевского в либерале ненавистней всего его преступное легкомыслие.

И это сходство в том, что и кого ненавидели они оба, лишь обнажает коренное различие. И в характере ненависти, и вообще в них самих.

Полуразночинец Достоевский тяготел к правительственной позиции, даже если тяга бывала прерывиста и неуверенна. Продолжатель старинного рода Салтыков, в поместье отца и насмотревшийся на пошехонские нравы, долгие годы вместе с Некрасовым был во главе антиправительственного журнала *Отечественные записки*, до того, после опалы и ссылки, успев сделать карьеру — вплоть до вице-губернаторства и управления Казенной палатой. Для обоих общим было разве что раннее увлечение социализмом в лице все того же Петрашевского, но одного это навсегда отвратило от революционных идей, другому, напротив, дало начатки его беспримерной ненависти к государственному строю России.

Сатира всегда замешана на отрицании (великая сатира — на отрицании тотальном): в этом ее необходимое достоинство, но и неизбежная ограниченность. А Щедрин вдобавок не ровня и не родня не только жизнерадостному Рабле, но и мрачнейшему Свифту, чья социальная фантастика возвышала его над современным ему английским политическим бытом. Если отвлечься от самой по себе неприязненности, с какой Василий Розанов отозвался о нелюбимом им Щедрине, то его характеристику, данную этому очень русскому сатирику, можно признать точной: «Как «матерый волк» он наелся русской крови и сытый отвалился в могилу».

Да. Вся сила, весь размах, на которые способна русская натура (как мы обычно ее себе представляем), у Щедрина воплотились в силу и размах его ненависти. Он все и всех косит под корень. В его сочинениях — *В среде умеренности и аккуратности* (1874–1880), *Письма к тетеньке*, *Современная идиллия* — продолжают свою гнусную жизнь не только Ноздрев, Собакевич, Расплюев, Глумов, Молчалин (Щедрин щедро черпал из книг предшественников). Даже Александр Андреевич Чацкий отлично устроился в мерзком мире, женившись на Софье и сделав карьеру.

Немудрено, что и произведения Достоевского Щедрин читал взглядом сатирика — заостренным предельно и, стало быть, суженным до предела.

Кукрыниксы. Иллюстрация к роману М. Е. Салтыкова-Щедрина *Господа Головлевы*

«Что такое Карамазов? — спрашивал он, имея в виду старика Федора Павловича, чудовище, которому, однако, автор не пожалел дать собственное имя (как Грибоедов — Чацкому). — Это не человек, а оборотень; это нечистое животное, которому горькая случайность дала возможность восхи́тить человеческий образ. ...У оборотня ничего другого и быть не может на уме, кроме первородного свинства».

Кукрыниксы. Иллюстрация к сказке М. Е. Салтыкова-Щедрина *Как один мужик двух генералов прокормил*

Между прочим, чешский еврей и немецкий писатель Франц Кафка взглянул на того же Федора Павловича куда более трезво и объективно: «...Отец братьев Карамазовых отнюдь не дурак, он очень умный, почти равный по уму Ивану, но злой человек...» Однако Щедрин-то ведь, характеризуя этим скорее себя самого, лепит из старика Карамазова словно бы собственного персонажа. Иудушка из *Господ Головлевых* (1875–1880) в самом деле «не человек», не говоря уж о «первородном свинстве» нелюдей из *Истории одного города*. Оттого так естествен для Щедрина язык его *Сказок*, где не надо объемных характеров, достаточен гротескный символ, карикатурный знак.

И тут опять возникает сходство-несходство с *Бесами*.

Многие из неглавных героев романа да и иные из главных как раз по-щедрински упрощены. И речь не о том, что замысел вообще в ходе процесса творения вырастает, меняясь до неузнаваемости (так, в набросках *Братьев Карамазовых* Алеша именуется Идиотом, а Иван — Убийцей. Тоже знаки. Тоже символы). Речь о том, что разве не зловещая карикатура Шигалев с его теорией о «разделении человечества на две неравные части», где девять десятых должны обратиться в покорное стадо? Карикатура — независимо от того, что дальнейший путь социализма и коммунизма перекарикатурил ее в Сталине, Мао или Пол Поте. А суматошно-амбициозный начальственный либерал фон Лембке? А сам Степан Трофимович Верховенский, шарж на западника Грановского, смешной и только смешной? (Пока в финале не испытает трогательного преображения — но к разговору о том как раз приближаемся.)

И вот — мало того, что гений Достоевского преодолевает злобу дня, побудившую его задумать памфлет. Мало того, что вперед выходят понятия и явления не меньше чем общечеловеческого масштаба: честолюбие, человеконенавистничество, опасность сектантства. Вдобавок в *Бесах* возникает фигура Ставрогина — возникает и растет словно сама собой, коробя и возвышая фон, который без нее, при всех достоинствах автора, остался бы плоским.

Простейшее сравнение: так Кавказ не Кавказ без Эльбруса или Казбека.

Страдают все

Кто он такой — Николай Ставрогин?

В самом романе его сравнивают то с шекспировским принцем-гулякой Гарри, то с Гамлетом. В толках вокруг романа прозвучат имена: Дон Жуан, Фауст. Лестно, но поверхностно. Куда точнее, ибо конкретнее, аналогия — декабрист Михаил Лунин. Тот, говорит хроникер-рассказчик в *Бесах*, «всю жизнь нарочно искал опасности, упивался ощущением ее, обратил его в потребность своей природы; в молодости выходил на дуэль ни за что; в

Сибири с одним ножом ходил на медведя... Этот Лунин еще прежде ссылки некоторое время боролся с голодом и тяжким трудом добывал себе хлеб единственно из-за того, что ни за что не хотел подчиняться требованиям своего богатого отца...»

Как тут не вспомнить: «покраснеет и останется на месте»? Наперекор всему.

Выходит почти портрет Ставрогина. Правда, с поправкой: и на дуэль бы Ставрогин вышел, и на медведя сходил не по страсти, а «вяло, лениво, даже со скукой. В злобе, разумеется, выходил прогресс против Лунина, даже против Лермонтова».

Лермонтов тоже вспомнился к месту. Особенно если назвать героя, которому он, без сомнения, отдал немалую часть себя самого: Печорина. Тот, как и (это еще существеннее) Базаров, — прямой предшественник Ставрогина.

Лермонтовская проза, в отличие от пушкинской, — *проза прозаика*. Проза Пушкина, не нашедшая значительных продолжателей, осталась прозой поэта. В том смысле, что в ней, как и в его поэзии, всевластен сам автор с его гармоническим мироощущением, с подчинением персонажей законам, установленным автором для себя самого. В драматургии — дело иное. Там, допустим, Сальери (и очень возможно — не по авторской воле) вдруг оказывается сложней и оригинальней Моцарта. Пуще того, мы сочувствуем его драме, драме убийцы, раздавленного своим преступлением, — в чем нельзя не увидеть предвестие появления Достоевского с Раскольниковым. А Германн из *Пиковой дамы*, даже он, этот странный герой, о ком по сей день не перестали спорить, — все же как кукла; правда, сам автор словно следит за ним не без любопытства, но любопытство это — к созданию своих рук, от их направляющей воли не отделившемуся.

Печорин — дело иное. Многое взяв у желчного, высокомерного и страдающего автора, он от него как бы и независим. «Лермонтов-прозаик будет выше Лермонтова-стихотворца», — сказал Гоголь, и это можно истолковать так. Печорин глубже того человека, который написал «Печально я гляжу на наше поколенье...» или даже *Демона*. (Для справедливости: но не того, кто написал *Валерик*, *Родину*, «Наедине с тобою, брат, / Хотел бы я побыть».) Пусть это прозвучит парадоксом, но он глубже как раз потому, что *не написал* — ни прямолинейного обличения своей среды, ни «восточной повести» о романтическом богоборце.

Печорин — бесплоден, если, конечно, принять как условность, что от его лица и ведется рассказ в *Княжне Мэри*, в *Фаталисте*, в *Тамани*. И это при большом, проницательнейшем уме; при наблюдательности, которую, не скупясь, подарил ему гениально одаренный автор; при способности, если не увлекаться сильнейшими из чувств, то ясно понимать их со стороны своей холодности. Именно — со стороны, отстранившись от самого своего создателя. И даже помянутая бесплодность, вернее, как раз она,

М. Лермонтов. Рисунки

трагична не с субъективной точки зрения Лермонтова, но в масштабе куда более широком. Потому что она — участь всех неизбранных. Большинства. В сущности, всего человечества.

А Базаров?..

У его создателя Ивана Сергеевича Тургенева (1818–1873) — судьба, назвать которую безоговорочно славной мешает нечто трудно определимое. Автор изумительных *Записок охотника* (1847–1852), таких сильных романов, как *Дворянское гнездо* (1858) и — особенно! — *Отцы и дети* (1861), он несколько импрессионистичен на фоне тогдашней словесности, чьи творцы тяготеют к тому, чтобы не просто рисовать характеры, а вырубать типы. Его герои — будто наброски карандашом или углем, заготовки того, что потом будет написано маслом. Скажем, Чертопханов и Недопюскин из *Записок охотника* будут словно бы дорисованы, дописаны, завершены в прозе Лескова. Кукшина и Ситников, ничтожества, льнущие к «нигилисту» Базарову, десять лет спустя превратятся в резкие карикатуры на страницах тех же *Бесов*. Слабый, бездеятельный и странно привлекательный самой этой бездеятельностью Лаврецкий из *Дворянского гнезда*, конечно, тоже как бы набросок — отчасти толстовского Пьера Безухова, отчасти (что вероятнее) Ильи Ильича Обломова...

Что это? Достоинство или недостаток Тургенева? Но «недостаток» не хочется произносить, говоря о большом художнике. Лучше сказать о необыкновенном чутье Тургенева к веяниям современности; о чутье, заставляющем процесс творчества опережать то состояние, когда плод созрел. Когда характер героя уже способен выйти осознанным и объемным.

Вот почему не просто курьезом надо считать самое странное из сочинений Ивана Александровича Гончарова (1812–1891), мощной и колоритнейшей фигуры русской словесности. Речь о *Необыкновенной истории* (1875–1878), до поры остававшейся в рукописи.

Излагая кратко: Гончаров рассказывает историю своего раздора с Тургеневым, зародившегося четверть века назад. Тогда он, уже работавший и над *Обломовым* и над *Обрывом*, доверил тому «и общий план и частности» обеих вещей «как очень тонкому критику, *охотнее всех* (саркастическое подчеркивание. — *Ст. Р.*) прислушивающемуся к моим рассказам». А годы спустя, прочитав *Дворянское гнездо* и *Накануне*, заподозрил усердного слушателя в коварстве. Едва ли не в плагиате.

Произошел скандал, который кончился третейским судом, оправдавшим Тургенева, и разрывом отношений. Но дальше — пуще: подозрительность Гончарова стала совсем безграничной. Даже в географическом смысле. Ему уже чудились новые и новые похищения его замыслов — не только в романах Тургенева *Отцы и дети*, *Дым*, *Новь* или в повести *Вешние воды*, но и в произведениях француза Флобера, немца Ауэрбаха. Будто бы их приятель Тургенев пересказал им «все подробности до конца моего первоначального плана...».

М. Лермонтов.
Рисунок к повести
Тамань

М. Лермонтов.
Автопортрет

П. Виардо. *И. С. Тургенев*

Читать болезненно скрупулезные доказательства лжезаимствований тяжело. Но, отбросивши патологию, — зато как красноречиво сравнение двух художнических типов! Один — скор на перо, легок, блестящ. У другого впечатляют сами сроки создания — как гениального *Обломова* (1847–1859), так и малоудачного *Обрыва* (1849–1868). Тянет добавить: только так, дескать, и можно было создать Илью Ильича Обломова, характер, способный породить понятие «обломовщина». Необыкновенно притягательный, но и такой, о котором Владимир Набоков имел право сказать: «Россию погубили два Ильича». (Объяснять ли, что второй для Набокова — Ленин?)

Но Базаров — и в притягательности, и в потенциальной опасности «базаровщины» для всей России, словом, в психологической и типологической неординарности — едва ли не ровня Обломову.

Борис Константинович Зайцев (1881–1972), тонкий, хотя и не яркий прозаик, оказавшийся после Октября в эмиграции, так определил *Записки охотника*: «Поэзия, а не политика». Не странно ли?

«Не политика»... Когда-то Вяземский, оспаривая право Пушкина воспевать победу над восставшей Польшей, высказался в таком роде: «Очень хорошо и законно делает господин, когда приказывает высечь холопа, который вздумает отыскивать незаконно и нагло свободу свою...» То есть не слишком-то лестно приравнивал Польшу к беглому крепостному, а уж порку крестьян за побег считал просто обязанностью помещика. Смысл же упрека одного друга второму был в том, что нет во всем этом «вдохновений для поэта... Мало ли что политика может и должна делать? Ей нужны палачи, но разве вы их будете петь».

Но к тургеневским временам, накануне отмены крепостного права, сама порка стала политикой. Не зря, когда *Записки охотника*, где прелести крепостничества выставлены на показ, вышли в свет, то пропустивший их цензор был примерно наказан. Тем не менее — да, поэзия. Тургенев

И. Тургенев. Рисунки к *Запискам охотника. Однодворец Овсянников*
и *Касьян с Красивой Мечи*

в *Записках* — поэт, то есть художник, чье восприятие жизни свободно от однолинейности. Тот, для кого постижение много важней приговора. Но в этом смысле *Отцы и дети* — тоже «поэзия, а не политика».

Как и Достоевский, Тургенев брался за создание образа «нигилиста» с конечной целью осудить его за «пустоту и бесплодность» — правда, памфлета не замышлял. И, как рассказывают, «был сконфужен», подумывал даже остановить печатание романа, когда начались разнотолки. Вплоть до того, что одни видели в Базарове дьявола во плоти, другие — «чистую, честную фигуру». Одни — «карикатуру на молодежь», другие — панегирик.

«Я не знаю, люблю ли я его или ненавижу», — в растерянности признавался автор, а главное, всем текстом романа подтверждал это «не знаю». Что почти всегда говорит о победе художника над идеологом, искусства, «поэзии» — над тенденцией, «политикой».

Вот, скажем, смерть Базарова. Почему он должен был умереть? Потому, что Тургенев не знал, как с ним поступить дальше? Пожалуй... А, возможно, и нет... Даже самонадеянный критик Дмитрий Писарев путался в объяснениях. С одной стороны, утверждал: базаровская гибель «случайность», которая «не находится в связи с общей нитью романа»; с другой — сознавал, что в ближайшие годы «Базаров не мог бы сделать ничего такого, что бы показало нам приложение его миросозерцания в жизни...» Но именно это «в жизни» и выдавало примитивность логики Писарева-прагматика, толкующего художественное создание с точки зрения политической российской реальности. Как то, что и существует вполне реально.

Другое дело: «Базаров умирает не от заражения крови! Базаров умирает от любви!» Так фантазировал Всеволод Мейерхольд, намереваясь экранизировать *Отцов и детей* и мечтая, что роль тургеневского «нигилиста» сыграет Маяковский. Бред? Ничуть. Фантазия, не желающая считаться даже с тем, что написано черным по белому, своей интуитивностью как раз родственна сложной и хрупкой структуре создания по имени «Евгений Базаров». Причина нежизнеспособности которого — не заражение крови и не неразделенная любовь; она — несоприродность фигуры Базарова не только «первой реальности», то есть настоящей русской

П. Соколов. Иллюстрация к рассказу И. С. Тургенева *Ермолай и мельничиха*

А. Агин. Иллюстрация к стихотворению И. С. Тургенева *Помещик*

действительности 50–60-х годов XIX века, но и той «второй», которую Тургенев, сохраняя жизнеподобие, выстроил вокруг своего странного «нигилиста»...

«Базаров смесь Ноздрева с Байроном», — это сказал уже вымышленный герой Достоевского Степан Трофимович Верховенский, и уж здесь не стоит отмахиваться от слов этого либерального краснобая. (Разве

134

Грибоедов не соглашался с иными сентенциями умного консерватора Фамусова?) Смесь гоголевского гротескного буяна и романтичнейшего из поэтов — взрывоопасна. И, главное, если все-таки не примем сказанное Верховенским-старшим за формулу базаровского феномена, то она точь в точь подходит тому, кто, не будь Базарова, может быть, и не появился бы на свет. Николаю Ставрогину. Его чисто ноздревским безобразиям, преступающим нормы и приличий, и нравственности; его почти байроновской жертвенности. Пусть даже Грецию, за которую отправился жертвенно умирать (и умер) Джордж Гордон Байрон, в безумно-нелепом мире *Бесов* заменила безумная же «хромоножка» Марья Тимофеевна, с которой богач и красавец Ставрогин пошел под венец.

Чего ради? Что руководило им — и в этом случае, и тогда, когда он сунул голову в петлю? Это, говорил Достоевский, «наш тип, русский, человека праздного, не по желанию быть праздным, а потерявшего связи со всем родным и, главное, веру, развратного из тоски — но совестливого и употребляющего страдальческие судорожные усилия, чтоб обновиться и вновь начать верить».

Развратный — и совестливый. Тоскующий — и праздный. Гипнотически действующий на людей (даже первейший «бес» Верховенский-младший считает Ставрогина «главной половиной» себя — при его-то дьявольском честолюбии). И втаптывающий себя в грязь...

Сатирический журнал *Искра*, для которого Достоевский был персоной из враждебного лагеря, весело объявил *Бесы* «белибердой», а чтение романа сравнил с посещением сумасшедшего дома. Что ж, сумасшедший не сумасшедший, но и на благородный дом не похоже. Достоевский сам каялся: «Множество отдельных романов и повестей разом втискиваются у меня в один, так что ни меры, ни гармонии». Вот мой «главный недостаток», «страдал этим и страдаю».

Да, это не пушкинские мера и гармония, как и не толстовская «панорама человеческой жизни», отлитая «в твердые формы». Вот только — вправду ли это недостаток? И глагол «страдаю» — не звучит ли, невольно и неизбежно, в расширительном смысле?

Неуемно страстный Ставрогин, как было сказано, взорвал фарсовый фон романа. Вздыбил его. Ввел в иной масштаб. «...Весь пафос романа в Князе, — определял сам Достоевский роль Ставрогина, в набросках именовавшегося Князем, — он герой. Все остальное движется около него, как калейдоскоп». И этот герой живет по законам натуры самого автора. Включая «страдальческие судорожные усилия», через которые и герой, и автор надеются обновиться.

Судорожные — лучше не скажешь.

«Страдать! — Страдают все — страдает темный зверь, / Без упованья, без сознанья, — / Но перед ним туда навек закрыта дверь, / Где радость теплится страданья». Думаю, трудно найти лучший эпиграф ко всему Достоевскому, чем эти строки Афанасия Афанасьевича Фета (1820–1892). Да и сам поэт не зря именно этим стихотворением открыл свою главнейшую поэтическую книгу «Вечерние огни» (1891).

Похоже, страдание в самом деле приравнивалось к смыслу существования — или во всяком случае творчества. Когда единственный, по существу, критерий истинности поэзии: «Ужель ничто тебе в то время не шепнуло: / Там человек сгорел!»

Это, казалось, никак не соответствовало тому, каким Фет был в глазах и друзей и недругов. «Откуда у этого добродушного толстого офицера такая непонятная лирическая дерзость, свойство великих поэтов?» (Лев Толстой). «Я не могу себе иначе представить Вас теперь, как стоящим по колени в воде в какой-нибудь траншее, облеченным в халат, с загорелым носом и отдающим сиплым голосом приказы работникам» (Тургенев — Фету). А сатирик из «демократического лагеря» Дмитрий Дмитриевич Минаев (1835–1889) и вовсе отказывался воспринимать всерьез «лирическую дерзость», видя в Фете прежде всего жоха-помещика. И, быть может, самое знаменитое его стихотворение пародировалось таким непочтительным образом: «Холод, грязные селенья, / Лужи и туман, / Крепостное разрушенье, / Говор поселян. / ...На полях чужие гуси, / Дерзость гусенят, — / Посрамленье, гибель Руси, / И разврат, разврат!..»

Смешно... Хотя — попробуем заново вслушаться в такой знакомый, страстный, сбивчивый монолог: «Шепот, робкое дыханье...» Впрочем, едва начав, задержимся. Стоит того.

В январе 1856 года друзья Ивана Сергеевича Тургенева устроили в его честь обед, на котором виновник торжества выступил с фривольным экспромтом: «Все эти похвалы едва ль ко мне придутся, / Но вы одно за мной признать должны: / Я Тютчева заставил расстегнуться / И Фету вычистил штаны». Имелось в виду: уговорил Тютчева издать наконец первый сборник стихотворений (в 1854 году) и отредактировал собрание стихотворений Фета (1856).

По крайней мере последнее — заслуга не из безусловных, и хотя многие стихи Фета продолжают печататься в редакции 1856 года, не зря сам он пожаловался в *Моих воспоминаниях* (1890): то издание «вышло настолько же очищенным, насколько и изувеченным». Что относится и к стихотворению, которое мы взялись перечитать.

«Шепот, робкое дыханье...» — это как раз «вычищенные штаны». В 1850 году было: «Шепот сердца, уст дыханье...» — что, сдается, гораздо лучше. *Шепот сердца* — так может сказать только поэт, чувствующий, как все, и в то же время не как все. Но дальше: «...Трели соловья, / Серебро и колыханье / Сонного ручья, / Свет ночной, ночные тени, / Тени без конца, / Ряд волшебных изменений милого лица, / Бледный блеск и пурпур розы, / Речь — не говоря...»

136

Незнакомые строки? Но тут опять вмешалась портящая дело правка Тургенева: «...В дымных тучках пурпур розы, / Отблеск янтаря...» Хорошо, конечно. Все равно хорошо. Но в «бледном блеске» — мгновенность впечатления, а не малоуместное описательство, да и «...речь — не говоря...» — чистая правда. До речей ли здесь?

Закончим, однако: «...И лобзания, и слезы, / И заря, заря!»

Двенадцать строк, слишком известных. Но если действительно вслушаться, особенно в «нетургеневский» вариант, — какая неутоленность страсти! То есть тоже — какой драматизм ее!..

Впрочем, Фет словно нарочно потакал иронии наподобие минаевской. Играл, подчас переигрывая, роль бурбона-помещика, вздыхающего о крепостных временах и дворянских вольностях. Был человеком серьезной культуры, но всякий раз, проезжая по Моховой, открывал в карете окно и смачно плевал в сторону Университета. Даже кучер его так привык к этой демонстрации обскурантизма, что придерживал лошадей на одном и том же месте...

Забавно? Было бы именно так, если бы... «Этот человек, — сказал о Фете Аполлон Григорьев, — должен был или убить себя, или сделаться таким, каким сделался». Он выбрал второе.

Самым страшным ударом была для него гибель его возлюбленной Марии Лазич. Их отношения, и без того безвыходно драматические, оборвались тем, что Мария погибла от пламени, вызванного неосторожно брошенной спичкой («...Там человек сгорел!»). Но надлом произошел раньше.

Фет был (считался) сыном помещика Шеншина от дармштадтской еврейки Шарлотты Фет, и сверх того, гулял слух, будто настоящим папашей был корчмарь, человек также несимпатичной Афанасию Афанасьевичу национальности. Брак между матерью и Шеншиным был заключен после рождения сына, и фамилию отца (приемного?) он носил лишь до четырнадцати лет, пока духовная консистория не докопалась до факта его незаконнорожденности. Лишь много, много лет спустя, после унизительнейших хлопот, он вновь стал Шеншиным.

Отсюда — двойственность внутреннего существования (усугубленная и тем, что выглядевший в поэзии религиозной натурой, по убеждениям он был атеист). Отсюда и самоутверждение, гипертрофия дворянского высокомерия. Неприятная, что говорить, однако сообразим: в данном случае этой гипертрофии, основанной на душевной ущербности, стало быть, несомненно защитной, не могла не сопутствовать и гипертрофия лирической пронзительности. Когда то, что возвышает тебя над другими (а человека — над зверем!), оказывается «радостью страданья»...

Это будет понято Александром Блоком: «Радость, о, Радость-Страданье, / Боль неизведанных ран...» Но — очередной странный вопрос: не имеем ли мы право сказать, что ту же «радость» испытал современник Фета Николай Алексеевич Некрасов (1821–1878)?

Странен вопрос потому, что не только современник — антипод; это подчеркивалось всеми и всячески. В частности, Фетом: «Молчи, поникни головою, / Как бы представ на страшней суд, / Когда случайно пред тобою / Любимца муз упомянут! / На рынок! Там кричит желудок, / Там для стоокого слепца / Ценней грошовый твой рассудок / Безумной прихоти певца». Так отчитал он Некрасова в стихотворении *Псевдопоэту*, прозой, в письме называя его стезю «тесной и грязной». Говоря при этом, что он, Фет, выучил всех грустить, в то время как Некрасов — проклинать.

Как бы то ни было, оба они — дети-сверстники одной и той же эпохи, объединенные тем, что их время плохо способствовало развитию лирического чувства: хвалебная рецензия 1850 года на *Стихотворения А. Фета* в журнале *Отечественные записки* даже и начиналась сочувственно: «В наше непоэтическое время...» Хотя, по мнению Фета, его грусть выражала неуступчивость «чистого искусства» веку прагматики и обличительства, а некрасовская «озлобленность», напротив, была подчинением духу непоэтического времени.

Так ли? И да, и нет.

Дворянин Некрасов долго влачил нищую жизнь разночинца, журнального поденщика и, лишь войдя в литературную славу, дал волю дремавшим в нем барским замашкам (роскошь в быту, широкая игра в карты, медвежья охота...). И все же, скорее, не это определило двойную жизнь его души — не менее мучительную, чем у Фета, но другую. Став под влиянием Белинского, а затем Добролюбова на «тесную и грязную стезю», как считал его антипод, а на деле на стезю благородной гражданственности, Некрасов заметно утилизировал свой замечательный дар.

Дар именно — *страдания*, если не доставлявшего радость, то необходимого, как дыхание.

«Это был гений уныния. ...Умирать — было перманентное его состояние. ...Некрасов не хандрящий — не поэт». Так говорил о нем лучший его толкователь, Корней Чуковский. А выражаясь менее хлестко, он — поэт в наибольшей степени там, где хандрит. Где страдание, скорбь, смерть. Так, в поэме *Мороз, Красный нос* удивительны строки о смерти крестьянина и об оплакивающей его жене: «...Как дождь, зарядивший надолго, / Негромко рыдает она». И там же — об умирании самой Дарьи, даже о красоте умирания, окруженного, как ритуалом, не знающей надрыва природой. И в потрясающем стихотворении *Похороны* («Меж высоких хлебов затерялося...») художественно реальны смерть, сочувствие, замогильная память, а вовсе не народнические деяния покойного. И маленькая поэма *Рыцарь на час* осталась в памяти прежде всего четверостишием, где сама фонетика передает исступленность муки — на грани срыва голосовых связок. Где в самом обилии «некрасивых» шипящих — сила и страсть покаяния: «От ликующих, праздно болтающих, / Обагряющих руки в крови / Уведи меня в стан погибающих / За великое дело любви!»

Конечно, и тут — гипертрофия, порожденная двойственностью сознания; свое страдальчество Некрасов доводит до степени мазохизма, заражает им все окружающее. В том числе, разумеется, и главный предмет сострадания — народ.

«Стонет он по полям, по дорогам, / Стонет он по тюрьмам, по острогам, / В рудниках на железной цепи; / Стонет он под овином, под стогом, / Под телегой, ночуя в степи...» Этот стон, конечно, не опровергнешь здравым соображением, что, чай, не только же стонет русский народ, но и пашет, и любится, и выпивает. На то этот «стон» и метафора, чтобы не подчиняться «грошовому рассудку». Но вот начинается уточнение, конкретизация: «...То бурлаки идут бечевой!», причем бурлак, человек профессии, требующей здоровья и силы (без них бечеву не потянешь!), неизменно предстает у Некрасова существом хилым, больным, мечтающим поскорей помереть. И это уже — тенденциозность.

«Народ был главным мифом его лирики, величайшей его галлюцинацией» (снова Чуковский). Но даже в поэзии нельзя вечно галлюцинировать, и оттого у Некрасова так много истошно-искусственного — как натужные *Размышления у парадного подъезда* или не лучшие части поэмы *Кому на Руси жить хорошо*, местами блистательной...

Зато уж: «*Еду ли ночью по улице темной...*», «*Умолкни, муза мести и печали...*», «*Внимая ужасам войны...*», *Орина, мать солдатская.* Наконец, *Влас*: «В армяке с открытым воротом, / С обнаженной головой, / Медленно проходит городом / Дядя Влас — старик седой. / На груди икона медная; / Просит он на Божий храм, — / Весь в веригах, обувь бедная, / На щеке глубокий шрам...»

И дальше — как был он великим грешником, укрывал конокрадов, забил жену, обирал соседей, покуда не заболел и его не посетило Божие знамение: «Говорят, ему видение / Все мерещилось в бреду: / Видел света преставление, / Видел грешников в аду... / Гром глушит их вечным грохотом, / Удушает лютый смрад, / И кружит над ними с хохотом / Черный тигр-шестокрылат».

И это стихотворение вдруг вызвало неудовольствие Достоевского.

Вслед за описанием адских мук в нем шло четверостишие: «Сочтены дела безумные... / Но всего не описать — / Богомолки, бабы умные, / Могут лучше рассказать». В нем-то и разглядел Достоевский неподобающую иронию, оскорбляющую «силу смирения Власову, эту потребность самоспасения, эту страстную жажду страдания» (!). А осудив, высказал свою постоянную мысль: «Я думаю, самая главная, самая коренная духовная потребность русского народа есть потребность страдания, всегдашнего и неумолимого, везде и во всем. Этой жаждою страдания он, кажется, заражен искони веков. Страдальческая струя проходит через всю его историю, не от внешних только несчастий и бедствий, а бьет ключом из самого

В. Серов. Иллюстрация к стихотворению Н. А. Некрасова *Крестьянские дети*

сердца народного. У русского народа даже в счастье непременно есть часть страдания...»

Достоевский — это Достоевский. И смешно было бы опрашивать русский народ, в самом ли деле он жаждет страдания, не мысля своего счастья без того, что его художникам кажется «радостью». Так или иначе, «радость страданья», объединившая столь разных писателей, не могла не быть чертой «непоэтического времени». Времени оставленной, забытой, невозможной гармонии, когда и в самой дисгармонии, в хаосе, в «сумасшедшем доме» можно — и нужно — искать силу духовной поддержки. Так что сама болезненность Достоевского, Фета, Некрасова, как ни парадоксально, есть поиск духовного здоровья. Действительно — радости. И свободы.

«У... Достоевского была двойственность. С одной стороны, он не мог примириться с миром, основанным на страдании и страдании невинном. С другой стороны, он не принимает мира... без страданий, но и без борьбы. Свобода порождает страдания. Достоевский не хочет мира без свободы, не хочет и рая без свободы...» (Николай Бердяев).

Вот оно, как сказал уже Розанов, «неустановившееся в человеческой жизни и в человеческом духе». Очевидно, что такая неразрешимая (и не желающая разрешения) двойственность не могла не иметь противостояния в виде «твердых форм». Воплощенной устойчивости.

Противостояния куда более мощного, чем у Фета с Некрасовым.

140

П. Шмаров. Иллюстрация к поэме Н. А. Некрасова *Кому на Руси жить хорошо*

Е. Гинзбург. *На темы Некрасова*

Лев Николаевич, соцреалист

Вообще — противостояние таково, что кажется нелепой сама возможность хоть чем-то существенным объединить двух гигантов: Достоевского и Льва Николаевича Толстого (1828–1910). Ну, понятно, кроме таких очевидностей, что оба родились в России, жили в одно время и писали пером по бумаге. И уж тем паче понятие «реализм» (добавляют: «критический»), примененное к ним обоим, тут способно утратить хоть какую-то определенность.

Впрочем, и поделом.

Реализм... «Художественный метод, согласно которому задача литературы и искусства состоит в изображении жизни как она есть в образах, соответствующих явлениям самой жизни, создаваемых посредством приемов типизации фактов действительности». И т.д. Конечно, возможны словарные толкования и поизящнее этого, но «жизнь как она есть» неизбежно поминается всюду. Или хотя бы подразумевается.

Не спрашиваем, куда в таком случае деть *Нос* Гоголя, где означенный орган гуляет по улицам Петербурга, или толстовского *Холстомера*, где пегий мерин излагает экономические воззрения автора. Но наивно думать, будто мы способны познать русскую жизнь («как она есть») по любым произведениям Достоевского или Толстого. Да хотя бы и Чехова, которого Анна Ахматова — совершенно несправедливо — считала создателем жалких людей, «не знающих подвига». В ее устах: тех, кто не способен подняться над «первой реальностью», кто «обусловлен временем», соответственно жалким и серым.

Чем крупней индивидуальность писателя, тем разительнее его модель мира отличается от сущей действительности. И познавать российскую реальность естественней и разумней не по *Карамазовым* или *Воскресению*, а по книгам писателей средних, не более чем добросовестно регистрирующих ход времени и злобу дня. Таких, например, как Игнатий Николаевич Потапенко (1856–1929) или Александр Константинович Шеллер-Михайлов (1838–1900). И уж совсем для этой цели хорош плодовитый автор толстых романов Петр Дмитриевич Боборыкин (1836–1921); цели помогает достичь именно то, что современная энциклопедия считает его недостатком. То, что художественная ценность книг «ослабляется чертами натурализма».

Хотя как инструмент постижения отошедшей жизни еще надежней очерки великого репортера и московского бытописателя Владимира Алексеевича Гиляровского (1853–1935) либо письма *Из деревни* Александра Николаевича Энгельгардта (1832–1893), ставшие образцом для будущего «деревенского очерка» середины XX века.

Коли уж говорить о том, что действительно объединяет все, считающееся «реализмом» (исключая, понятно, «соцреализм» в привычном его понимании), — это не соответствие «жизни как она есть». Это —

В. Мешков. *Л. Н. Толстой*

ответственность перед нею, и тут даже назойливое «как она есть» прозвучит к месту. Правда, не является ли и это общей чертой искусства как такового? Если оно — подлинное искусство, если не легкомысленно и тем более не бессмысленно.

А так... Как назвать реализм Гоголя — автора *Носа*, но и *Женитьбы*, где, как мы видели, бытовые мотивировки весьма условны? Может быть, *фантастическим* реализмом? Не говорю уж, что, если бы *Нос* появился на свет в начале XX века, он был бы тут же приписан к литературе модернизма.

И кто тогда Лермонтов как прозаик? *Аналитический* — или *психоаналитический* — реалист?

Гончаров? Возможно, *эпический*?..

Можно так, можно этак. Можно — никак. Потому что даже в пределах одной-единственной судьбы одного-единственного писателя прослеживаем (если не отворачиваемся от очевидного) перемены, далеко выходящие за пределы одного-единственного метода. Узнаем ли Тургенева

Записок охотника в том, кто в 1883 году напишет повесть *После смерти* (*Клара Милич*), которую обвинят в «пропаганде мистицизма»?

А Достоевский? Где сентиментальность *Бедных людей* и где фантасмагория *Бесов*? И Чехов... Оставим в стороне юморески, подписанные — по заслугам — водевильными кличками «А. Чехонте» или «Человек без селезенки», вспомним *Скучную историю* или *Мою жизнь*, как будто безусловно жизнеподобные. Но вот Чехов пересказывает Станиславскому замысел пьесы «совершенно нового для него направления»: «...Два друга, оба молодые, любят одну и ту же женщину. Общая любовь и общая ревность создают сложные взаимоотношения. Кончается тем, что оба они уезжают в экспедицию на Северный полюс. Декорация последнего действия изображает громадный корабль, затертый во льдах. В финале пьесы оба приятеля видят белый призрак, скользящий по снегу. Очевидно, это тень или душа скончавшейся далеко на родине любимой женщины».

Кто это? Антон Павлович Чехов? Или же Константин Треплев из *Чайки*, осмеянный собственной матерью за свою драматургическую фантазию как за «декадентский бред»?..

И все-таки есть один тип пресловутого реализма, который стоило выделить и поименовать всерьез. Потому что он связан с чем-то действительно общим для разных художников. Следовательно, выражающим настроение целой эпохи.

Это — *социалистический реализм*.

Не тот, не тот, который потом узурпирует и первую и вторую часть формулы (обе — незаконно, не по заслугам), так что родится известная шутка советских времен: «Соцреализм — это искусство хвалить начальство в доступных для него формах».

Воротимся — ненадолго — к Достоевскому.

«Макар Иванович!.. да ведь вы коммунизм, решительный коммунизм, коли так, проповедуете!» Это восклицает «подросток» Аркадий Долгорукий, обращаясь к своему приемному отцу, — а отчего? Оттого, что Макар Иванович всего-навсего излагает ему заповеди Христа!

Христос — социалист, коммунист. Для Достоевского это не пустые слова, особенно если учесть (не вдаваясь в частности), как смысл понятия «социализм» определяет словарь Даля, честнейший свидетель: «...Ученье, основывающее гражданский и семейный быт в товариществе или артельном учреждении...»

Правда, «крайний социализм, — уточняет словарь, — впадает в коммунизм, который требует упразднения всякой частной собственности, на общую пользу». Но на эту крайность Достоевский восстал в *Бесах*. «Цицерону отрезается язык, Копернику выкалывают глаза, Шекспир побивается каменьями — вот шигалевщина! Рабы должны быть равны...» — это идеи «гениального человека», гениального коммуниста Шигалева, восторженно изложенные Петром Верховенским.

Талант, избранничество, единственность — это ли не самая крамольная форма «частной собственности»? (Не зря некий большевик скажет Федору Ивановичу Шаляпину: таких, как он, надобно резать. За что? «Талант нарушает равенство».) Но — «товарищество или артельное учреждение»... Разве Христос с учениками — не идеальный прообраз этого?

Алексей Сергеевич Суворин (1834–1912), журналист, издатель, знакомствовавший с Достоевским, записал в дневнике о намерениях того насчет Алеши Карамазова: «Он хотел его провести через монастырь и сделать революционером. Он (Алеша. — *Ст. Р.*) совершил бы политическое преступление. Его бы казнили. Он искал бы правду и в этих поисках, естественно, стал бы революционером...»

И еще Суворин: «Алеша Карамазов должен был явиться героем следующего романа, героем, из которого он (Достоевский. — *Ст. Р.*) хотел создать тип русского социалиста, не тот ходячий тип, который мы знаем и который вырос вполне на европейской почве...»

То есть Алеша — социалист в истинно русском, а если выражаться точнее, в истинно достоевском понимании.

Впрочем, мало ли какие герои возникают в воображении богатых фантазией литераторов? И необычность здесь не в характере, даже не в эволюции того же Алеши, а в могучей целенаправленной воле его создателя, который очень мало считается с «жизнью как она есть» и с тем, что «бывает в жизни». Он принуждает кроткого своего героя стать, коли нужно, революционером и пойти, коли нужно, на казнь. Кому нужно? Ему, Достоевскому.

Не принудил? Не успел написать продолжения *Карамазовых*? Да, к сожалению. Но уже в самом романе, успевшем родиться, направление и всевластность авторской воли очевидны: реальность тогдашней России «как она есть» решительно пересоздается именно с точки зрения утопического социалистического идеала. Того, чего нет и не может быть, ибо «социализм» и «утопизм» — почти синонимы. Как и «идеал». Социализм в его идеальном виде не утопическим быть не может.

Это — Достоевский. Как о нем было сказано полузабытым критиком, «гениальный писатель», одаренный любовью ко всем и вся, и одновременно «желчный экстатик». Эгоцентрик, своеобразнейшее существо, каковое при встрече со львом пустыни... Продолжение — помним. Соответственно «экстатична» и судьба Алеши, предначертанная ему своевольным автором. А у Толстого, у певца устоявшегося, все — не менее соответственно — устоявшееся. Завершенное. И потому в нем тем более есть основания разглядеть то же — социалистическое! — преображение «первой реальности», что нежданно роднит его с Достоевским. Чуть не во всех иных отношениях ему противоположным.

Классик советского (!) соцреализма Александр Фадеев говорил, по воспоминаниям Ильи Эренбурга, о «недостаточности» Чехова: «Как он

Л. Пастернак. Иллюстрация к роману Л. Н. Толстого *Воскресение*

может научить? Он и не хотел учить... Вот Толстой понимал назначение литературы, он был учителем. Конечно, мы теперь рассуждаем иначе, но я преклоняюсь перед романом, который обычно считают неудавшимся: Толстой написал *Воскресение*, чтобы доброе начало победило».

Затем Фадеев (добросовестный продолжатель Толстого и уж во всяком случае его эпигон в отношении стиля) добавит то, что только и мог добавить: «...Гений должен служить добру, гуманизму. А в наш век это значит подчинить себя строительству коммунизма». Но о *Воскресении* он сказал верно, а выражение «подчинить себя» также с нечаянной верностью определило характер работы Толстого над этим романом.

Да, сравнительно с *Войной и миром* (1863) *Воскресение* (1899) — роман неудавшийся. Хотя вернее сказать: просто это — произведение, созданное в соответствии с совершенно иной системой взглядов.

Что такое *Война и мир*? Это — эпос. Что такое *Воскресение*, где князь Нехлюдов, соблазнивший Катюшу Маслову и потрясенный ее превращением в вульгарную проститутку, сам преображается по законам христи-

146

анства и заповедям Христа? Если вспомнить о поэзии, не слишком связанной подробностями сущей действительности, это словно бы лирика. Только принявшая тяжеловесную форму романа.

Но прежде договоримся: что такое эпос по-русски.

Сам Лев Николаевич сказал Горькому о *Войне и мире*: «Без ложной скромности — это, как *Илиада*». Но ведь с *Илиадой* Гомера сравнивали, бывало, и *Мертвые души*! Что вызвало саркастический смех Белинского, который считал гоголевскую поэму скорее разоблачением самодержавной России, чем эпосом в общеупотребительном смысле. «...Древний гомеровский эпос» — именно это увидел Константин Аксаков, а Белинский, хоть и принял определение «эпос», но настаивал, что Гомер тут ни при чем. Что в *Мертвых душах* «отразилась сама современная жизнь».

Стоило ли, однако, спорить? Да, «современная жизнь» — а какая же еще? Не жизнь же Ахилла и Агамемнона. Но и само имя Гомера значило больше, чем лестная аналогия.

Когда в истории того или иного народа возникает потребность собрать воедино эпические сказания и, возможно, дать им имя единого автора (того же Гомера), это означает следующее. То, что составляет основу любого эпоса, национальная мифология, перестало быть мифологией. Тем, во что веруют с религиозной буквальностью. Стало всего лишь литературой.

Значит — игрой. Забавой. В высоком смысле, который никого и ничто не способен унизить. Не зря в *Илиаде* и *Одиссее* уже заметна ирония по отношению к мифам. Они пародируются, пусть еще полуграмотно, а там появится и *Война мышей и лягушек*, которая так непосредственно пародирует саму *Илиаду*, что и ее авторство припишут Гомеру.

Конечно, читатели (слушатели) Гомера продолжали верить в богов, вмешивающихся в судьбы героев эпоса, — но и сами-то боги окончательно очеловечились. Стали персонажами эпоса — наравне со смертными людьми.

Мертвые души — тоже конец национальной мифологии. Или хотя бы начало конца. Разве ядовитейшая *История одного города* — не эпос, не наша *Война мышей и лягушек*? А *История государства Российского от Гостомысла до Тимашева* (1868) остроумнейшего Алексея Толстого — с ее рефреном: «Земля наша богата, / Порядка в ней лишь нет»?

Но дело не во вторжении пародии, разрушающей эпическую торжественность.

Д.С. Лихачев писал, имея в виду древнерусскую литературу: «Герой ведет себя так, как ему положено себя вести, но положено не по законам поведения его характера, а по законам поведения того разряда героев, к которому он принадлежит. Не индивидуальность героя, а только разряд...»

И вот в XIX веке заново возникает эпос — в *Мертвых душах* и уж без сомнения в *Войне и мире*. Возникает философия эпоса, казалось бы, неотразимо похожая на то, что было в литературе Древней Руси. Там — «разряд», диктующий герою законы поведения, лишающий его самостоятельности и даже индивидуальности. Здесь — то, что и делало Толстого Толстым, его представление об истории и о роли личности в ней. Точней, об отсутствии роли:

«...Нашему уму недоступны причины совершающихся исторических событий. Сказать (что кажется всем весьма простым), что причины событий 12-го года состоят в завоевательном духе Наполеона и в патриотической твердости императора Александра Павловича, так же бессмысленно, как сказать, что причины падения Римской империи заключаются в том, что такой-то варвар повел свои народы на запад, а такой-то римский император дурно управлял государством, или что огромная срываемая гора упала оттого, что последний работник ударил лопатой.

Такое событие, где миллионы людей убивали друг друга и убили половину миллиона, не может иметь причиной волю одного человека...

Зачем миллионы людей убивали друг друга?..

Затем, что это так неизбежно было нужно, что, исполняя это, люди исполняли тот стихийный зоологический закон, который исполняют пчелы, истребляя друг друга к осени, по которому самцы животных истребляют друг друга. Другого ответа нельзя дать на этот страшный вопрос».

Потому-то мудрость Кутузова в *Войне и мире* — в его пассивности, в его доверии к ходу и духу истории. Потому самый симпатичный для Толстого персонаж — Наташа Ростова, которая «не удостаивает быть умной» и доверяет своей (да, да, можно сказать: зоологической, животной) природе. Потому народ воплощен в Платоне Каратаеве, чья добродетель — терпение и смирение. Потому отвратителен своеволец Наполеон и до поры, до времени осуждаем умница-честолюбец Андрей Болконский, начинавший с обожания Бонапарта. (Любопытно, что первая часть *Войны и мира* печаталась в 1865 году. А годом позже — и в том же журнале *Русский вестник* — появится *Преступление и наказание*, где над преступным и несчастным Раскольниковым как образец будет витать та же тень, что и над князем Андреем: «Я хотел Наполеоном сделаться, оттого и убил».)

Что ж? Выходит, это — возвращение вспять, к тому эпосу, к законам, по которым жила древняя словесность? И даже больше того. Лихачев говорил о «законах поведения» героев литературы. У Толстого выходит, что по законам «разряда» существуют и живые люди, исполняющие «стихийный зоологический закон».

Но вспять идти невозможно. Лев Толстой — Львом Толстым, его философия — его философией (заметим: она-то — не без влияния мудрецов созерцательного Востока), однако русская литература XIX столетия уже необратимо и непобедимо личностна. Рискну сказать: бесстрашно, рискованно субъективна.

Субъективна? Это о *Войне и мире* с процитированными умозаключениями автора, отрицающего роль субъекта? Именно так.

Кутузов как личность, согласно Толстому, находит свое место в стихии истории (которую воспроизводит стихия романа), подчиняя ей свой ум. Но ведь стихия романа образцово организована. Управляема — тем, кто и формулирует законы истории. Автором. Толстым. Это его война и его мир, его представление о законах истории и о роли людей. Его — Демиурга, Бога-Творца, Создателя, Сверхличности. Ведь самые элементарные исторические познания с убедительностью доказывают: не говоря уж о безжалостно окарикатуренном Наполеоне, и Кутузов был совсем, совсем не таков! И как же закономерно, что создатель *Войны и мира* не остановится в своем своеволии, не уступающем своеволию Наполеона. Он станет в дальнейшем — или попробует стать — ересиархом, отлученным от Церкви не по капризу ее князей. Создателем новой веры. Нового Евангелия...

А в романе *Воскресение* создаст и свой тип реализма. Повторяю: социалистического, без всякой иронии; напротив, в том реальнейшем смысле, который советская литература безобразно опошлит.

Как и у Достоевского (как и у позднего Лескова, увлеченного идеями Толстого), идеал, преображающий не только героя, но и саму реальность, — это идеал христианского социализма. Воскресение князя Нехлюдова для новой жизни, его путь от бездумного соблазнителя чистой девушки к готовности жениться на ней же, превратившейся в проститутку, — это шаг, который мог или был должен последовать за тем, что было совершено в романе *Война и мир*.

Там своеволие Демиурга, Сверхличности устраняло из истории личность, отрицая ее способность влиять на ход событий. Здесь эта личность, то бишь Нехлюдов, произвольно гнулся-ломался, подделывался под упрямую тенденцию *воскресения*, — что, увы, не могло не отразиться на художественной пластичности романа. Любящий Толстого, но беспристрастный Чехов говорил: «Конца у повести нет, а то, что есть, нельзя назвать концом. Писать, писать, а потом взять и свалить все на текст из Евангелия, — это уж очень по-богословски».

Ясно, что этот (примем название как рабочее и условное) социалистический реализм есть усилие по переделке реальности. Даже насилие над ней, пусть во славу добра, ради высшего идеала. Что доказывает: на протяжении века личность писателя-демиурга переродилась.

Начав с робости первых шагов, когда она едва-едва заявляла о себе в поэзии Батюшкова, обретя свободу всевластия в Пушкине (свободу — но в гармоническом согласии с миром), эта личность к рубежу XIX—XX веков предстала уже готовой к революционной ломке истории. О, конечно, не «уличной», но что творческой — безусловно. Ломке ради достижения недостижимой цели, — а если недостижимость становится явной, если человечество не торопится пасть к ногам творца новой реальности, что ж! Остается — в лучшем, безобиднейшем случае — в «художестве», отречься от собственных книг, обратиться к прямой проповеди.

Но и этого — мало. Требуется поступок. И Толстой уходит из Ясной Поляны, чтобы встретить смерть в бездомности.

Тигры в Ясной Поляне

Поступок, конечно, очень российский. Даже — традиционный. Припомним, как мечтали о метафорическом уединении Карамзин, Батюшков, Дельвиг. Когда и Пушкин напишет: «Давно, усталый раб, замыслил я побег...», его мечта будет уже не метафорой, но и означала она все же не больше, чем удалиться с семьей в деревню, лишив себя лицезрения множества гнусных столичных рож, а Наталию Николаевну — дворцовых балов.

А во время, стремительно приближающееся к роковому поступку Толстого... Бежит — от своей судьбы, от расплаты за им содеянное — Тарелкин в фарсе Сухово-Кобылина. В *Пошехонской старине* Щедрина отставной капитан, совершив уголовное преступление, по совету жены укрывается от суда, приняв имя «столяра Потапа». И, наконец, то, о чем уж точно помнил сам Лев Николаевич.

В драме *Живой труп*, написанной, кстати, сразу вслед *Воскресению* (где ведь тоже — уход Нехлюдова в иную жизнь), есть диалог. Цыганка Маша спрашивает Федора Протасова, вконец запутавшегося в духовных терзаниях и семейных делах: « — Читал ты *Что делать?* — Читал, кажется. — Скучный это роман, а одно очень, очень хорошо. Он, этот, как его, Рахманов, взял да и сделал вид, что он утопится. И ты вот не умеешь плавать? — Нет. — Ну вот. Давай сюда свое платье. Все, и бумажник. — ...Ну, а потом? — А потом, потом уедем и будем жить во славу».

Репетиция собственного ухода? Нет, конечно. Хотя — не репетировал ли в незаконченных *Посмертных записках старца Федора Кузмича* (1905), рассказе об апокрифическом уходе от власти и света императора Александра I? И тем более — в пьесе *И свет во тьме светит* (1896–1900), которую Толстой тоже не кончил и в которой прямо изобразил грядущий разрыв с обществом и семьей?

Тема ухода, странничества была и темой Николая Семеновича Лескова (1831–1895). Странничества и праведничества, что у него неразрывно. Ибо праведники и есть странники — вовсе не обязательно в пространстве. Они странствуют в поисках истины, самих себя и Христа — странствуют, начиная с грандиозной фигуры мятежного сельского протопопа Савелия Туберозова (роман *Соборяне*, 1872) и кончая героями сборника *Праведники*, куда включены рассказы последних пятнадцати лет жизни. Периода особенной, можно сказать, судорожно-торопливой близости к Толстому: «У него огромный факел, а у меня мерцает маленькая плошка, — самоуничижительно скажет он одному из близких людей. — Я и тороплюсь за ним! Тороплюсь!» Периода, когда его, Лескова, острейшая наблюдательность и огромнейший запас впечатлений отчасти стушуются перед проповедническими схемами «социалистического реализма».

Хотя вот уж кто имел право сказать: «Я не изучал народ по разговорам с петербургскими извозчиками, а я вырос в народе на гостомельском выгоне, с казанком в руке, я спал с ним на росистой траве ночного под теплым овчинным тулупом... Я с народом был свой человек...»

Чистая правда: отец Лескова, судейский чиновник и выходец из духовной среды, купил хуторок в Южной черноземной России на реке Гостомля. А все-таки главным в Лескове стоит счесть как раз то, что он выстрадал положение *не своего*. И в народе, с которым бывал лично суров и которому отнюдь не собирался льстить в своих сочинениях. И в среде «демократов», где Лесков долго был ненавидим и презираем за «антинигилистические» романы *Некуда* (1864) и особенно *На ножах* (1871). И там, где его — и именно за последнее — должны были привечать. «Этот человек не наш!» — скажет о нем Михаил Никифорович Катков (1818–1887), публицист, журналист, издатель, заслуживший право считаться столпом официоза. И Лесков согласится: «Он был прав, но я не знал, чей я?.. Я блуждал и воротился, и стал сам собою — тем, что я есмь».

Тоже, выходит, странник. И цель его блужданий, в сущности, та же, что у Ивана Северьяновича Флягина, героя повести *Очарованный странник* (1873). Тот борется с искушениями, побеждает богатыря-мусульманина, крестит кочевников, усмиряет коня-людоеда, спасает и не может спасти цыганку Грушеньку... Но может ли сказать про себя — стал, мол, «тем, что я есмь»?

«Мне за народ очень помереть хочется», — признается Флягин в финале, и здесь понятно лишь «за», но никак не причина, не повод, ради которых стоит погибнуть. И, возлюбя всем сердцем прелестного богатыря, испытываешь патриотическую горечь. Значит, само по себе странничество, сама по себе тяга к духовному подвигу — самодостаточны? И — недостаточны?

Иван Северьянович — странник, в котором отразилось свойство русского народа (или российской истории), названное Бердяевым «даром колонизации». Даром причудливым, если учесть, что тот же философ сказал: наш народ — «не империалистический народ, он не любит государство». Значит, колонизатор-анархист? Что, вероятно, лучше, чем быть колонизаторами корыстно-сознательными, но уж слишком бессмысленно и бесцельно...

Понимая все это, Лесков, кажется, просто обязан был написать *Левшу* (1881). Сочинение не о страннике, но о сидне, кто даже на корабле, идущем на милую родину из постылой чужбины, будет нетерпеливо спрашивать: «Где наша Россия?» Чтобы глядеть только в ее направлении.

Левша известен решительно всем, и всяк имеет суждение об той проказливой повести. Одни полагали и полагают, будто автор ее шовинист, кичащийся тем, что русак Левша «умыл» иноземцев, сумев подковать «аглицкую» блоху. Другие, что поприметливее, заметили: нет, все не так просто, подкованный курьез перестал танцевать, то есть делать то, ради чего и был сотворен.

Но и то и другое — пустяк сравнительно с истинным смыслом. Трезвейшим, печальнейшим. Что такое блоха, переставшая прыгать? Да, испортили вещицу, но зато какое явили искусство, — а разве сама танцующая блоха не была воплощением именно мастерства, соревнования в нем? Беда не в этом. Победа в России обычно дается не благодаря, а вопреки. Вопреки неучености, вопреки нищете: «Мы, — объясняет Левша, — люди бедные и по бедности своей мелкоскопа не имеем, а у нас просто глаз пристрелявши». И не погибнуть Левша не может — притом, что, умирая, когда ему, пьяному, расколотят затылок, волоча по каменному крыльцу, будет силиться передать государю наиважнейший для России секрет...

«Не наш» человек Николай Семенович Лесков вообще долго будет считаться (и читаться) не тем (и не так). Скажем, Катерина Измайлова (очерк 1865 года *Леди Макбет Мценского уезда*) будет романтизирована оперой Шостаковича — оперой с гениальной музыкой, а сама романтизация пошловато-банальна, в нашем неодолимом духе где попало ловить «луч света в темном царстве». Хотя если вспомнить подлинную лесковскую Катерину, как она наваливается «своей крепкой, упругой грудью» на «детское личико страдальца», удушаемого ею ребенка, — и душный дух бездуховности не будет смыт никаким драматизмом финала.

Не этот ли дух, не понимание ли российского анархизма взамен свободы, не сознание, что обречен и Левша, рожденный, чтоб стать опорой, — не все ли это, трезвейше осознанное, толкнуло Лескова к толстовскому утопизму? К созданию галереи «праведников», очаровательных и очарованных, но имеющих мало связи с реальной почвой. Как бы то ни было, но это причудливое сочетание — беспощадной трезвости и мечты об Утопии и утопическом — возникает обычно (в литературе и в обществе) лишь накануне чего-то. Как правило, катастрофы.

«Вот умрет Толстой, все пойдет к черту!» — сказал Антон Чехов Ивану Бунину. А на вопрос: «Литература?» ответил, не ограничивая областью одной лишь словесности масштаб будущей катастрофы: «И литература».

А Марк Александрович Алданов-Ландау (1899–1957), исторический прозаик, говорит тому же Бунину, конечно, воспринимающему его слова не без ревности: «Великая русская литература кончилась на *Хаджи-Мурате*».

Почему именно на этой повести, за которую Толстой взялся в 1896 году, уже поотстав от «художества», занятый сотворением новой веры и целеустремленным просветительством? Взялся, словно стыдясь, хотя, как признался потом своему биографу, не мог не писать *Хаджи-Мурата* даже в Шемардинском монастыре, где навещал сестру-монахиню. «Это было сказано тем тоном, — вспомнит биограф, — каким школьник рассказывает своему товарищу, что он съел пирожное».

При жизни, однако, так и не опубликовал.

Все тот же Бунин записал разговор Толстого с кем-то из посетителей, который, польщенный беседой запросто с великим писателем, донимал его расспросами относительно пресловутой «теории непротивления злу насилием»:

« — Лев Николаевич, но что же я должен был бы делать, неужели убивать, если бы на меня напал, например, тигр?

Он в таких случаях только смущенно улыбался:

— Да какой же тигр, откуда тигр? Я вот за всю жизнь не встретил ни одного тигра...»

Забавная ситуация. Наивный собеседник как бы берет на себя роль художника, пробуя оживить, одеть какой-никакой, но живой плотью постулат теории. Он подталкивает Толстого в сторону вымысла, а тот увиливает в сторону морализма. Потому что, вновь став художником, все усложнит. Возможно — и даже наверняка, — уничтожит схематическую стройность своей теории.

Повесть *Хаджи-Мурат* — как раз такой «тигр», вдруг объявившийся в Ясной Поляне. Незаконно, незванно — но желанно втайне. Между прочим, и Бунин словно воспринял ту же метафору, написавши, что испытал «завистливый восторг... перед звериностью Хаджи-Мурата». И дальше — «райски сильную, бездумную, слепую, бессознательную осуществленную в теле волю к жизни»...».

«Бездумно, слепо, бессознательно» — бесценная похвала художнику.

Вот то, что часто цитируется — как пример то ли «критического реализма», то ли готовности к национальному покаянию. О горском ауле после ухода русских солдат:

«Фонтан был загажен, очевидно, нарочно, так что воды нельзя было брать из него. Так же была загажена и мечеть, и мулла с муталимами очищал ее.

Старики хозяева собрались на площади и, сидя на корточках, обсуждали свое положение. О ненависти к русским никто и не говорил. Чувство, которое испытывали все чеченцы от мала до велика, было сильнее ненависти. Это была не ненависть, а непризнание этих русских солдат людьми...»

Но главное здесь — не обличительность «критического реализма»; она захватила Толстого как раз в пору его проповедничества, в пору сознательного отказа от «бессознательности». Точнее — от надсознательности. Той, которая позволяет поистине стать над схваткой, вне ее. Например, не требуя от чеченцев невозможного — чтобы они, поднявшись над своим унижением, не всех русских считали собаками, — в то же время показать людьми тех, кто способен по собственной дикости или по приказу осквернить чужую святыню. «А какие эти, братец ты мой, гололобые ребята хорошие... — право, совсем как российские...» — скажет солдатик Авдеев. И как раз погибнет от рук «гололобых»...

Имам Шамиль — царь Николай... Чеченцы — и наши солдаты... А тот, кто словно бы посредине, сам Хаджи-Мурат?

1851 год. Заглавный герой будущей повести еще жив. Юнкер Лев Толстой, служащий в кавказской армии под началом князя Барятинского (который тоже пока не знает, что ему предстоит взять в плен Шамиля), пишет брату:

«Ежели захочешь щегольнуть известиями с Кавказа, то можешь рассказывать, что второе лицо после Шамиля, некто Хаджи-Мурат, на днях передался русскому правительству. Это был первый лихач (джигит) и молодец по всей Чечне, а сделал подлость».

Конечно, потом «некто» сделается для Толстого много ближе, понятней; настолько, что он найдет для него образ-аналогию, которым и откроется повесть. Куст «татарина», репья, который, будучи сорван и сломлен, продолжает стоять и жить, восхищая своим упорством, давая пример жизнестойкости...

Пример? Может быть, отчасти и так. Но разве по этой причине исчезнет резон размышлять о «подлости», о ее природе, о том, наконец, в самом ли деле она — подлость или что-то иное? И о двойном перебежчике Хаджи-Мурате, к кому явно лежит сердце автора, будет сказано, в частности: «Он представлял себе, как он с войском, которое даст ему Воронцов, пойдет на Шамиля и захватит его в плен, и отомстит ему, и как русский царь наградит его, и он опять будет управлять не только Аварией, но и Чечней, которая покорится ему».

Мечты героя? Или неудавшегося тирана, готового лить кровь своего народа?..

Окончательного ответа не знаем. Не знал и Толстой — художник, который, повторю, словно украдкой, незаконно отстоял перед Толстым-мессией, Толстым-нравоучителем свое право на счастье творчества.

Это — как нечаянно ритуальный, прощально сладостный жест художника, который взял да и возразил своему же намерению окончательно разочароваться в силе искусства. «Бессознательной», неизъяснимой, тем и прекрасной, тем притягательной.

В жизни Толстой-человек выразил это разочарование окончательней, радикальней. Поняв, что даже слово проповеди не изменит мира, он ушел — из мира, из дома. «Уход Толстого из семьи перед смертью, — писал Бердяев, — есть эсхатологический уход и полон глубокого смысла... Он хотел выхода из истории, из цивилизации в природную божественную жизнь».

Эсхатология, как известно, — учение о конечных судьбах мира и человека. И если вправду «великая русская литература кончилась» (а то, что последовало затем, в самом деле уже нечто иное, даже если подчас и великое), то на чем еще было ей кончиться, как не на *Хаджи-Мурате*?

Перед грозой

Более чем известно: Лев Николаевич Толстой, нежно любивший Антона Павловича Чехова (1860–1904), не любил, не принимал его пьес. Кажется, не мотивируя своего неприятия. Зато Иван Алексеевич Бунин (1870–1953) детально объяснил их несоответствие правилам «реализма»:

«Я рос именно в «оскудевшем» дворянском гнезде. Это было глухое степное поместье, но с большим садом, только не вишневым, конечно, ибо, вопреки Чехову, не было в России садов сплошь вишневых: в помещичьих садах бывали только части садов, иногда даже очень пространные, где росли вишни... и ничего чудесного не было и нет в вишневых деревьях, совсем некрасивых, как известно, корявых... совсем невероятно к тому же, что Лопахин приказал рубить эти доходные деревья с таким глупым нетерпением... рубить так поспешно понадобилось Лопахину, очевидно, лишь затем, что Чехов хотел дать возможность зрителям Художественного театра услыхать звук топоров, воочию увидеть гибель дворянской жизни... Фирс довольно правдоподобен, но единственно потому, что тип старого слуги уже сто раз был написан до Чехова. Остальное, повторяю, просто несносно».

«Невероятно... Правдоподобен...» Критерий совершенно определенный. Тем более несносными несуразности *Вишневого сада* казались рядовой современной критике. И не только его. Вот — о *Дяде Ване*: «Можем ли мы принять на веру это внезапное, не объясненное нам крушение веры в гений полубога?» Дяди Вани — в профессора Серебрякова. И дальше: «...Как мог дядя Ваня... ничего этого не понимать раньше?.. Да где же были его глаза?.. Неестественно, а потому и нехудожественно». Вот — о *Трех сестрах*: полковник Вершинин «сколот из разных кусков, из материалов, хотя в природе и существующих, но вместе не встречающихся, как не растет дерево с железом».

Не говорю уж о самом, вероятно, убийственном, с точки зрения критики, сомнении. К чему эти вопли сестер Прозоровых: «В Москву! В Москву!», когда не составляет труда пойти на станцию и купить билет до старой столицы? Вообще: «Люди как бы переламываются надвое... Андрей в первом акте еще стремится к профессуре, во втором уже секретарь управы, в третьем — член ее. Почему это вдруг, как у Хлестакова?»

Замечательно! Брюзгливый критик проговорился: да, чеховская Россия, уж такая правдоподобная, совсем не чужда стране, по которой метался Иван Александрович Хлестаков, «лицо фантасмагорическое». И где людей подменяли «духи»...

Конечно, не будем преувеличивать. Но наивно искать в чеховском мире точную копию русской реальности. Тут тоже — *бытие под личиной быта*. Метафоры, замаскированные под «жизнь как она есть».

Сам Чехов сказал об этом вполне внятно. «Вспомните, — писал он Суворину в 1892 году, — что писатели, которых мы называем вечными или просто хорошими и которые пьянят нас, имеют один общий и весьма важный признак: они куда-то идут и Вас зовут туда же, и Вы чувствуете не умом, а всем своим существом, что у них есть какая-то цель, как у тени отца Гамлета, которая недаром приходила и тревожила воображение. ...А мы? Мы! Мы пишем жизнь такою, *какая она есть* (курсивной. — *Ст. Р.*), а дальше — ни тпрру ни ну...»

Куда более чутким, чем Бунин, оказался Алексей Максимович Горький (1868–1936), написавший Чехову: «Знаете, что Вы делаете? Убиваете реализм». Возможно, и потому, что сам его убивал. По-своему.

Фигура Горького обычно настолько связывается с его ролью «основоположника» советской литературы (или, напротив, воспринимается вне времени), что влияние рубежа веков, поры его становления, как-то из сознания выпадает. Меж тем не зря он и сам воспринимался как нечто нереальное.

«Как хотите, а я не верю в его биографию, — писал молодой Чуковский, — сын мастерового? Босяк? Исходил Россию пешком? Не верю». И заключал насмешливо: «По-моему, Горький — сын консисторского чиновника... И до сих пор живет при родителях и в восемь часов пьет чай с молоком и бутербродами, в час завтракает, а в семь обедает. От спиртных напитков воздерживается: вредно».

Да и Бунин отказывался верить: «Босяк, поднявшийся со дна моря народного...» А в словаре Брокгауза другое: «Горький-Пешков Алексей Максимович. Родился в среде вполне буржуазной...» Дальнейшее основано только на автобиографии Горького... Но Иван Алексеевич всего-навсего задним числом ревновал и брюзжал, а критик Чуковский метил туда, куда должен метить критик:

«Написав однажды *Песню о Соколе*, он ровненько и симметрично, как по линеечке, разделил все мироздание на Ужей и Соколов... Распря Ужа и Сокола повторяется в Бессеменове и Ниле (*Мещане*), в Гавриле и Челкаше, в Максиме и Шакро (*Мой спутник*), в Павлине и Черкуне (*Варвары*), в Матрене и Орлове, в Палканове и Вареньке Олесовой, в Якове и Мальве, в Петунникове и Кувалде (*Бывшие люди*), в Каине и Артеме.

Все эти имена, — которые слева, те Ужи, и которые справа — Соколы».

При всей своей фельетонности замечание касалось не недостатка, но — принципа (недостаток был разве что в прямолинейности утверждения

Д. Дубинский. Иллюстрация к *Дому с мезонином* А. П. Чехова

Кукрыниксы. Иллюстрация к рассказу А. П. Чехова *Спать хочется*

этого принципа). Того, который заставил Горького приветствовать расправу куда более, чем он, тонкого художника Чехова с «реализмом», с «жизнью как она есть». Они оба были в эстетике своего времени, которую (предельно условно) назовут модернистской. В данном случае это реально будет значить одно (на двоих): возросшее первенство личности писателя по сравнению с тем, что стало материалом для его творчества. Именно — материалом, который можно кроить и перекраивать. У Горького это броско — а порой, что скрывать, примитивно-назойливо — выражалось в тенденциозности, прорывающейся сквозь видимое жизнеподобие; в делении (прав насмешливый критик) многоликого человечества на два основных типа, на Ужей и Соколов, на обывателей и бунтарей-героев, будь то шулер-босяк Сатин или передовой пролетарий Нил. У Чехова же... Подумаем.

Отчего замечательный прозаик Бунин оказался мелочно придирчив — на уровне дуболомной критики?

Ответ, лежащий на поверхности: непосредственный биографический опыт не только обогащает, но и отягощает, мешает взлететь над сугубой реальностью. И Бунин, дороживший своей дворянско-помещичьей родословной, отмечал «ляпсусы» Чехова с понятной ревностью. Но дело и глубже.

Правда, изображенная Чеховым (всюду — и пьесы его в этом смысле лишь наиболее характерны), — правда такой степени концентрации, что может позволить себе быть неправдивой внешне... Да какое — может? Должна! И вот сестры Прозоровы, полковничьи дочки, помнящие Москву и московский дом как невозвратное (невозвратное!) счастье, нелогично скулят о перемене места, с оного места не двигаясь. Почему? Потому что ежели не они, то автор знает: коли и двинутся, в их расстроенной жизни ничто не изменится.

И. Репин. А. М. Горький читает в *Пенатах* свою драму *Дети солнца*

Е. Кругликова. *М. Горький*

И брат их Андрей стремительно опускается, проделывая эволюцию, необъяснимую по житейским меркам. И Вершинин... Кто он действительно? Дерево или железо? Лучше сказать: вата или броня? Размягченный интеллигент, не способный — ни в любви, ни в быту — на решительные поступки? Или все же командир бригады, которому ведь и приказывать нужно уметь?

Сдвинувшийся, расшатавшийся мир — вот что острее многих почувствовал, понял Чехов. Мир, некогда цельный (по крайней мере, в сознании постигавших его художников), сначала стал (в их же сознании) распадаться на «обрывки», «лоскутья», — и вот уже сами эти обрывки оказываются (или кажутся) разнопородными, изначально неспособными к воссоединению. Их не сшить и не склеить — в самом деле, как вату и броню. Окончательно обнаружилась невозможность восстановить прежнюю цельность силой нравственного внушения, на что надеялся «социалистический реалист» Толстой. И хуже того!

Один из самых трезвых русских писателей — если не самый трезвый, — Чехов зафиксировал конец и распад иллюзий и идеалов (в сущности, это одно и то же), которые тешили предшествующую ему отечественную словесность.

Например... В пору гармонии (исторически — в годы дворянских упований), какой литературный герой был олицетворением чести, ума, независимости плюс сердечная пылкость? Чацкий. И хотя Грибоедову уже хватало трезвости осознать, что с таким набором свойств герою не избежать изгойства, сами свойства тем более не подлежали сомнению.

И вот у Чехова Чацкий будто раскололся на половинки, которым уже не срастись. Первая — это барон Тузенбах в *Трех сестрах*, воплощенная нелепость. Один из самых милых Чехову персонажей, отчего автор и пожалел его (как некогда Пушкин — Ленского). Подарил ему пулю Соленого взамен неизбежной деградации на «кирпичном заводе», который выглядит как горько-насмешливая метафора бесплодного и бессмысленного труда.

И вторая — доктор Львов из пьесы *Иванов*. «Честен, прям и рубит с плеча...» — чем не Чацкий? «Если нужно, он бросит под карету бомбу, даст по рылу инспектору, пустит подлеца» (то есть — назовет подлеца подлецом). Но: «...Все, что похоже на широту взгляда или непосредственность чувства, чуждо Львову, — продолжит автор характеристику персонажа. — Это олицетворенный шаблон, ходячая тенденция». И в границах пьесы Львова хватает только на то, чтобы затравить Иванова, фигуру тузенбаховской породы...

Даже чеховские предсказания, что его книги будут читать еще лет семь, «ну, семь с половиной», — не просто от уникальной скромности. Еще и от понимания, как катастрофически меняется мир, — слава Богу, преувеличенного относительно собственной судьбы в потомстве.

Бунин — совсем иной. Начиная с гордыни, противоположной чеховскому самоуничижению и, случалось, принимавшей формы тщеславия, недостойного такого таланта. Хотя и сама гордыня — того же происхождения, что бунинские придирки к пьесам Чехова.

Казалось бы, странно. Бунин начала XX века — один из наимрачнейших русских прозаиков в отношении к деревне и вообще к народу. «Народ русский — глубоко несчастный народ, но и глубоко скверный, грубый и, главное, лживый, лживый дикарь...» Положим, это говорит не сам Бунин, он лишь соглашается с тем, что ему сказано Александром Ивановичем Эртелем (1855–1908), автором замечательного романа *Гарденины*. Тем, кого Бунин без иронии именует «народолюбцем».

Сам он в дневнике революционных лет, выразительно озаглавленном *Окаянные дни*, выскажется о «богоносце» ничуть не менее резко, воочию убедившись, что Русь «жаждет прежде всего бесформенности». И не скажешь, что «русский бунт» открыл ему глаза, — они были открыты уже в 1910 году, когда он опубликовал повесть *Деревня*, принесшую ему первую настоящую известность.

Но — какую известность! «Ужас и безумие... Только грязь, грубость, озлобленность... Сплошь черным-черно...» — констатировала шокированная критика, подводя итог: «Возмутительная, насквозь лживая книга». И обвиняла автора в «дворянском отношении к народу». Хотя Горький, друг Бунина (от чего тот впоследствии отпирался), наоборот, утверждал, что «классовая вражда к мужику» тут ни при чем. «Писатели-крестьяне — Ив. Вольнов, Семен Подъячев и др. — изображают мужика мрачнее Чехова, Бунина».

Так, да не так. Ни Ивану Егоровичу Вольнову (1885–1931), ни Семену Павловичу Подъячеву (1866–1934), ни иным выходцам из бедняцких семейств, наглядевшимся на «свинцовые мерзости» и честно выставившим их напоказ, — никому из этих *критических натуралистов* не далось такое проникновение в сокровенную глубину мрака, как в *Деревне* дворянина Бунина или *В овраге* мещанина Чехова.

Впрочем, что касается глубины — не в комплиментарном, а в буквально-корневом смысле, — то в пресловутой мрачности даже беспощадная чеховская повесть уступает повести Бунина.

В овраге — вещь страшная. В жутком воплощении предстает инстинкт собственности, — стоит вспомнить «кулачку» Аксинью, эту леди Макбет еще одного уезда, плещущую кипятком на тело младенчика, дабы уничтожить нечаянного соперника в получении наследства. Но, если не говорить о степенях художественного совершенства в показе *такого*, с Чеховым в самом деле может поспорить (возможно, и переспорив) крестьянин Вольнов. А в *Деревне* изображенная власть инстинктов глубже, страшнее власти инстинкта собственности (понятного, по крайней мере вполне объяснимого); глубже опять-таки в том отношении, что корни ее ушли чересчур глубоко. Они проникают в саму изначальность народного, национального существования. Такая власть непобедима и неизъяснима:

«Историю почитаешь — волосы дыбом станут: брат на брата, сват на свата, сын на отца, вероломство да убийство, убийство да вероломство... Былины — тоже одно удовольствие: «распорол ему груди белые», «выпускал черева на землю»... Илья, так тот своей собственной дочери «ступил на леву ногу и подернул за праву ногу»... А песни?.. А пословицы!»

Говорит Кузьма Красов, деревенский стихотворец, в целом уж никак не глашатай авторских мыслей, — но можно ли сомневаться, что на сей раз его устами высказывается будущий автор *Окаянных дней*?

Заметим: так говорится не только о мужиках, чуждых «барину» Бунину. «Меня интересуют не мужики сами по себе, а душа русских людей вообще», — скажет он, написав повесть *Суходол* (1911), где за основу возьмет историю собственного рода. И если тут можно говорить (как говорят) о «поэтизации» — свое, родное! — то разве в том же самом жестоком духе: «выпускал черева на землю». Раба, влюбленная в барина; барин, влюбленный в рабу; дикость и необузданность, пожалуй, способные зачаровать по причине своей стародавности и легендарности. Но дикость от этого не перестает быть самою собой.

«А бегать от борзых не следует», — вот, быть может, самая бунинская фраза из его дооктябрьского творчества. Она, звучащая, как стихотворная строчка, — из первого абзаца *Деревни* и венчает собою историю, как барин некогда затравил псами холопа, отбившего у него любовницу. Посадил на бугор и крикнул своре: «Ату его!» Холоп, вместо того, чтоб сидеть в неподвижности, кинулся прочь — и...

«Не следует». Здесь, конечно, ни малейшего оправдания барскому зверству. Но и холопу — «не следует»: ни отбивать у господ любовниц,

ни, коли уж так случилось, бежать от борзых. Они приучены к гону, ради него существуют. Хочешь, не хочешь — таков закон.

Твердые формы существования (в чем Бунин родствен Толстому) — вот его стихия, если, конечно, стихия может стремиться к неподвижности. И не случайно именно Бунин, обозначивший перелом всей русской прозы, в то же время привлек как устойчивый образец многих прозаиков советского периода.

Например, Валентина Петровича Катаева (1897–1986), который, прозрачно и неприязненно изобразив Бунина в раннем рассказе *Золотое перо* (1920), в более поздние и более безопасные годы перестал скрывать, что считает его своим учителем, а себя — «бунинцем» (роман *Трава забвения*, 1967). Пожалуй, более прочих Бунин влиял и на Константина Георгиевича Паустовского (1892–1968), — не зря именно его эмигрант-классик почтил в письме из-за границы званием «дорогой собрат» и одобрением рассказа *Корчма на Брагинке*, на самом деле являвшегося начальной главой первого из шести автобиографических романов (*Далекие годы*, 1946). И уж без сомнения вернейшим последователем Бунина станет Юрий Павлович Казаков (1927–1982), что долго ставили ему в строку бдительные критики-соцреалисты и благожелательно отмечали поклонники. Говоря, к примеру, такое: дескать, герои казаковских рассказов, «лесничий А., механик Б., учитель В.», легко представимы на страницах дореволюционных журналов и непосредственно в той же бунинской прозе. Что, с одной стороны, выглядело как похвала писателю, который «подсознательно отталкивал от себя окружающую «прекрасную действительность» (цитирую друга Юрия Казакова Василия Аксенова), но с другой стороны... Что там ни говори, а такое упорное устремление к образцам прошлой словесности не может лишь благотворно влиять на раскрытие индивидуальности художника, и поэтому у Казакова не так уж много шедевров, равных рассказу *Трали-вали* (1959). Где образ певца-забулдыги, чей талант необъяснимо-загадочно прорастает из его темной души, опосредованно и пронзительно автобиографичен...

Итак, твердые формы существования. Именно по этой причине в «русском бунте» Бунин замечает прежде всего бесформенность. И никто не удостаивается у него такого ненавидящего презрения, как писатели культурного промежутка — между определенностью XIX века и непредсказуемостью XX. Вплоть до физического отвращения — к «педерасту Кузмину с его полуголым черепом и гробовым лицом, раскрашенным, как труп проститутки»; к «чахоточной и совсем недаром писавшей от мужского имени Гиппиус»; к «буйнейшему пьянице Бальмонту, незадолго до смерти впавшему в свирепое эротическое помешательство»; к «морфинисту и садистическому эротоману Брюсову»; к «запойному трагику Андрееву». «Скучна, беспола и распутна» — а это строка из стихотворения *Поэтесса*, в которой Ахматова узна́ет свой пристрастный портрет. «Про обезьяньи неистовства Белого и говорить нечего, про несчастного Блока — тоже» (однако сказал: о психической болезни блоковских родителей, об «умственной и душевной неуравновешенности» его самого)...

Лютость Ивана Алексеевича известна, но ведь лежит же в ее основании нечто, не сводимое к скверному характеру. И — как совместить эту непримиримость, а главное, ту самую тягу к сугубой устойчивости с возникновением неуловимых, нежных, «легковейных» рассказов? Говорю об эмигрантском сборнике *Темные аллеи* и о самом, наверное, знаменитом рассказе Бунина — о *Легком дыхании*, сочиненном еще в 1916 году.

Прозаик и стихотворец Нина Николаевна Берберова (1901–1993) в своей лучшей, мемуарной книге *Курсив мой* вспоминает как раз тяжелый бунинский нрав. И рассказывает, как он ярился, когда ему говорили, будто он похож на Лермонтова или Толстого. «Я — от Гоголя. Никто ничего не понимает. Я из Гоголя вышел».

Берберовой это кажется «еще большей нелепицей», чем приписка к Толстому, но справедливо ли? Душа Гоголя, стремившегося быть моралистом (и ставшего им, подавив свой дар), поразительным образом беззащитна, податлива, уязвима для обаяния самых разнообразных пороков, —

иначе Чичиков или Ноздрев не вышли бы столь обольстительными. Да и не будь этой уязвимости — откуда возникла бы у автора *Мертвых душ* утопическая надежда привести Павла Ивановича к Богу? А у Бунина вовсе — как отличить добро от зла, если последнее завораживает? Если магически очаровательна сама порочность девочки-гимназистки Оли Мещерской — или во всяком случае несущественна и простительна по сравнению с данным ей (кем? Дьяволом? Богом?) «легким дыханием»?

«Недуманье» — такой синоним для «легкого дыхания» нашел сам Бунин, пробуя объяснить, как и ради чего написался рассказ. «Недуманье» — как свобода от «социального заказа», как акт «чистого искусства». Но тем же — по-своему — были и *Суходол* и даже *Деревня*, еще более далекие от социального анализа, чем *В овраге* Чехова. Еще более «экзистенциальные», то есть неотрывные от самой природы существования.

Как и о чем писать? — долго и многообразно мучается герой *Жизни Арсеньева* (1927–1938), художнической исповеди самого Бунина. И, перебрав все «значительное и важное», приходит к пониманию, в чем — для него — сущность искусства. «На Московской я заходил в извозчичью чайную… смотрел на мясистые алые лица, на рыжие бороды, на ржавый шелушащийся поднос, на котором стояли передо мной два белых чайника с мокрыми веревочками, привязанными к их крышечкам и ручкам… Наблюдение народного быта? Ошибаетесь — только вот этого подноса, этой мокрой веревочки!»

«Только» — это, конечно, сказано вызывающе. Не только, не только! Но это вызов ради освобождения от «целей», «задач», назиданий — да и от диктата приставучей отечественной критики, от которой Бунин зависел-таки, с его жаждой признания, с его ревностью к сверхпопулярности Горького или Леонида Андреева.

Свободу от всего этого он и обрел, написав в эмиграции сборник рассказов *Темные аллеи* (первое издание — 1943). С полным вниманием к этой «веревочке», с чувственностью на острой грани риска… Со старческой чувственностью? С «заметной болезненностью»? С излишне натуралистической «пряностью»? (Так попрекал его ригорист Александр Твардовский, впрочем, больше всего на свете гордившийся тем, что его *Василия Теркина* сам «Ванька Бунин похвалил».) Пусть даже и так, — как бы то ни было, и в этом отношении Бунин разрешил себе наиполнейшую свободу.

После грозы

Темные аллеи — это, помимо прочего, хотя и на новом, «европейском» уровне (соседствуют как-никак, подстегивая честолюбие, и Франсуа Мориак, и Марсель Пруст), как бы и возвращение к *Суходолу*. К завороженности

166

былым — это так понятно в отрыве от родины. Вообще большая часть русской прозы в изгнании начнет взапуски воскрешать, восстанавливать в памяти это былое, также пользуясь обретенной свободой — на сей раз свободой от российской реальности, которая там и тогда вовсе не казалась такой, какой пригрезилась в ностальгической эйфории.

Это произойдет даже — или тем более — с сатириком Сашей Черным, он же Александр Михайлович Гликберг (1860–1932). «Вы заметили, что с ними со всеми происходит в эмиграции? — спросит А.А. Ахматова Л.К. Чуковскую. — Пока Саша Черный жил в Петербурге, хуже города и на свете не было. Пошлость, мещанство, смрад. Он уехал. И оказалось, что Петербург — это рай. Нету ни Парижа, ни Средиземного моря — один Петербург прекрасен».

Правда, Михаил Андреевич Осоргин (1878–1942), высланный из советской России в 1923 году, на знаменитом «философском пароходе», увозившем в вынужденную эмиграцию избранные умы, напишет пять лет спустя роман *Сивцев Вражек*, где Москва не будет выглядеть идиллически. Да это было б и мудрено, ибо речь о Москве мировой войны, революций, репрессий. Но, скажем, Иван Сергеевич Шмелев (1873–1950), в предреволюционные годы прославившийся жесткой повестью *Человек из ресторана* (1911), теперь тоже будет видеть былую Россию совсем в ином свете. Напишет не только повесть *Солнце мертвых* (1923) — о красном терроре в Крыму, унесшем жизнь его сына, но и *Лето Господне* (1927–1944), книгу, где прежняя жизнь, ее православный уклад воспеты с той пронзительностью умиления, которая сама по себе говорит о боли утраты.

Хотя с особой наглядностью эволюция от обличительной критики к идеализации российской действительности «до катастрофы» предстает в творчестве Александра Ивановича Куприна (1870–1938).

Самый знаменитый — после Бунина — прозаик первой эмигрантской волны, он, в отличие как раз от того, и раньше был художественно эклектичен. Даже вещи, написанные в самую пору его литературной зрелости, кажутся достоянием разных авторов: вот собственно купринские, только купринские *Штабс-капитан Рыбников* и *Гамбринус* (1906, 1907), а следом (1908) идет *Суламифь*, топорная вариация на тему библейской *Песни Песней* с царем Соломоном, по выражению Горького, больше похожим на ломового извозчика. А уж что говорить о романе *Яма* (1909–1915), душещипательном повествовании из жизни публичного дома... Но на чужбине, во Франции, Куприн как-то уж слишком быстро утратил даже остатки своей удивительной зоркости ко всем проявлениям жизни, познанной им всесторонне.

Кем только не был Куприн (обо всем и поведав): репортером, суфлером в провинциальном театре, землемером; рыбачил на Черном море; служил учетчиком на рельсопрокатном заводе, — а начал с кадетского корпуса и армейской службы. О чем и написал свои сочинения из разряда лучших — повести 1900 и 1905 годов *На переломе* (*Кадеты*) и *Поединок*. И если герой второй из них, поручик Ромашов, слабый, милый и гибнущий, — не поручик Куприн (тот, слава Богу, выжил, хотя сам сетовал, что вынес из армейщины много дурного, включая алкоголизм), то с *Кадетами* дело иное. Об этой вещи, где корпусной быт груб и губителен для души, он сказал, что ее главный герой Буланин — «это я сам, и воспоминание о розгах в кадетском корпусе осталось у меня на всю жизнь...»

И вот в 1928–1930 годах печатается главами роман *Юнкера*, в котором даже несомненная автобиографичность не может преодолеть совершеннейшей благостности. То есть опять же все так понятно: ностальгия по России и молодости, и надо было стать Владимиром Владимировичем Набоковым (1899–1977), писателем иного склада и, что не менее важно, человеком другого поколения, чтобы сама ностальгия перестала быть ностальгией в собственном смысле. Понятием, где главенствует греческое «ностос», «возвращение». «Моя тоска по родине, — предупредил сам Набоков в писанной уже по-английски книге *Другие берега*, — лишь своеобразная гипертрофия тоски по утраченному детству».

«Лишь...» Центростремительность. Эгоцентризм. Вытеснение одной тоски другою, отказ от привязанности к географическому и историческому понятию по имени «Россия», — даже если это намеренное усилие, которым Набоков надеется переспорить утрату не только детства, но и страны.

На первых страницах романа *Защита Лужина* (1929–1930) герой, еще мальчик, которого везут с дачи в город, дабы отдать в школу, сбегает обратно. Туда, где его зовут по имени, а не по фамилии, где домашнее тепло, а не «нечто, отвратительное своей новизной и неизвестностью». И, собственно, вся русская проза Набокова, пока еще пользовавшегося псевдонимом «Сирин», есть как раз этот побег.

Вернее, почти вся. Ее лучшая часть. Сперва был роман *Машенька* (1926), но, при всей уверенности письма, описать пансион, где обитает герой-эмигрант, точно так же мог и Куприн. Есть чисто бунинские странички. Только финал, в котором герой, мечтавший о встрече с любимой и идущий встречать ее на вокзал (ради этого счастья даже напоив и усыпив ее мужа), вдруг необъяснимо отказывается от встречи, — только этот финал смутно предскажет будущего Набокова, любителя психологических аномалий.

Впрочем, когда он, почувствовав неудачу *Машеньки*, метнется в другую сторону, напишет роман *Король. Дама. Валет* (1928) — в подчеркнуто европейской традиции, с влиянием немецкого экспрессионизма, с элементами немудрящей фантастики, — это тоже будет как бы пунктирный набросок одной из линий набоковского творчества. Конкретней — романа *Приглашение на казнь* (1935–1936), насчет которого нам придется поверить ему, будто он не читал *Процесса* Кафки и сходство случайно. Но затем он все же вернется к себе — в буквальнейшем смысле: жадно, подчас без разбора, что и оправдано жадностью, вместит и в *Защиту Лужина* и в роман *Подвиг* (1931–1932) подробности своего детства, портреты преподавателей, университет, спорт. Автобиографичность можно будет особенно оценить, когда выйдут *Другие берега* (1951, перевод на русский — 1954), где стержневому герою уже не понадобятся выдуманные имена — Ганин, Лужин, Мартын... И Годунов-Чердынцев: этот герой *Дара* (1937), лучшей книги русского Набокова, с наибольшею полнотой вберет в себя личностные черты автора.

Прямая автобиографичность? Нет, даже при том, что Набоков отдал Чердынцеву свои собственные стихи (естественно, сплошь посвященные детству, что объединило автора и героя крепче крепкого). Но — адекватность себе самому. Настолько полное воплощение собственной личности, вплоть до исчерпанности ее главных свойств, что за этим, кажется, непременно должен был последовать выход куда-то вовне.

Кстати сказать, и последовал — да куда! За пределы русского языка, когда произошло рождение англоязычного писателя Набокова. И уж этот писатель действительно станет уходить от себя самого. Будет подобен дереву, у которого сила идет больше в ветви, чем в ствол. То, что было второстепенным и казалось неорганичным, окажется органичным и первостепенным, — о чем «В. Сирин» покуда даже не подозревает. Так, в *Даре* пошляк-персонаж говорит Чердынцеву: «Эх, кабы у меня было времечко, я бы такой роман накатал...» — и рассказывает фабулу *Лолиты*, по крайней мере, намек на нее; фабулу романа, который окончательно и ознаменует выход Набокова «из себя».

Исаак Бабель, побывавший в Париже, сообщил советскому собеседнику, что есть там писатель Сирин: «Писать умеет, только писать ему не о чем». А Нина Берберова, в сущности, сверстница Набокова, скажет, итожа его творческий путь: «Все мое поколение было оправдано». Понимай: поколение литераторов-эмигрантов, в набоковском лице заполучившее *такую* воплощенность, *такую* мировую славу...

Две эти фразы — две вехи, между которыми противоречия, как это ни удивительно, нет. Берберова вряд ли сказала бы то, что сказала, если б Набоков остался Сириным — в пределах русскоязычности и «местной» известности. Бабель же был прав со своей точки зрения: автор *Конармии* и галереи одесских типов не считал, что писать героев с себя самого — достойное занятие; с этим, по сути, в конце концов согласился и сам Набоков, сочинив *Лолиту* или *Пнина*. Ему стало «о чем писать», внешний мир прекратил верчение вокруг него самого и его российского детства, но зато, может быть, ничего равного *Дару* он больше не написал. Исключение — *Другие берега*, лишь переведенные им на русский, однако тут уж прямая автобиография, где от себя и захочешь, да не уйдешь.

Гражданская казнь Чернышевского. Обряд опозорения. Рисунок очевидца

Дар вообще переломная книга. Даже стилистически.

В центре ее, как известно, сочинение Годунова-Чердынцева о Чернышевском, стилизация биографического ученого очерка... Хотя — так ли? Стилизация — да, но если Набоков здесь что-то или кого-то и стилизует, то — себя самого. Свое мировосприятие. Он, мистификатор, играет в биографа, выявляя в этой игре свою сущность, сущность своего взгляда на искусство; «ход коня, перемена теней, сдвиг, смещающий зеркало». Это способ самовыражения Набокова, «искателя словесных приключений».

Бедняга Николай Гаврилович Чернышевский, чья биография сдержанно-издевательски изложена не столько Годуновым-Чердынцевым, сколько Чердынцевым-Набоковым (нет сомнений, что и без всяких мистификаций Набоков написал бы ее примерно так же), раздражает Владимира

Владимировича, ну, во-первых, как тот, кто чужд ему по образу мыслей. Лишь во-вторых, как слабый стилист, что «настоящий» Чернышевский и сам со всей честностью признавал, хотя стиль для Набокова — едва ли не все.

Это само по себе — примета XX века, о поэтах которого русско-советский прозаик Василий Гроссман сказал, как, впрочем, мог бы сказать и о прозаиках: раньше, мол, были писатели-хлебопеки, теперь пришли ювелиры. Вообще набоковский стиль — тема отдельная и богатая, а я лишь замечу, что он — структура столь же эгоцентрически замкнутая, как и сама душа его автора. Так что, скажем, бессмысленно рассуждать, хорош ли образ: сердце засыпающего человека, которое погружается «в снег сна». Критерии вкуса — только свои, и как отделить каприз от объективной удачи?

В-третьих, и в главных, Чернышевский чужд и неприятен Набокову в качестве литератора, уповавшего на «содержание» и на снисходительность читателей, способных простить за это дурной стиль: «Из-за содержания они забывали о том, какова форма изложения» (Чернышевский — сам о себе). Для Набокова с его «сдвигом, смещающим зеркало», само по себе первенство, отдаваемое «содержанию», выглядело до омерзения пошло. (Отчего, вероятно, и Достоевский как «писатель идеологической школы» был им признан «рупором тяжеловесных банальностей» — чем не двойник Чернышевского?) Не зря в очерке Годунова-Чердынцева как условие игры, как норма набоковских отношений с реальностью входят и передержки, и прямая неправда касательно биографии презираемого «демократа». И так же, как в случае со «снегом сна», нет смысла спрашивать, хорошо это или не очень, не имеет значения, нарочно или по оплошности памяти реальный поэт и провокатор Всеволод Костомаров вдруг именуется Вячеславом...

«Что за дело им? Хочу» — мог бы сказать Набоков вслед за любимым Пушкиным, и «хотение», ежели не единственный, то существенный для него критерий.

Что это? Самозащита от жестокости мира, среди прочего допустившего потерю родины? Или, напротив, следствие того, что сама родина была «лишь» гипертрофией тоски по детству? Как бы то ни было, здесь — нежданное сходство с писателем много старше Набокова годами, попавшим в эмиграцию сорока с лишним лет. Но — именно как писатель — словно бы не заметившим перемещения в пространстве.

«Словно бы» — потому что, в отличие от Набокова, он, Алексей Михайлович Ремизов (1877–1957), тосковал о России чуть ли не жесточе всех своих сверстников.

Парадокс: с одной стороны, он со своей анекдотической бытовой беспомощностью и с внешностью чудака-юродивого нелепей нелепого выглядел в Париже. Но, с другой — тамошней тесной квартирки ему хватало, чтобы будто по-прежнему обитать в Замоскворечье.

Евгений Иванович Замятин (1884–1937), в особенности как автор повести *Уездное* (1913) и вообще той прозы, о которой Константин Федин сказал: его «нехитро угадать по любой фразе», — такой Замятин стилистически шел за Ремизовым, как тот — за Лесковым. По крайней мере пока не написал мрачнейший роман-антиутопию *Мы* (1920) об операции лоботомии, произведенной над целым обществом; роман намеренно обесцвеченный, «безъязыкий», ориентированный на прозу Запада да и попросту словно переведенный с иностранного. И вот Замятин-то, возможно, по причине литературного родства точней всех сказал о Ремизове: он «все еще тянет соки из той коробочки с русской землей, какую привез с собой в Берлин».

Смысл высказывания двояк, потому-то оно и точное. В ремизовской квартирке-коробочке хватало родных соков до самой его смерти, — но, что там ни говори, речь ведь и об ограниченности. Об уходе в домашность, вполне, однако, сознательную.

Все вспоминающие Ремизова едва ли не первым делом вспоминают «Обезвелволпал» — Обезьянью великую и вольную палату, в которую он, придумав ее, играл постоянно. «Обезьяний орден придуман Ремизовым по типу русского масонства. Был в нем Блок, сейчас Кузмин состоит музыкантом Великой и Вольной Обезьяньей Палаты... И я принят в этот обезьяний заговор, чин дал сам себе «короткохвостый обезьяненок» (Виктор Шкловский). «Он производил в кавалеры, в князья, в епископы друзей-писателей: Е.И. Замятина, П.Е. Щеголева, «Серапионов». Я числился «кавалером с жужелиным хоботком» (Илья Эренбург).

Игра не то что сливалась с реальностью, — она ее воплощала. Зачем? «Мы юродствуем в мире для того, чтобы быть свободными. ...Ремизов живет в жизни методами искусства», — формулировал в книге *Zoo, или Письма не о любви* тот же Виктор Борисович Шкловский (1893–1984).

«Мне представляется так, — искал и определял свое место в словесности сам Ремизов: — к Гоголю тропа — надо взять на себя подвиг; к Достоевскому — надо душу измаять; к Лескову — блоху подковать». Вот и выбрал роль кузнеца-ювелира, творца и дегустатора самоценного слова: «Слово люблю, первозвук слова и сочетания звуков; люблю московский напевный говор, люблю русские природные ощущения слов (эллипсис), когда фраза глядится, как медовые соты, люблю путаницу времен — движущуюся строчку с неожиданным скачком, и — сел; чту и поклоняюсь разумному слову — редчайшее среди груды тусклых дураковатых слов безлепицы, но приму с радостью и безумную выпукль и вздор, сказанное на свой глаз и голос...

Хочу писать, как говорю, а говорить, как говорится... Вот и я, с моим русским ладом и закорючкой, нашел-таки себе определение — место в литературе».

Тут и образчик ремизовского слога, и анализ этого образчика.

Вообще, читая подобное, непросто вообразить, что за пределами сотворенного Ремизовым мира, хотя бы и в молодости, могли быть — увлечение марксизмом, арест, вологодская ссылка. Как и то, что начинал он с «нормальной», «реалистической» прозы автобиографического характера. Очень скоро, однако, его самобытнейшая «вторая реальность» прервет доверительные отношения с реальностью «первой», подлинной. И, скажем, более поздняя проза — *Взвихренная Русь* (1924), книга трудно определимого жанра, тоже — по видимости — претендующая на автобиографизм, предстанет как... Как что? Но это и вправду трудно определить.

Как домашний дневник? Отчего бы и нет, если в ней, как в записной книжке, имена, имена, имена — громко известные и неизвестные никому: писатели Горький, Пришвин, Розанов, Короленко, Андрей Белый, Алексей Толстой — и соседи, прислуга, домовладелица по кличке Вагоновожатый, некая Нюшка, «трамвайная метельщица». Как мистификация? Сон? Бред? Абсурд? Опять же — очень возможно, ежели оная Нюшка обернется Анной Карениной, среди персонажей объявится сосед Вавилонов с «вавилонской собакой Бобиком»... И т.п.

Взвихренная Русь... Да, вихрь, который все вздыбил, поднял и несет — неведомо куда, неведомо зачем. «Бесформенность», повторяя за Буниным, но, в отличие от него, бесформенность (и это уже не парадокс) как литературная форма. Осознанно выбранная, а может быть, и исторически вынужденная.

У Ремизова вихрь (или «мусорный ветер», как скажет идущий следом Андрей Платонов) — стихия революции. Но уже прежде этого вихря начались подземные гулы, толчки, предостерегавшие о катастрофе. Только не все их смогли расслышать. Литература — смогла.

Деление на два

«Во мне происходит разложение литературы, самого существа ее...» Чего нету в словах, сказанных тем, без кого Ремизов не представлял «взвихренной Руси», то есть Василием Васильевичем Розановым (1856–1919), так это — самоуничижения.

А гордость — есть ли? Если есть, то тщательно скрытая. Зато явно наличествует констатация непреложного факта.

Противоречивейший философ. Эссеист, которого можно назвать парадоксальным лишь в том смысле, что он, не ища парадоксов, всего-навсего обнажал-выворачивал собственную натуру, действительно и парадоксальную, и противоречивую. Создатель уникального стиля, который — примерно, как и у Ремизова — не просто индивидуальная черта его сочинений, но бродильное начало, заставившее забродить многих (например, того же Виктора Шкловского).

Н. Ремизов. Шарж *Горький и его тень*. Тенью Горького изображен Андреев

Портрет Андреева и символическая фигура *Некто в сером* на открытке

Что еще? Тончайший и истинно родственный духом толкователь Достоевского (а если толкования далеко уводят от первоисточника, то, возможно, это и есть проявление, продолжение родственности?). Богослов, публицист, критик, неординарный до еретичества в каждой из ипостасей. И этот-то человек, по отзыву Горького, «почти гениальный» (а говорит ведь далеко, далеко не единомышленник), бывал окружен тщательно подчеркиваемым общественным презрением.

Да и как иначе? «Далеко не единомышленник», — сказал я о «буревестнике» Горьком. Но был ли Розанов единомышленником себе самому? Широко известно — и как раз особенно презираемо — то, что он под псевдонимом печатал в либеральной газете *Русское слово* прямо обратное тому, что утверждал в консервативном (даже «реакционном») *Новом времени*. И ничуть того не стеснялся: «Мне ровно наплевать, какие писать статьи, «направо» или «налево». Все это ерунда и не имеет никакого значения».

А такие сентенции? «Даже не знаю, через «$» или через «е» пишется «нравственность». Или: «Я сам «убеждения» менял, как перчатки, и гораздо больше интересовался калошами (крепки ли?), чем убеждениями (своими и чужими)». « — Какой вы хотели бы, чтобы вам поставили памятник? — Только один: показывающим зрителю кукиш».

Все это более чем естественно для того, кто сказал: «Лучшее в моей литературной деятельности — что десять человек кормились около нее. Это определенное и твердое. А мысли?.. Что же такое мысли... Мысли бывают разные». Для того, у кого выразительно характерны указания, где именно посетила его та или иная мысль из россыпей, представленных книгами *Уединенное* (1912) и *Опавшие листья* (короб 1-й — 1913, 2-й — 1915). Допустим: «за вечерним чаем», «умываясь утром», «в лесу на прогулке», «за нумизматикой». Даже — «в кабинете уединения» (вот уж действительно «уединенное»!) или: «перебрав в пепельнице окурки и вытряхнув из них табак в свежий табак».

И мыслями, достойными публикации (при демонстративном безразличии к тем, кто их будет читать), является — всё. От замечания: «Русское хвастовство, прикинувшееся добродетелью, и русская лень, собравшаяся «перевернуть мир»... — вот революция» до... До чего попало.

«Почтмейстер, заглядывавший в частные письма (*Ревизор*), был хорошего литературного вкуса человек». Так Розанов реабилитировал перлюстратора Шпекина — не остроумия ради, а ради принципа (при всей видимой беспринципности). Тут все принципиально: и фото детей и семьи, приложенные к изданию *Опавших листьев*, и проклятие изобретателю печатного станка Гутенбергу, который «облизал своим медным языком всех писателей, и все они обездушились «в печати», потеряли лицо, характер». Ценно и самоценно все домашнее, частное. Ценен и самоценен он сам, Василий Васильевич, каков уж есть: «На мне и грязь хороша, п. ч. — это я». «С выпученными глазами и облизывающийся — вот я. Некрасиво? Что делать».

И — вопрос. Если вполне самодостаточны «я» и все «мое», если на «мне и грязь хороша, можно ли говорить об измене себе самому, когда «я» в либеральном издании перечу тому, что сказал в консервативном? Скажем, в одних случаях выступаю как антисемит, в других предстаю юдофилом?..

Цинизм слит с простодушием. «Хитер нараспашку!» — неприязненно оценил Розанова Андрей Белый, но где же хитрость, к примеру, в том, что осенью 1918-го он, придя в московский Совет, объявил: я — монархист Розанов, которому страсть как охота глянуть на Ленина или Троцкого? (Не говорю уж о его страшной кончине — в сущности, от голода, когда он по-детски вопил в письме к Мережковскому: «Творожка хочется, пирожка хочется». И, уже безо всякой «розановщины», взывал к Горькому: «Максимушка, спаси меня...», будто нарочно опровергая подозрения в имитации юродства: «Дорогой, я смеюсь, но это не цинизм. О, не цинизм».)

И все-таки именно Розановым сказано: «С великих измен начинаются великие возрождения». Напечатанное в 1915 году, это звучит как определение — если не духа времени, то одного из его поветрий. И выглядит как эпиграф к рассказу Леонида Андреева *Иуда Искариот и другие* (1907), даром что тот же Розанов обвинил автора в кощунственном своеволии по отношению к Евангелию.

Нынче трудновато (и поучительно) представить, что Леонид Николаевич Андреев (1871–1919), по чеховской иерархии, писатель не «вечный», а «просто хороший», пользовался оглушительной славой. Сопоставимой только со славой Горького — Чехов с ними тягаться никак не мог.

Тем не менее — было. Чему причиною — не только талант Андреева, но и способность рождать «отклики» (как один критик окрестил его произведения, всегда поспевавшие вовремя). В самом деле! *Жизнь Василия Фивейского* (1904) — повесть о священнике-богоборце, настолько пришедшаяся к эпохе духовных смут, что целый ряд подлинных иереев объявили себя прототипами заглавного героя. *Красный смех* (1905) — взрыв пацифизма, приуроченный к драме русско-японской войны. *Тьма* (1907) — рассказ, опять-таки отразивший настроение момента. Революционер, скрывающийся от погони, находит у проститутки не только убежище, но избавление от революционных иллюзий, — что могло лучше выразить общее разочарование? И все же ничто так не возбудило общественность, как тот же *Иуда Искариот* и рассказ *Бездна* (1902), где гимназист, иллюстрируя тезис о скверности человеческой породы, становился замыкающим в очереди подонков, насилующих его любимую девушку...

Лучший критик предреволюционной России Корней Чуковский писал, что андреевские сочинения «откровенно написаны на заборе», к тому ж — помелом. Что они «взращены современною нашей газетно-бульварно-аэропланно-афишно-фельетонно-площадною культурою». И Андреев в письме к задорному критику согласился: «что помело, то помело», как, случалось, не споря с хулителями рассказа *Бездна*, весело повторял сочиненный им же стишок: «Будьте любезны, не читайте *Бездны*». (Хотя известно и то, что, затаив обиду, назвал Чуковского «Иудой из Териок»: смысл каламбура понятен, а Териоки — дачное место близ Петербурга.)

«Помело» — это сказано прежде всего о пьесах Андреева, претендующих на символичность, таких, как *Жизнь человека* (1907), *Царь-голод*, *Анатэма* (обе — 1908). Трудней применить этот размашистый титул к пьесам более бытовым, тем паче — к значительной части прозы. Там не встретишь схематизации, предстающей в ремарках из *Жизни человека*: «...За Человеком идут его Друзья. Все они очень похожи друг на друга:

176

Зарисовки В. Брюсова во время работы над *Огненным ангелом*

благородные лица, открытые высокие лбы, честные глаза. ...Следующими, за небольшим интервалом, идут Враги Человека, очень похожие друг на друга. У всех у них коварные, подлые лица, низкие, придавленные лбы, длинные обезьяньи руки». Но это именно схема того общего свойства поэтики Леонида Андреева, которую тот же Чуковский еще в 1911 году определил как «экспрессивность».

Сегодня он, вероятно, сказал бы: экспрессионизм. «Химеры, чудовища, шарж, буффонада — всякое нарушение пропорций и норм» — все это стало в XX веке признаками целого художественного направления, и в заслугу автору *Жизни человека*, в похвалу его органичности стоит сказать вот что. «Нарушение пропорций», и именно «всякое», было у него не рассудочно выбранным приемом, а свойством натуры. Все тот же Корней Чуковский, вспоминая Андреева, рассказывает, как он, то, увлекаясь своей яхтой, вдохновенно играл морского волка, то превращался в художника,

Л. Бакст. К стихотворению А. А. Блока *Незнакомка*

плодовитого, будто Рубенс, то становился фанатиком цветной фотографии. Ни в чем не зная меры.

Однако, правда и то, что «помело» и «забор» означали поспешность, поверхностность «откликов», всегда благодарно воспринимаемых публикой — именно за поспешность. «Рожденный толпою, он льнет к толпе...» (снова Чуковский), и в нашумевшем рассказе *Иуда Искариот и другие* как раз шла речь, утешительная для толпы.

Каков бы ни был андреевский замысел, кстати, весьма понравившийся его другу, «буревестнику», но для того, чтоб этот замысел появился (и не в одиночестве — стихов и драм об Искариоте тогда было немерено), нужны были и некие сдвиги в сознании общества и его литературы. «Хочу,

Ю. Рыжик. К стихотворению А. А. Блока *Город*

чтоб в море плавала / Свободная ладья. / И Господа и Дьявола / Хочу прославить я». Так, например, понимал свободу, так бестрепетно делил свою душу надвое Валерий Яковлевич Брюсов (1873–1924). «Герой труда», как полууважительно, полуиронически назвала его Марина Цветаева, имея в виду и редкую образованность Брюсова и то упорство, с каким он преодолевал свою поэтическую малодаровитость. («Стенобитный таран» — сказал о нем и Андрей Белый — тоже со смешанными чувствами.)

Так и есть. С одной стороны, почтенна и велика роль Брюсова-культуртрегера: переводы античных поэтов, Верлена, Верхарна, Данте, Гете, армян, участие в возвращении к читателю Тютчева, Фета, Каролины Павловой. Но с другой — чуждый самой природе поэзии рационализм, с

Г. Траугот. Иллюстрация
к стихотворению А. А. Блока
«О доблестях, о подвигах, о славе...»

Г. Траугот. Иллюстрация
к стихотворению А. А. Блока
В ресторане

каким он, уловив перемены в духовном сознании, трезво расчислил выгоду, угадал моду, возглавил перспективное движение.

Да и кому было стать организатором и главой, как не ему, не столько приспособившемуся к моменту, но сам момент приспособившему к себе? «Давно пора нам бомбардировать Токио. ...Я люблю японское искусство. Я с детства мечтаю увидеть японские храмы, музеи... Но пусть русские ядра дробят эти храмы и музеи и самих художников...» Это, понятно, настрой периода русско-японской войны, родивший соответствующие «отклики»: стихотворения *К Тихому океану, На новый 1905 год.* Вот — революция того же 1905-го и «отклик» существенно иной: «Бесследно все сгибнет, быть может, / Что ведомо было одним нам, / Но вас, кто меня уничтожит, / Встречаю приветственным гимном». Год 1914-й — и опять патриотический пафос без сомнений и оговорок, опять хвала победной войне: «То вновь крестоносцы с высоты броненосцев / Засыпают снарядами валы Дарданелл». Наконец, большевистская революция. Стихи, все выразившие в одном заглавии: *От Перикла до Ленина*. Вступление в коммунистическую партию...

Потому он, Брюсов, как и Сальери у Пушкина, тоже «герой труда», поверяющий алгеброй гармонию, отлично гляделся в роли главы символизма. Течения (излагаю по необходимости схематично), которое отрицало психологизм традиционной словесности как недостаточный и бессильный постичь подспудную жизнь души. Не то что — символ, сам непостижный и многозначный, наделенный обобщающей силой, вправду как алгебраический знак. Сальери-Брюсову все это было весьма с руки, в то время как Блоку, чей талант неподвластен даже ему самому, в любых границах оказывалось трагически тесно.

Есть один критерий истинности поэтического слова — цена, которой оно оплачено. Женолюбивому Брюсову, вполне «натуралу», ничего не стоило шокировать публику строчкой: «Мы натешимся с козой...» (в той же мере, в какой призыв бомбардировать японские храмы, будучи «звуком пустым», соседствовал в изъявлении любви к ним). Блок же за все платил жизнью и счастьем. Тогда ли, когда «ради идеи» превратил жену Любовь Дмитриевну, полнокровную женщину, в бесплотный символ Прекрасной Дамы, а ее и свою интимную жизнь в уродство и ад. Тогда ли, когда воззвал: «Слушайте Революцию»; совершил насилие над своей культурной памятью, оправдав погром собственного имения с дорогой его сердцу библиотекой; написал поэму *Двенадцать* (1918), где принудил Христа возглавить шайку красногвардейцев. И — надорвался, разучился писать стихи, умер с сознанием: «Слопала-таки поганая, гугнивая матушка Россия как чушка своего поросенка».

Хотя — не это ли случай самоуничтожения? Самопожирания?..

«Есть в напевах твоих сокровенных / Роковая о гибели весть. / Есть проклятье заветов священных, / Поругание счастия есть. / И такая влекущая сила, / Что готов я твердить за молвой, / Будто ангелов ты низводила, / Соблазняя своей красотой». Это — *К Музе* (1912), одно из самых «программных» блоковских стихотворений, — и, конечно, это не Брюсов, готовый равно, с математическим хладнокровием, прославлять Бога и Дьявола, Добро и Зло. Но и Блоку освобождение чудится в преодолении стародавних заветов Добра. Вплоть до то ли мазохизма, то ли садизма: «И была роковая отрада / В попираньи заветных святынь...» Пуще того: «И когда ты смеешься над верой, / Над тобой загорается вдруг / Тот неяркий, пурпурово-серый / И когда-то мной виденный круг».

А пурпуровый цвет, венчающий Музу Блока, — цвет инфернальный. Адский. Свечение, исходящее от головы Дьявола.

«Зла, добра ли? — Ты вся — не отсюда». Но если Зло не отделить, не отличить от Добра, если сама нездешность блоковской Музы исключает подобное, можно ли надеяться на постижение высшей правды? (На что надеялись Пушкин, Достоевский, Толстой.) Тут уж действительно: «Нет правды на земле. Но правды нет — и выше» (Пушкин, *Моцарт и Сальери*). То есть сальерианство как неверие в единый критерий для гениев и простых смертных прорастает и в Блоке, художнике моцартианской породы.

Как похоже — и как непохоже! — то, что утверждал Пушкин в стихотворении *Поэт* (1827) и что утверждает Блок в стихотворении *Поэты* (1908).

«Пока не требует поэта / К священной жертве Аполлон...» — и далее общепамятное: о праве стихотворца быть «всех ничтожней», но лишь до поры, до времени. Когда, наконец, «божественный глагол» пробудит душу, и она встрепенется для вдохновения.

Н. Дмитревский. Иллюстрация к *Балаганчику* А. А. Блока

Афиша вечера А. А. Блока в Большом драматическом театре в Петрограде

А вот Блок, вот его поэты, вот их бытовое ничтожество: «Когда напивались, то в дружбе клялись, / Болтали цинично и пряно. / Под утро их рвало. Потом, запершись, / Работали тупо и рьяно». Каждое слово — очередное садомазохистское уничижение. И все же: «Так жили поэты. Читатель и друг! / Ты думаешь, может быть, — хуже / Твоих ежедневных бессильных потуг, / Твоей обывательской лужи? / ...Пускай я умру под забором, как пес, / Пусть жизнь меня в землю втоптала, — / Я верю: то Бог меня снегом занес, / То вьюга меня целовала!»

Пушкинская антитеза: поэт в «заботах суетного света» — и тот миг, когда его душа разбужена для творчества. Антитеза Блока: две души, два субъекта. Обыватель — и поэт, который, даже и пребывая в ничтожестве и свинстве, все равно лучше «читателя и друга». «Ты будешь доволен собой и женой, / Своей конституцией куцей, / А вот у поэта — всемирный запой, / И мало ему конституций!»

Само избранничество, по Пушкину, — отнюдь не всегдашнее состояние души. Оно — обязанность, долг поэта. По Блоку, избранничество — некое право считаться лучше и выше «простого человека».

Блок клялся именем Пушкина. Он и в предсмертных стихах *Пушкинскому Дому* (1921) сказал, что «мы» пели «вослед тебе!» И — то же, что «ты»: «тайную свободу». Но в целом это уже не пушкинское, а даже анти-пушкинское сознание.

Как и «антидостоевское».

У Достоевского была двойственность цельности. Как бы двое в одном, пусть даже «желчный экстатик» вкупе с гением, излучавшим добро, пусть юдофоб вкупе с глашатаем всемирной русской отзывчивости. У «почти гениального Розанова», у гениального без оговорок Блока (и, как бывает с прямолинейностью, наглядней всего у Брюсова) — не двойственность, а раздвоенность. Здесь — один, разделенный, разорванный надвое, притом эти части несовместимы. Как Зло и Добро. Как Дьявол и Бог.

Такое разное серебро

Нелепо и поздно оспаривать то, что утвердилось прочно и, видимо, навсегда. «Серебряным веком» принято именовать начало XX столетия, которое считается русским культурным ренессансом, — именовать в противовес «золотому веку» пушкинского периода нашей словесности. Поэзии — прежде всего. Как говорит литературовед и мемуаристка Эмма Герштейн, этот термин придумал в середине 30-х годов, находясь в эмиграции, поэт Николай Авдиевич Оцуп (1894–1958). А Ахматова утвердила это своим авторитетом: «...И серебряный месяц ярко / Над серебряным веком стыл».

Еще и еще раз: речь, разумеется, не о том, чтобы устраивать безнадежно запоздалый и оттого смешной передел терминологии, но если прислушаться к этимологии, то «серебряным» было бы можно назвать совсем иной век, «непоэтическую эпоху» — начиная с 40-х годов XIX столетия. Ради справедливости по отношению именно к ней, которую традиционно недооцениваем.

Говорю даже не о трагически бунтующем Тютчеве, не о страдальчески страстном Фете, — речь об уже поминавшихся Каролине Павловой и Якове Полонском, об Аполлоне Майкове, Алексее Толстом, Алексее Апухтине, Константине Случевском. О неярко-достойных, аккурат как названный благородный металл.

Дело не в игре эпитетов, а в культурной справедливости. Хотя ведь и впрямь — серебро с его, сравнительно с золотом, холодноватым блеском, с его относительно меньшей ценностью скорей уж метафорически характеризует само то время, когда великая проза отвоевала у поэзии предпочтительное читательское внимание (словно заранее уценив ее). И самих тех поэтов, чье благородство покуда не уступает великим предшественникам, но независимость их искусства от злобы дня трактуется как недостаток. Как недостойная аполитичность.

Названные поэты неравноценны, конечно. Например, Аполлон Николаевич Майков (1821–1897) запомнился как стихотворец преимущественно антологический, то есть ориентированный на образцы античной лирики. Как автор хрестоматийный, что звучит двусмысленно. Три его самых известных стихотворения неизменно печатались в школьных хрестоматиях, доказав тем самым, что они — образцы. Образцы стихотворной исторической беллетристики (*Кто он?* — отгадка, доступная школьнику: Петр Великий), внятного живописания природы и быта («Весна! выставляется первая рама...») или того, как надобно косвенно, а не грубо, не в лоб, внушать идею патриотизма (*Емшан*).

«Оптовый магазин» — сказал о поэзии Майкова Фет, имея в виду как раз то, что в ней товар на любой вкус, только «не найдешь той бархатной наливки, какою подчас угостит русская хозяйка...» И вот уж в чем не упрекнешь Алексея Константиновича Толстого (1817–1875).

Дело не том, что многие из его стихотворений на виду, на слуху, ставши романсами, — наоборот, в таких случаях стихи не часто остаются стихами, не поглощенными, не стертыми знаменитой мелодией. Сохранившими оригинальную прелесть, как сохранили ее *Средь шумного бала...», «Звонче жаворонка пенье..., «Не ветер, вея с высоты...», «Колокольчики мои...», «То было раннею весной...»* и т.д. Чего не скажешь, допустим, об Алексее Николаевиче Апухтине (1840–1893). Да, и он не забылся как соавтор романсов *Пара гнедых* или «*Ночи безумные, ночи бессонные...»*, но сам настрой на романсовую надрывность предсказуемо ограничивал стихотворные тексты этого талантливого полудилетанта. Назначал им роль, так сказать, прикладную.

Алексей Толстой — дело другое!

Граф, отпрыск сразу нескольких старых родов (Толстые, Перовские, Разумовские), друг императора Александра II, он не печатал стихов до тридцати семи лет. Не столько потому, что был занят службой, дипломатической, военной, придворной, — именно «непоэтическая эпоха» не располагала к тому, чтоб обнародовать излияния души. Тем более, что душу удавалось отводить в литературной игре с друзьями, братьями Жемчужниковыми, из чего и возник пародийный характер Козьмы Пруткова.

Впрочем, и раздвоения — на литературно-частную и общественно-служебную жизнь — не было. В этом смысле Толстой не похож на талантливейшего Константина Константиновича Случевского (1837–1904). Вот Случевский в самом деле двоился: служил добросовестно и упорно, переходя из министерства в министерство всякий раз с повышением и дослужившись до придворного звания гофмейстера, а стихи, хотя и не переставал писать, но не слишком интересовался их публикацией. Дебют его, правда, состоялся раньше, чем у А.К. Толстого, но едва «демократическая» критика на него накинулась, он надолго перестал публиковаться. Бранили его, конечно, за «искусство ради искусства», хотя «демократы», являя эстетический консерватизм, раздражались смелостью образов. Стоило, например, Случевскому выразиться с нестесненной свободой:

«Ходит ветер избочась / Вдоль Невы широкой, / Стелет снегом калачи / Бабы кривобокой», как он тут же был обвинен в «бессмыслице».

Вообще поэзия Случевского живет в некоем напряжении. В сознательно-бессознательном ожидании сопротивления или удара. «...Ты мчишься мертвым комом света / Путем, лишенным прямизны!» — скажет он о комете, о женщине, но ведь и о себе. А сравнив поэзию с Ярославной, плачущей на стене Путивля, предоставит слово тому и тем, кто мешает ему быть поэтом: «Смерть песне, смерть! Пускай не существует!.. / Вздор рифмы, вздор стихи! Нелепости оне!..» И ответит: «А Ярославна все-таки тоскует / В урочный час на каменной стене...» Все-таки. Вопреки. Значит, приходится отстаивать то, что в другую эпоху в защите бы не нуждалось — как очевидность.

А в поэзии А.К. Толстого «искусство ради искусства» не только утверждает свое право существовать, но и нагляднейше обусловлено. Оплачено судьбой. «Государь, служба, какова бы она ни была, глубоко противна моей натуре...» — так он испросит отставку у благожелательнейшего к нему императора, и мука зависимости, «какова бы она ни была» — то, что он понимал остро и лично. «Любим калифом Иоанн...» — вполне автобиографически начнет он (в поэме 1867 года *Иоанн Дамаскин*) пересказ истории знаменитого богослова — и поэта! — который оставил двор своего просвещенного покровителя: «Позволь дышать и петь на воле!» И в балладе *Илья Муромец* (1871) былинный богатырь ради того же покидает службу у князя Владимира: «Снова веет воли дикой / На него простор, / И смолой и земляникой / Пахнет темный бор».

Верил ли Алексей Константинович, что дотатарская Русь, превращенная им в страну Утопию, была такова на деле? Трудно представить, что столь исторически трезвый в своей драматической трилогии *Смерть Иоанна Грозного, Царь Федор Иоаннович, Царь Борис* (1866, 1868, 1870), — настолько, что вторую и третью части запретила цензура, — оказался наивен относительно ранних времен. Русь-Утопия была для него прибежищем и опорой, и он сам, словно взаправдашний обитатель той лучезарной псевдореальности, горько провидел из нее — по контрасту с ней — победу холопства и азиатчины. Под видом чего угодно, даже — или тем более — социализма и истерического народолюбия. «И подумал Поток: «Уж, Господь борони, / Не проснулся ли слишком я рано? / Ведь вчера еще, лежа на брюхе, они / Обожали московского хана, / А сегодня велят мужика обожать. / Мне сдается, такая потребность лежать / То пред тем, то пред этим на брюхе / На вчерашнем основана духе!» (*Поток богатырь*, 1871).

Какой безбоязненной свободой патриота надо было обладать, чтобы сочинить саркастическую *Историю государства Российского* (первая бесцензурная публикация — 1880 год)! Или сочинить балладу *Василий Шибанов* (1858), о слуге «политэмигранта» князя Курбского, которым его хозяин пожертвовал, послав с дерзким письмом к царю Ивану, но который под пытками продолжал славить «своо господина». Это уж было вольным-невольным вызовом не официозу, но «новым людям», которые и не замедлили обвинить автора в прославлении рабской преданности, — хотя если что прославлялось, так опять же свобода выбора. Который холоп Курбского делал сам. Сам!

Для понятности: как Савельич в *Капитанской дочке*. И даже как граф Алексей Константинович Толстой.

«Двух станов не боец, но только гость случайный, / За правду я бы рад поднять мой добрый меч, / Но спор с обоими — досель мой жребий тайный, / И к клятве ни один не мог меня привлечь...» Чтоб оказаться меж «двух станов» вовсе не обязательно было бросать обоим демонстративный вызов. Достаточно было оставаться самим собой, что удавалось не всем. Хотя удалось, например, Полонскому. Он, совсем к тому не стремясь, чуждый любой «тенденции», оказался — как раз по этой причине — фигурой, над коей скрестились мечи станов противоборства. Из одного стана на него обрушил несоразмерный гнев сам Щедрин, коря за «безыдейность», из другого подал голос защиты Тургенев, также хватая лишку. Дескать, Полонского будут читать, «когда самое имя Некрасова покроется забвением».

Другое дело, что внутреннюю свободу, будь ты из мелкочиновной среды, как Полонский, или аристократ, как Толстой, надо было уже отвоевывать, сознавая: «Конечно, пушкинской весною / Вторично внукам, нам, не жить...» (Случевский). Цельность давалась — если давалась — усилием. Ценой добровольного духовного изгойства, которое — все-таки! — оборачивалось и вызовом. Как у того же Толстого в том же стихотворении 1858 года: «Союза полного не будет между нами — / Не купленный никем, под чье б ни стал я знамя / Пристрастной ревности друзей не в силах снесть, / Я знамени врага отстаивал бы честь!»

Чем не благородно-холодноватое достоинство серебра? Чем не заслуженное право дать своему веку имя серебряного?..

Повторяю: не замышляю терминологического передела. Речь лишь о том, что очевидна истинная преемственность двух эпох русской поэзии, пушкинской и той, о которой сейчас говорим. Как очевидно и различие степеней ценности — в точности как преемственность и различие золота и серебра. А то, что принято называть «серебряным веком», наоборот, знаменует разрыв с теми эпохами, с той поэзией. И никакие, даже существенные, оговорки не замаскируют разрыва. Великий Пан умер! Пушкинская традиция, как бы ей ни клялись, — только великое прошлое.

Возможно, решающим рубежом стала поэзия Иннокентия Федоровича Анненского (1856–1909). Фигуры — символической. Включая то, что он, выдающийся критик современной литературы (впрочем, писавший и о Гоголе, Гончарове, Тургеневе, Достоевском), был преподавателем, знатоком, переводчиком того, что является символом культуры прошлого: античной словесности. Он и сам тяготел к символике (не к символизму,

187

куда его пробовали приписать): например, начал публиковаться под псевдонимом Ник. Т — о. Словно и впрямь хотел быть никем, да и стал — в том смысле, что оказался знаком разрыва между концом и началом.

Анна Ахматова, справедливо считавшая, что место Анненского — наравне с Баратынским, Тютчевым, Фетом, заметила, что для многих из последующих поэтов он был началом. Не подражая ему, эти поэты «уже содержались» в Анненском[1]. Николай Гумилев, напротив, увидел в нем конец, завершение: «...Был Иннокентий Анненский последним / Из царскосельских лебедей».

Верно и то, и другое. Вот Анненский, строго выдерживающий стиль классической, ясной определенности, может быть, больше всего напоминающей Лермонтова: «Среди миров, в мерцании светил, / Одной Звезды я повторяю имя... / Не потому, чтоб я Ее любил, / А потому, что я томлюсь с другими. / И если мне сомненье тяжело, / Я у Нее одной молю ответа, / Не потому, что от Нее светло, / А потому, что с Ней не надо света». И вот сонет *Человек*, самой по себе сонетной формой тем более предполагающий классичность. Однако, с первых же строк не оправдывая ожиданий, в последнем шестистрочии этот сонет и вовсе озадачивает, оглушает инструментовкой стиха и дерзкой образностью: «В работе ль там не без прорух, / Иль в механизме есть подвох, / Но был бы мой свободный дух — / Теперь не дух, я был бы Бог... / Когда б не пиль да не тубо, / Да не тю-тю после бо-бо!..» Какая бесшабашная смелость!..

---

[1] У кого есть охота заглянуть в сноску, может убедиться в ахматовской правоте. Вот примеры, приведенные ею. «Покупайте, сударики, шарики! / Эй, лисья шуба, коли есть лишни, / Не пожалей пятишни: / Запущу под самое небо — /Два часа потом глазей, да в оба!» Это, утверждает Ахматова, Анненский, напоминающий сатирические стихи молодого Маяковского. Может быть. Но вот это уж точно — словно лингвистические упражнения Хлебникова: «Лопотуньи налетели, / Болмоталы навязали, / Лопотали — лопотали, / Лопотали болмотали, / Лопотали поломали». Сравним знаменитое хлебниковское: «О, рассмейтесь, смехачи! /О, засмейтесь, смехачи! / ...О, рассмешниц надсмеяльных — смех усмейных смехачей!» И т.д.

В Анненском же Ахматова видит истоки Гумилева, кстати, учившегося в Царскосельской гимназии, где тот директорствовал. Слышит в его стихах «щедрые пастернаковские ливни», не приводя доказательств, но, коли угодно, и они могут быть предъявлены. «Вот сизый чехол и распорот, — / Не все ж ему праздно висеть, / И с лязгом асфальтовый город / Хлестнула холодная сеть... / Хлестнула и стала мотаться... / Сама серебристо-светла, / Как масло в руке святотатца, /Глазеты вокруг залила». Читавшие Пастернака не сразу поверят, что это *Дождик* Анненского.

Имен и примеров можно добавить. «Желтый снег петербургской зимы, / Желтый снег, облипающий плиты....» (Анненский). «Над желтизной правительственных зданий / Кружилась долго мутная метель...» (Мандельштам). Точно так же «содержатся» в Анненском Саша Черный, Заболоцкий, даже Есенин, даже Твардовский, именно он: «Под яблонькой кудрявою / Прощались мы с тобой, — / С японскою державою / Предполагался бой. / ...Зачем скосили с травушкой / Цветочек голубой? / А ты с худою славушкой / Ушедши за гульбой?»

Тем поразительней, что Анненский — не эклектик. Что его поэзия отличается ровностью высокого уровня, — это к началу XX века уже редкость, вскоре же станет почти невозможностью.

Строго говоря, очень ли много в трех толстых томах, где собраны стихотворения Блока, наберется таких, что стали бы вровень с цитированными *Поэтами* или *К Музе*? К таким истинно блоковским стихам, как «*О доблестях, о подвигах, о славе...*», «*О, я хочу безумно жить...*», *Итальянские стихи*, «*Ты помнишь? В нашей бухте сонной...*», *Седое утро*, *Коршун* — и т.п.? Но «и т. п.», когда стихотворения хороши почти сплошь, начнется не раньше 1909 года — тогда и будут созданы циклы и книги *Страшный мир*, *Возмездие*, *Ямбы*, *Кармен*, *Родина*. Из тех же сотен стихов, что написаны раньше, включая *Стихи о Прекрасной Даме*, блоковское надо скрупулезно вылавливать.

Есть субъективные объяснения, отчего его соперник в поэзии, теоретически оспаривавший принципы символизма и самой поэзии Блока, Николай Степанович Гумилев (1886–1921), так поздно созрел для стихотворений того уровня, который можно назвать великим. Как раз к тому часу, когда его и настигла чекистская пуля.

Причины? Отчасти, возможно, именно то, что Гумилев взял на себя роль мэтра, учителя, способного научить поэзии. Над этим издевался Блок, выразительно озаглавивший антигумилевскую статью: *Без божества, без вдохновенья*. Но главное все же в другом. «Он всегда казался мне ребенком. Было что-то ребяческое в его под машинку стриженной голове, в его выправке, скорее гимназической, чем военной. То же ребячество прорывалось в его увлечении Африкой, войной...» Конечно, в сказанном Владиславом Ходасевичем сквозит и то, что он-то с юности был даже чрезмерно взрослым, — но и сам Гумилев говорил, что ему вечно тринадцать лет.

И как иначе? Не он ли увлекался Майн Ридом, журналом *Мир приключений*? Не он ли воспевал романтику риска и авантюры? «Я конквистадор в панцире железном...» — и знаменитые *Капитаны* со сверхзнаменитым: «Или, бунт на борту обнаружив, / Из-за пояса рвет пистолет, / Так что сыпется золото с кружев, / С розоватых брабантских манжет».

Даже став главой поэтической школы — акмеизма, сплотив великолепную троицу: он сам, Мандельштам, Ахматова, — Гумилев и в это играл с истовой серьезностью. Как дети играют во взрослых. Тем более, в отличие от символизма, имевшего внятную программу, акмеизм и был прежде всего союзом трех.

Репутация была такова, что саму смерть Гумилева, расстрелянного по обвинению в несуществовавшем контрреволюционном заговоре, превращали в продолжение той же игры в героя-авантюриста. Гумилевская «пассия», поэтесса Ирина Владимировна Одоевцева (1895–1990) неуклюже сочинила в своих мемуарах, будто видела у него пачки денег для нужд заговорщиков. А ее муж, поэт Георгий Владимирович Иванов (1894–1958), заключил: «...Трудно представить конец более блестящий» — имелось в виду: «для биографии Гумилева, такой биографии, какой он себе желал...» И что это, в сущности, за пошлость!

«Меня не убьют, я еще нужен», — верил сам Гумилев. Он был нужен себе самому, тому своему будущему, которое слишком долго готовил и которое наконец начиналось.

Как автор великих стихов он вошел в наше сознание не эффектными *Капитанами*, не прелестными строчками об «изысканном жирафе», бродящем у озера Чад. *Заблудившийся трамвай, Мои читатели, Слово, Шестое чувство* — вот (да, немногие) стихотворения последних лет и настоящего Гумилева. Как и *Память*.

«Только змеи сбрасывают кожи, / Чтоб душа старела и росла. / Мы, увы, со змеями не схожи, / Мы меняем души, не тела» — это как раз конспективная биография взрослевшей и повзрослевшей души. Или, по Гумилеву, душ: «...Тех, что раньше / В этом теле жили до меня».

Один из прежних обитателей тела порицается: «Он совсем не нравится мне, это / Он хотел быть богом и царем...» Другой, наоборот, близок: «Я люблю избранника свободы, / Мореплавателя и стрелка». Но и тот и другой — «он», третье лицо, не совпадающее с нынешним «я». И вот происходит преображение третьего лица в первое: «Я — угрюмый и упрямый зодчий / Храма, восстающего во мгле, / Я возревновал о славе Отчей, / Как на небесах, и на земле. / Сердце будет пламенем палимо / Вплоть до дня, когда взойдут, ясны, / Стены Нового Иерусалима / На полях моей родной страны».

«Новый Иерусалим», «новое небо и новая земля» — это из Откровения Иоанна, из Апокалипсиса. Значит, только когда родная страна — вся! — обретет величие духа, тогда будет честно заработано право уйти. Умереть. «Предо мной предстанет, мне неведом, / Путник, скрыв лицо; но все пойму, / Видя льва, стремящегося следом, / И орла, летящего к нему».

Лев и орел — символы евангелистов Марка и Иоанна. Путник — Христос. Сын Человеческий идет забрать с собой душу поэта, отработавшую свое на земле. Но ка́к и в этот — законный — миг еще не захочется умирать! «Крикну я... но разве кто поможет, / Чтоб моя душа не умерла? / Только змеи сбрасывают кожи, / Мы меняем души, не тела»...

Гумилеву не дали пойти дальше и выше, что, безусловно, свершилось бы. У него, как и у его соперника, зрелого Блока, нет чересполосицы, капризного чередования удач и неудач, — есть всеочевидное движение к совершенству. И ка́к они оба отличны от соседствующих поэтов! Исключения — Мандельштам и Ахматова.

Нет ни малейшего смысла примерять критерий «вперед и выше» к Виктору-Велимиру Владимировичу Хлебникову (1885–1922), в чем не надо

190

видеть уничижения. То был поэт-экспериментатор, не для «потребителей», а для «производителя», по словам его друга Маяковского, — а в таких случаях то, что кажется неудачей, провалом, бессмыслицей, может быть важнее удачи. Так что — понятно, если одним Хлебников интересен и важен «самовитым» словом, принципиальной заумью: «Смейево, смейево, / Усмей, осмей, смешики, смешики...», а другим — строками, полными смысла и завершенности: «Походы мрачные пехот, / Копьем убийство короля, / Дождь звезд и синие поля / Покорны числам, как заход. / Года войны, ковры чуме / Сложил и вычел я в уме, / И уважение к числу / Растет, ручьи ведя к руслу». Тут заодно явлен интерес Хлебникова к предсказаниям с помощью математических таблиц, роднящий его с Нострадамусом.

Так или иначе, поэзия Хлебникова фрагментарна и анархична — снова скажу, принципиально.

Не говорим и о Константине Дмитриевиче Бальмонте (1867–1942). Он, кого одни, Цветаева, например, вспоминают как существо нелепо-трогательное, другие, к примеру, Бунин, — как наглого хама, вообще самый яркий пример того, как нечастые строки нежной напевности сочетаются и, увы, поглощаются назойливой ставкой на «звучность». В результате чего, по словам Корнея Чуковского, разница между Блоком и Бальмонтом, как «между Шопеном и жестяным вентилятором».

Не говорим и об Игоре Васильевиче Лотареве, избравшем псевдоним Северянин (1887–1941). Очаровательно одаренный, но анекдотически необразованный и безвкусный, он и запомнился уникальным сочетанием всего этого, что было — для него — органично. Так, совсем молодой в те поры поэт Павел Григорьевич Антокольский (1896–1978) был потрясен, увидав в ресторане, как Северянин заказал не воспетые им «ананасы в шампанском», а штоф водки и соленый огурец. И чаровал-то он как раз не теми стихами, которым случалось выйти правильными и гладкими (с годами они стали преобладать), но такими, где амбициозность и аляповатость на грани курьеза: «Я, гений Игорь Северянин...» «Весь я в чем-то норвежском! / Весь я в чем-то испанском!» «Пора популярить изыски, / Утончиться вкусом народа, / На улицу специи кухонь, / Огимнив эксцесс в вирелэ!»...

Полудетская наивность оправдывала грех самодовольства. Бриллиантик таланта бросал свой отблеск на дешевую бижутерию...

Хотя, собственно, почему же «не говорим» — об одном, о другом, о третьем? Потому ли, что чересчур очевидны причины кричащей неровности — будь то хлебниковский отказ считаться с законами вкуса или простодушная северянинская безвкусица? Есть, однако, и нечто общее — не только для них.

Вот Зинаида Николаевна Гиппиус (1869–1945). Законодательница литературной моды. Хозяйка влиятельного салона, где безусловно

главенствовала не только над прихожанами, как говорили, ее «маленькой церкви», но и над хозяином, супругом Дмитрием Сергеевичем Мережковским (1865–1941). Даром, что он был не только прозаиком и философом, но и учителем-идеологом, что рождало особенный читательский интерес к его романной трилогии *Христос и Антихрист* (1895–1904) и романам *Александр I* и *14 декабря* (1911–1912, 1918). Хотя именно идеологизированность и модернизация истории никак не шли на пользу художественности.

Мережковский был идеологом того, что назвали декадентством (то есть, по существу, культурой эпохи разочарования и пересмотра всяческих норм). А Гиппиус... Она словно самим характером, даже своей природой была приготовлена для того, чтобы стать знаковой фигурой декадентства: по антиженственности, имевшей и физиологические причины, по пристрастию к мужскому костюму, по капризно-вычурной манере поведения.

Л. Бакст. *З. Н. Гиппиус*

Ей не надо было пыжиться, как Брюсову, наигрывая якобы шокирующую несовместимость со стереотипами. Или, как поэту-эрудиту Вячеславу Ивановичу Иванову (1866–1949)... Но тут случай и вовсе особый.

«Поэт-ученый, поэт-филолог... знаток и блестящий переводчик поэтов Древней Греции, философ-идеалист... наконец, хозяин сенсационно знаменитых «сред» на петербургской «башне», собиравших литературную и артистическую «элиту» символистского периода...» Так пишет о Вячеславе Иванове Сергей Аверинцев, не забыв отметить некоторую скандальность, с какою тот воспринимался, — конечно, миновавшую настолько давно, что сегодня, если и есть о чем спорить, так это: «представляют ли еще его стихи какой-либо интерес помимо исторического?»

Что касается трудности восприятия этих стихов, то еще в пору славы Иванова Иннокентий Анненский заметил: чтобы понимать смысл его поэзии, надо до тонкости, до глубины — много, много глубже гимназического курса — знать античную мифологию. Но и само поэтическое дарование Вячеслава Иванова существовало как бы лишь наряду с иными его талантами (вспомним: как у Веневитинова или Хомякова). И если в каком-то из своих качеств он действительно остался в истории — не в поэзии! — то, скорее, в запомнившейся роли учителя. Мэтра. Хозяина пресловутой «башни».

Собственно, «башня» была всего лишь квартирой Иванова и его жены, писательницы Лидии Дмитриевны Зиновьевой-Аннибал (1866–1907), в выступе над пятиэтажным домом с окнами на Таврический сад, — в этой квартире «элита» предавалась «духовным играм». И примерно так же, как квартира была символизирована до уровня словно бы башни средневекового замка, так и стихотворения ее хозяина, изощренно-мастерские, но холодные, начинали восприниматься как «декадентские», отнюдь не будучи таковыми. Причина того и другого была общая: старательно выбранный имидж. В первом случае — имидж учителя, даже жреца, во втором — в общем, тоже жреца, но уже служащего в обители порока (Ивановым и Зиновьевой-Аннибал не только не скрывались, но всемерно подчеркивались и преувеличивались некоторые их отклонения в сфере интимной жизни, включая попытки создать «любовный треугольник»). Хотя даже книга, озаглавленная Ивановым *Эрос* (1906), представляла собой исследование культа Диониса в свете сильно влиявшей на автора философии Ницше. Впрочем, все это — в отличие от той же Зиновьевой-Аннибал, чья повесть *Тридцать три урода* (1907) была объявлена критиками порнографической за непривычный тогда сюжет о лесбийской любви.

Таков был Вячеслав Иванов. А Гиппиус... В ней было и сходство, и несходство с его «декадентством». Как сказано, ей по самой природе было совершенно естественно быть неестественной. Утверждать, например, что Чехов непозволительно — для художника — нормален, «даже болезнь его была какая-то нормальная», не то что эпилепсия Достоевского или душевный недуг Гоголя. Но и ее неестественное естество очень редко проявлялось в стихах с адекватной выразительностью, чаще не поднимаясь выше заурядной «бальмонтовщины»: «Мне мило отвлеченное: / Им жизнь я создаю... / Я все уединенное, / Неявное люблю. / Я раб моих таинственных, / Необычайных снов... / Но для речей единственных / Не знаю здешних слов...» «Жестяной вентилятор», увы!

Только (это случилось не с ней одной) октябрьский переворот, разрушивший мир Мережковских, исторг из Гиппиус строки истинной сердечной боли, ужаса, ненависти...

Многое объяснил Николай Бердяев, не любивший салона Гиппиус — Мережковского с его «атмосферой сектантской кружковщины», но к Зинаиде Николаевне относившийся хорошо: «Я очень ценил ее поэзию. Но она не была поэтическим существом, была даже существом

И. Репин. *Д. С. Мережковский*

антипоэтическим, как (внимание! — *Ст. Р.*) и многие поэты той эпохи. На меня всегда мучительно действовало отсутствие поэтичности в атмосфере русского ренессанса, хотя это была эпоха расцвета поэзии».

Таков очередной парадокс. «Крайняя эгоцентричность» — вот причина, по которой Бердяев «не очень любил» поэтов начала XX века. Но эгоцентризм как сосредоточенность на себе самом, эта судорожная центростремительность, всегда говорит об ущербности. О том, что цельности нет — она невозможна или ее боятся. А традиция русской поэзии, от Пушкина до Анненского, — центробежность, открытость миру, отсутствие страха потерять себя в этой открытости.

Ныне же... «Мы — плененные звери, / Голосим, как умеем. / Глухо заперты двери, / Мы открыть их не смеем». Или: «В поле не видно ни зги. / Кто-то зовет: Помоги! / Что я могу? / Сам я и беден и мал, / Сам я смертельно устал, / Как помогу?» Возможно, именно Федор Сологуб (1863–1927), один из талантливейших поэтов *этого* «серебряного века», как никто, выразил драматизм «крайней эгоцентричности». Безвыходной замкнутости в себе самом.

Он — олицетворенная противоречивость, воплощенный разрыв — раздрызг поэтической личности, некогда являвшей свое единство, свою

195

цельность. Взять хотя бы и то, что сын неграмотной крестьянки и лакея, обученного портновскому ремеслу, получивший от родителей плебейское именование: Федор Кузьмич Тетерников, берет псевдонимом родовую фамилию графов Соллогубов (разве что убрав одно «л»). И то, что, прожив долгие годы педантичным учителем математики, создал воображенный мир декадента и эротомана, обвинявшегося аж в порнографии. Что (знакомая тема!) ни с кем не сравним в качестве автора одновременно восхитительных, музыкальных стихов и самого примитивного графоманства. Это, впрочем, немудрено: он и был графоманом в смысле болезненной приверженности к многописанию, каждый день сочиняя по нескольку стихотворений и регистрируя их (математик!). Располагая по алфавиту.

Но главнейшее противоречие было не в этом.

«Елисавета, Елисавета, / Приди ко мне! / Я умираю, Елисавета, / Я весь в огне». «Лила, лила, лила, качала / Два тельно-алые стекла. / Белей лилей, алее лала / Бела была ты и ала». Музыка, сквозь которую не вдруг угадаешь, что речь всего-то о женщине, льющей в два бокала вино. И тут же: «На гармонике рев трепака, / Безобразная брань мужика, / Соловья надоедливый треск, / Стрекотание звонких стрекоз, / И бессмысленный солнечный блеск, / И дыхание резкое роз...» И соловей надоел, и солнце постыло, и розы воняют!

Эта (опять же) совместимость несовместимого породила и самое знаменитое произведение Сологуба, роман *Мелкий бес* (начат в 1892 году, полностью напечатан в 1907-м). Где бес или бесенок — фантастическая Недотыкомка, галлюцинация гимназического учителя Передонова, но и сам Передонов, бессмысленно, патологически гадящий всем окружающим, — из мелких бесов. Во всяком случае не «маленький человек», традиционно жалеемый прежней словесностью, хотя и он сходит с ума, как гоголевский Поприщин (или, скорее, как пушкинский Германн, ибо здесь-то параллели прямые: начиная бредом насчет петербургской старухи-княгини, будто бы готовой ему благодетельствовать, кончая колодой карт, в которой эта старуха мерещится). Хотя и он раздваивается, как несчастный Голядкин из *Двойника* Достоевского.

Вот где происходит (вспомним Розанова!) «разложение литературы». И в стилистическом отношении: страницы замечательно сильные перемежаются едва ли не демонстративно неряшливыми. И в отношении нравственных ориентиров.

Передонов — гад среди гадов. Мерзки почти все. Мерзость — привычна, обычна: когда Передонов плюет в лицо сожительнице, та воспринимает это «довольно спокойно, словно плевок освежил ее». А кто и не мерзок, тот пошл. «Передоновщине» словно бы противопоставлена история женоподобного гимназиста Саши Пыльникова, этой Лолиты в брюках, которым любуется, обряжая его в свои платья, зрелая соблазнительница.

К. Сомов. *Ф. К. Сологуб*

По тем временам, для которых эстетика гомосексуализма еще непривыч-
но-рискованна, это уже кого манило, кого шокировало, но вдобавок втор-
галось в область религии. Сашина обожательница точно так же обожает
Распятого, и «все это — свечки, лампадки, ладан, ризы» тоже оказывается
объектом сладострастия.

Главное же: то была эстетика самого автора.

Дело не в том, что в Федоре Кузьмиче Тетерникове находили бытовые черты, роднящие его с Передоновым. Вероятно, было и это, но существеннее другое. Не Тетерников, а Сологуб, не частный человек, обладающий частными же порочными наклонностями, а художник безраздельно
доверился той дисгармонии, которая завладела зашатавшимся, растеряв-
шимся миром. То, что прежде (Вяземским, Баратынским, Гоголем, Достоевским) мучительно виделось со стороны или еще мучительней ощу-
щалось как нечто самовольно вторгавшееся в душу художника, стало

частью его сознания. Эгоцентрического — не способного, да и не желающего осуждать себя за это.

И — как осуждать, если в душе теснится много всякой всячины? Если эгоцентризм вовсе не означает цельности, подчиненности чему-то единому?

Сологуб выразил драматизм эгоцентричности. Андрей Белый, в быту Борис Николаевич Бугаев (1880–1934), тоже поистине как никто собрал в себе эту «всячину», немереное число обликов и ролей.

«На тебя надевали тиару — юрода колпак, / Бирюзовый учитель, мучитель, властитель, дурак! / ...Собиратель пространства, экзамены сдавший птенец, / Сочинитель, щегленок, студентик, студент, бубенец...» Так ощутит это поэт Мандельштам в стихах на смерть Белого. Так — сформулирует литературовед (Л. Долгополов): «Его облик раскалывается на множество обликов...» И мы, не комментируя каждый из них, обратим внимание именно на множественность: «Последователь Владимира Соловьева и ученик, и активный пропагандист антропософских доктрин Рудольфа Штейнера; крупнейший теоретик символизма, журнальный боец и — «толстовец», противник насилия; автор «симфоний» и автор *Петербурга*; автор *Серебряного голубя* и автор мемуарной трилогии; автор ученого исследования *Мастерство Гоголя*, основоположник стиховедения и — автор вымученных романов 20-х годов; автор трудночитаемой книги *Символизм* и — стихотворных лирических циклов, новаторских по форме и необычных по содержанию. Это ведь, по существу, разные авторы, даже «разные» таланты; и трудно себе представить, что совмещались они в одном человеке».

Хотя, если и совмещались, то — совместились ли? «Творчество Белого — в большей степени сумма, нежели единство» (тот же исследователь). Можно добавить, что Белый — эклектик, но в том смысле, в каком существует архитектурный стиль «эклектизм», вобравший в себя разные элементы предшествующих стилей: и барокко, и классицизма, и рококо, и образовавший пусть не стройное единство, но именно сумму.

Этот эклектизм Белого — отражение и порождение как эпохи, так и личной судьбы. Где и нервное детство с истерической борьбой родителей за влияние на сына, и нелепая личная жизнь, и мечта о гармонии (в такое время и при таком характере), и надежда на грядущую революцию, которая должна спасти «распятую Россию».

«Студентик, студент...» — повторяет Мандельштам, словно намекая на репутацию вечного неудачника. Уж не недоучки ли — при феноменальной образованности Белого? Во всяком случае Гумилев говорил, что тому был дан гений, который он ухитрился загубить. А Илья Эренбург полагал, что Белый «выше и значительнее своих книг». Что он «блуждающий дух, не нашедший плоти, поток вне берегов...»

С людьми, лично знавшими Белого, спорить опасно. Но, возможно, «вне берегов» и было способом существования и осуществления? А безумие,

Н. Андреев. Андрей Белый читает свой роман *Петербург*

проявлявшееся и в самой внешности, и в поведении, и в образе мыслей, не было ли оно особенностью такого ума?

Когда Боре Бугаеву исполнилось восемь лет, в припадке психического помешательства покончил с собой талантливый Всеволод Михайлович Гаршин (1855–1888). Когда он, уже Андрей Белый, достиг двадцатидвухлетнего возраста, умер, также погубленный душевной болезнью, талантливейший Глеб Иванович Успенский (1843–1902). Между тем ни в рассказах первого *Четыре дня, Трус, Из воспоминаний рядового Иванова*, ни в знаменитых *Нравах Растеряевой улицы* второго нет и следа стилистического хаоса, нравственного разлада с собою. Так обстоит дело даже в гаршинском рассказе *Красный цветок*, где сумасшедший герой, воплотив для себя все зло мира в ненавистном цветке, губит его — и умирает сам (форма порыва безумна, сам порыв — благороден, «нормален»). В этом смысле оба писателя, кончившие одинаково страшно, в принципе не отличаются, скажем, от Владимира Галактионовича Короленко (1853–1921), слывшего образцом душевного здоровья и здравого смысла. Все эти «потоки» — не «вне берегов», а в русле определенного направления и четкого очертания.

А Белый?

Точно так же, как он мечтал о гармонии, он хотел быть продолжателем *той* литературы. В ней, а не вне ее искал опору. Вплоть до того (вновь цитирую Л. Долгополова, называющего здесь два поэтических сборника Белого и два его прозаических произведения), что «в *Пепле* такой воображаемой «опорой» был Некрасов, в *Урне* — Баратынский, в *Серебряном голубе* — Гоголь, в *Петербурге* — и Пушкин, и Гоголь, и Достоевский...» (Вот, кстати, он — «эклектизм» как некая сумма.) Однако опоры не выдерживали натиска хаоса, без сопротивления врывавшегося в художественный мир Белого.

Роман *Петербург* (1913–1914), эта общепризнанно лучшая, главная его книга, казалось бы, может быть отнесен к «семейным романам». В центре — конфликт сенатора Аблеухова с сыном Николенькой (в этом видят автобиографические мотивы, хотя в Аблеухове-старшем черты не только отца, профессора математики Бугаева, но и обер-прокурора Синода Победоносцева, воспитателя и вдохновителя Александра III). А если семейная драма неотрывна от исторического фона, от событий 1905 года, то разве в *Войне и мире*, явном «семейном романе», война 12-го года помешала ему стать таковым?

Но вот что пишет о *Петербурге* выдающийся литературовед, эмигрант К. Мочульский: «Небывалая еще в литературе запись бреда... особый мир — невероятный, фантастический, чудовищный: мир кошмара и ужаса. ...Чтобы понять законы этого мира, читателю прежде всего нужно оставить за его порогом свои логические навыки: здесь упразднен здравый смысл».

И это, снова спрошу, «серебряный век», чьи классики — и Блок, и Сологуб, и Белый? Да, он, и так ему именоваться вечно. Но что-то очень странное «серебро» — совсем не по-серебряному ломкое, дробящееся, лишенное ровного блеска...

И тут неизбежен вопрос — в особенности учитывая грядущий период русской литературы (которая обретет второе имя — советская): насколько подобное сохраняло или утрачивало традицию духовного сопротивления?

Бесстрастно вспомним и схематически подведем... Итог? Но это понятие слишком ответственно, чтобы ограничиться схемой; подведем черту. Выявим, оголим те отношения, в какие словесность вступала с творящей ее личностью.

Древняя русская литература — это литература без литературы. Без автора и без авторства.

XVIII век. Личность писателя, охотно подчиняющая себя государственной надобности. Даже когда власть эту охоту отбивает.

Век XIX. Пробуждение личности. Осознание ее самоценности. Достижение независимости. Муки сомнений. Двойственность. И к концу века — раздрызг, развал, распад.

А словесность страны Советов? То, что будет определено свыше как «социалистический реализм», иногда сравнивают с классицизмом XVIII века. С подчиненностью личности — государству, чувства — долгу. Однако, напротив, — какой контраст! То, что казалось, а часто и было возвышением личности в ее торжественной роли, обернулось подавлением, уничижением, уничтожением. Далеко не всегда — физическим.

Должность — советский писатель

Едва ли не символическая история произошла с Михаилом Александровичем Шолоховым (1905–1984). Имею в виду, конечно, общепамятный спор, является ли роман *Тихий Дон* (1925–1941) именно его произведением, а не следствием плагиата. Спор не закончен, обе стороны по сей день изощряются в доказательствах, но дело не в них. Роман — существует. Роман великий. Отразивший не просто трагедию судеб в эпоху Гражданской войны, но глобальную тоску души человека по крестьянской гармонии, по покою труда и мирно рожающей земли, — так что сама проблема авторства второстепенна, как и «шекспировский вопрос». Что из того, если Гамлета и Макбета написал не актер на выходах из Стратфорда, а кто-то иной?

Но характерна сама причина, почему так готовно многие приняли слух о плагиате.

Евгений Львович Шварц (1896–1958), драматург-сказочник и автор посмертно опубликованной интереснейшей прозы, записывал еще в 1954 году, когда первые сомнения насчет авторства *Тихого Дона* (возникшие в 1928-м) были уже позади, а новые, с привлечением текстологии, не предвиделись: «...Выступил Шолохов. Нет, никогда не привыкнуть мне к тому, что нет ничего общего между человеческой внешностью и чудесами, что где-то скрыты в ней. Где? Вглядываюсь в этого небольшого человека, вслушиваюсь в его южнорусский говор с «h» вместо «г» — и ничего не могу понять, теряюсь, никак не хочу верить, что это и есть писатель, которому я так удивляюсь».

«Внешность», «говор»... Ясно, однако, что сомнения деликатнейшего Шварца основаны и на том, что́ говорил Шолохов тогда, на Втором всесоюзном съезде писателей, как гаерствовал и хамил, в то же время рабски припадая к стопам власти. И на том, какую писательскую эволюцию успел он проделать, в перерыве между частями *Тихого Дона* удивительным образом написав *Поднятую целину* (1932), книгу еще талантливую, но замешанную на фальши. И не дописав роман *Они сражались за Родину* (1943–1944), сочинение беспомощно-балагурное, будто написанное в соавторстве с собственным персонажем дедом Щукарем. Вещь, которую не хватило сил даже закончить; щукариная фантазия не беспредельна, а фронтового опыта у автора, не приближавшегося к передовой, попросту не было.

А дальше... Дальше будет рассказ *Судьба человека* (1955–1957) с его стертым стилем, вплоть до финальной «скупой мужской слезы», этой добычи пародистов, с унизительно балаганным представлением о стойкости русского человека: «Я после второй не закусываю» — это в немецком концлагере куражится якобы истощенный солдат. Вдобавок — и с угождением сталинскому отношению к пленным как к гипотетическим предателям,

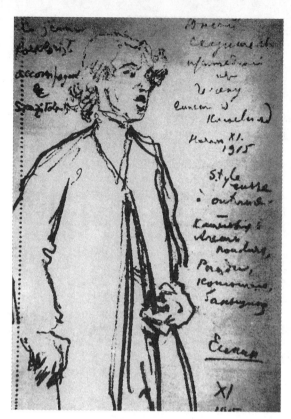

принужденным искупать свой грех и оправдываться. Как в *Судьбе человека*: попав в плен исключительно в бессознательном состоянии, все-таки соверши невозможное, например, укради немецкого генерала, — тогда родина, глядишь, и простит.

Дальше — бездельно-бесплодная жизнь степного помещика, щедро оплачиваемая властями. Нобелевская премия (1965), полученная под давлением советского правительства. И — выступление на XXIII съезде КПСС, где автор (или не автор?) *Тихого Дона* пожалеет, что приговор суда писателям-диссидентам Юлию Марковичу Даниэлю (1925–1988) и Андрею Донатовичу Синявскому (1925–1998) ограничился лагерным сроком. То ли, мол, дело — 20-е годы с их «революционным правосознанием»... Словом, достойной карой для «перебежчиков» был объявлен расстрел — то самое, что, с точки зрения персонажей-большевиков, заслужил и Григорий Мелехов, мятущийся «казачий Гамлет»...

Случай, конечно, далеко не единичный, разве что наиболее наглядный, учитывая масштаб *Тихого Дона*. О чем-то подобном нам еще не миновать

А. Гончаров.
Иллюстрация к поэме
С. А. Есенина *Пугачев*

говорить, впрочем, сразу взяв на заметку: талант, даже великий, вообще, случается, может — подчас почти необъяснимо — существовать на острой грани распада. Пуще того, может словно стремиться к самоуничтожению, и первейший пример — судьба Сергея Александровича Есенина (1895–1925).

Вот уж о ком не повернется язык сказать, будто его самоубийство было духовным, — не случайно бродят легенды о злонамеренном убийстве (расхождения в том, кто убил. Гэбисты? Евреи? Евреи-гэбисты?). Легенды — домысел, глупость, опровергаемая тем, как Есенин торопил свой конец: ведь знаем же и об алкоголизме, разрушавшем тело и дух, о скандалах и прочем. Но и возникновение домыслов объяснить нетрудно, ибо вот что вышло из-под пера, не ведающего, что скоро оно — кровью! — выведет в гостинице «Англетер» предсмертные строки. Вот что написано за пять месяцев до конца: «Видно, так заведено навеки — / К тридцати годам перебесясь, / Все сильней, прожженные калеки, / С жизнью мы удерживаем связь». А еще немногим раньше — в стихах, где Есенин по-детски меряется славой с Пушкиным: «Но, обреченный на гоненье, / Еще я долго буду петь...»

Гоненье — сознается. В стихах, обращенных к «любимому зверю», к волку, будет сказано: «Как и ты — я, отсюду гонимый…» Но даже это не мешает надежде, что петь ему предстоит долго.

Конечно, Есенина трудно вообразить стариком — впрочем, как и Блока и Маяковского, но ему к тому же не по характеру ни блоковская загадочная величавость, ни державная поступь «Владим Владимыча». Он был рожден для радости и гармонии, для счастья, которое он хотел делить со всеми, как всем хотел нравиться: «Счастлив тем, что целовал я женщин, / Мял цветы, валялся на траве…» — тут все радости общедоступны; чтоб их испытать, не обязательно быть поэтом-избранником, достаточно быть простым смертным. Но — заблуждение, будто поэт гармонического склада, доверчиво желающий миру добра, обеспечен встречным доброжелательством. И вот: «Дар поэта — ласкать и карябать, / Роковая на нем печать. / Розу белую с черною жабой / Я хотел на земле повенчать».

Само странное это мичуринство — из сказки, из детства, из игры, как по-детски, по-игровому предстает и известное есенинское франтовство: «Я хожу в цилиндре не для женщин — / В глупой страсти сердце жить не в силе, / В нем удобней, грусть свою уменьшив, / Золото овса давать кобыле». А до фатовского цилиндра — вышитые рубахи, лапти, а то и валенки, в которых юный Есенин явился в салон Мережковских, и Зинаида Гиппиус спросила, глядя на его ноги в лорнет: «Что это у вас за странные гетры?»

Подобный же маскарад мог быть не игровым, а, так сказать, идеологическим, как у убитого властью Николая Алексеевича Клюева (1884–1937). Тот, в отличие от Есенина, своего друга и ученика, человек серьезной культуры, как поэт, шедший от Блока и Тютчева, по-немецки читавший Гейне и Шеллинга, тоже был обряжен «по-народному». И петербургскую квартиру свою на Большой Морской переустроил по-деревенски, с полатями и лежанкой, но тут вовсе не было есенинского простодушия (простодушного и в лукавстве). Истовая привязанность к старообрядчеству заонежских предков плюс эстетизм вкупе давали поэзию, не менее сложную, чем, допустим, стихи Мандельштама. Сама природно-крестьянская, фольклорная мифология и в поэме *Мать-Суббота* (1922) и в трагической *Погорельщине* (1932) перерастала себя самое, превращаясь в поэзию не менее рафинированную, чем стихи эрудита-эллиниста Вячеслава Иванова.

А Есенин… Он и «к жизни отнесся, как к сказке. Иван-царевичем на сером волке перелетел океан и, как жар-птицу за хвост, поймал Айседору Дункан. Он и стихи свои писал сказочными способами…» Так сказал в очерке *Люди и положения* Борис Пастернак, вольно предположив заодно, что Есенин и в петлю голову сунул, «в глубине души полагая — как знать, может быть, это еще не конец и, не ровен час, бабушка еще надвое гадала»…

В этом очерке Пастернак вообще пробует догадаться, с каким самоощущением уходили из жизни не только Есенин, но и Маяковский,

Фадеев, Цветаева. И догадки вызвали снисходительную иронию Ильи Григорьевича Эренбурга (1891–1967), что и само по себе весьма характерно.

Скепсис часто принимают за мудрость, которая (предложу домашнюю формулировку) есть ум, понявший свою небеспредельность. То есть открывающий такие перспективы познания, которым скепсис, напротив, высокомерно ставит преграды. И это имеет прямое отношение к прозе Эренбурга, в том числе и прежде всего — к его первому и лучшему роману *Необычайные похождения Хулио Хуренито и его учеников* (1921). К подобию притчи о «великом провокаторе», некоей пародии на Христа с Его учениками, — вот только Хуренито, который еще в приступе младенческого любопытства отпилил голову котенку и выпотрошил статую Мадонны, войдя в зрелость, заботится не о спасении, но о погибели мира. А ученики его (среди коих и сам Эренбург, сделанный персонажем романа со своей сохраненной фамилией) суть олицетворенные стереотипы, человечество в миниатюре и карикатуре: типичный делец-американец, типичный африканский дикарь, типичный русский интеллигент, типичный француз-эпикуреец и т.п.

«Лучшая из второсортных книг нашей литературы» — замечательно определил *Хулио Хуренито* поэт Давид Самойлов, нечаянно подытожив впечатления первых читателей книги. «Не плохо, но и не очень хорошо: французский скептицизм сквозь еврейскую иронию с русским нигилизмом впридачу» (Корней Чуковский, дневниковая запись 1923 года). Годом позже — Юрий Тынянов: Эренбург из своих героев «выпотрошил психологию, начинив их, впрочем, доверху спешно сделанной философией», использовав Ницше и Достоевского. По этой причине роман о Хуренито стал «легче пуха... сплошной иронией».

Замечательней всего, однако, то, что это и сделало *Хулио Хуренито* действительно лучшей, наиболее органичной эренбурговской книгой: скепсис, выраженный здесь полнее всего, в принципе «второсортен». Он облегчен духовно — сравнительно с гневом или любовью, что, к удовольствию авторов-скептиков, отнюдь не мешает читательскому успеху. Наоборот, соответственно облегчает путь к нему, и Эренбург был популярен всю свою жизнь. Когда продолжал скептико-ироническую линию первого романа *Трестом Д.Е. Историей гибели Европы* (1923); когда писал откровенно слезливую мелодраму *Любовь Жанны Ней* (1924); когда пробовал себя в жанре «производственного романа» — *День второй* (1933). Да и самая официально признанная книга, роман *Буря* (1946–1947), отличалась, если использовать тыняновские слова, «невесомостью героев», не утомлявшей читателя, как ни бросали его из «войны» в «мир», из одной части света в другую.

Вообще таланту Эренбурга была весьма свойственна способность угадывать чаяния читающей толпы, что не стоит воспринимать исключительно как достоинство или недостаток: таковы были таланты, с одной

Кукрыниксы. *И. Г. Эренбург*

стороны, Тургенева, с другой — Булгарина. Так возникали и Евгений Базаров и булгаринский Иван Выжигин. Так что громовому успеху повести *Оттепель* (1954–1956), невзначай давшей имя целому «хрущевскому» периоду нашей истории, не только не мешала, но, возможно, и помогала помянутая «невесомость», оборачивающаяся даже «колоссальной небрежностью языка» (тот же Тынянов, тот же 1924 год). То есть журналистской скорописью.

Так или иначе, Эренбург оказался в историческом — хотя бы временном — выигрыше. Не написав ничего, хоть отдаленно сопоставимого с лучшими шолоховскими страницами, он остался в общественной памяти человеком европейской культуры, словно бы отстраненным от привычного представления о том, что такое «советский писатель». Этой иллюзии не очень помешало даже участие в сталинских идеологических кампаниях и очень поспособствовали мемуары *Люди, годы, жизнь* (1961–1965), при всей их поверхностности все равно любопытнейшие.

Словом, Эренбург и должен был неприязненно отреагировать на попытку Пастернака проникнуть в душу тех, кто, пережив духовную катастрофу, отказался выживать. Хотя общий пастернаковский диагноз, поставленный писателям-самоубийцам, поразителен своей проницательностью, — впрочем, естественной для того, кто сам умел сохранить целостность духовной жизни: «Приходя к мысли о самоубийстве, ставят крест на себе, отворачиваются от прошлого, объявляют себя банкротами, а свои воспоминания недействительными. ...Непрерывность внутреннего существования нарушена, личность кончилась».

Диагноз верен и для многих из тех, кто вовсе не думал кончать с собою буквально. Например, для Николая Робертовича Эрдмана (1900–1970), который даже опередил, предсказал этот диагноз, написав комедию *Самоубийца* (1928), где средствами трагифарса испытал на разрыв именно «непрерывность внутреннего существования». Пусть существования неприметного обывателя, которому автор вначале вовсе не собирался всерьез сочувствовать.

Больше того. *Самоубийца* задумывался как комедия антимещанская и отчасти антиинтеллигентская, вполне в духе постреволюционного времени (и подобно первой комедии Эрдмана *Мандат*). Замысел запечатлелся и в окончательном тексте, где словно бы несколько слоев: сперва затюканный обыватель Семен Подсекальников только смешон и пошл, потом, увидав неожиданный выход в самоубийстве, помаленьку обретает человеческую значительность, — пока не дорастает до трагического вопля, брошенного бесчеловечной власти этим «в массу разжалованным человеком». Что власти, конечно, понравиться не могло: комедии преградил дорогу на сцену сам Сталин. Затем последовали арест и ссылка, после чего Эрдман сам пресек жизнь своего грандиозного дара. Ушел в поденщину, в работу, которой сам не мог уважать.

Чаще, однако, самоубийственный акт совершался иначе и незаметно для духовных самоубийц. Во всяком случае — сперва.

Один из тех, о ком сочувственно говорил Пастернак, Александр Александрович Фадеев (1901–1956), в конце концов оборвал жизнь выстрелом в сердце, предварительно написав письмо-проклятие той власти, которой служил с истовой преданностью. И пером, и в должности главы Союза советских писателей. Но как писатель он, скорее, с самоубийства начал — когда в романе *Разгром* (1927), своей лучшей книге, несравнимой с принесшей ему наибольшую славу *Молодой гвардией* (1945), совершил то, последствий чего предвидеть не мог. Как бы собрал все лучшее, чистое, природно-первоначальное, что было в нем самом, в юноше, отдал персонажу, столь же юному Мечику...

Стоп. *Как бы?* Но здесь можно и обойтись без этой осторожной оговорки. Не зря прозаик Валерия Анатольевна Герасимова (1903–1970), первая жена Фадеева, уверенно утверждала, что в нем жили одновременно главные персонажи *Разгрома*: и сознательный революционер Левинсон, и простодушный, безалаберный Морозка, и «слабый интеллигент» Мечик. Причем речь не просто о том, что душа художника вообще бывает открыта пониманию самых разных людей; антитеза Левинсон — Мечик (трагическая!) таила в себе возможность именно трагического исхода. Говорю не о романе, а о судьбе его автора.

Словом, он, автор *Разгрома*, глазами Мечика ужаснулся крови и грязи, среди которых естественно ощущал себя шахтер Морозка и неизбежность которых стоически воспринимал командир Левинсон (нет сомнения, что юный Фадеев, мальчик из демократически-интеллигентной среды, и сам не мог не ужасаться, хотя б поначалу). Больше того. Даже «революционная целесообразность», ради которой Левинсон и врач Сташинский решаются отравить тяжело раненного партизана Фролова, ибо отряду надо идти дальше и раненый товарищам невподъем, а врач, оставшийся с ним, конечно, с ним же и погибнет, — эта «целесообразность» поверяется именно «интеллигентом» Мечиком. Именно благодаря ему увидена в своей мучительной противоречивости. Те, что принимают страшное решение, — это люди, поставленные в противоестественное положение противоестественной реальностью; а война противоестественна всегда, партизанская — тем более.

Такова в романе нравственно-эстетическая роль персонажа по имени Мечик, — вернее, такой она оказалась (или показалась) сперва. Фадеев даже собирался принудить его к самоубийству, словно бы снисходя к душевной муке героя, но потом, устыдясь, вероятно, своего интеллигентского чистоплюйства, заставил того совершить предательство. Чем, будучи человеком, не совсем расставшимся с совестью, заранее приговорил себя самого.

Хорошо. Фадеев — функционер, смолоду жадно рвавшийся к власти. Но вот Юрий Карлович Олеша (1899–1960), талант куда более тонкой структуры, совершает нечто неотразимо похожее.

В романе *Зависть* (1927) он отдает главному герою Николаю Кавалерову лучшее, чем обладает сам. Собственную метафорическую одаренность, дар наблюдательности и философствования, — тем самым делает этого полуизгоя-полуприживала своим эстетическим двойником. И мало того, что заставляет Кавалерова унижаться перед победителем жизни

Андреем Бабичевым, но в качестве последнего, крайнего унижения приводит его в постель старой и жирной бабы, которую «можно выдавливать, как ливерную колбасу», и которая вызывает у него омерзение. «Я не пара тебе, гадина!» Оказалось — пара.

И это шоковое, мазохистское самоунижение — именно *само*, оно — и свойство самого автора. На Первом съезде советских писателей Олеша произнес речь, обнаружившую потолок его честолюбия. Он, интеллигент, художник, маэстро, заявил, что считает за честь ощущать себя тем, кто не хуже, не ниже рядового комсомольца.

За все это Олеша расплатился жестоко. Но чем? Считалось: бесплодием (как Шолохов). Потом оказалось, что он всю жизнь писал книгу, которую после его смерти собрали, озаглавив в одном варианте *Ни дня без строчки*, в другом — *Книга прощания*. Там действительно много ярких страниц и тонких, Олешиных наблюдений, но не зря еще в пору первых, прижизненных публикаций друг Олеши Михаил Зощенко с печалью отметил: книга, как и душа, отравлена многими неприятными чертами. В частности, трепетом перед силой и властью.

Силой, всегда готовой прибегнуть к насилию. Властью, способной и очаровывать — тем хотя бы, что, держа наготове любой, самый страшный способ насилия, она не всегда торопится его применить. Так как же не спутать такую зачарованность с верой в гуманность и справедливость власти?

Истинно советских писателей принято упрекать в продажности. Так ли это? Продажны — циники, маловеры, корыстолюбцы. Тут же, как правило, дело в другом.

В 1926 году будущий самоубийца Владимир Владимирович Маяковский (1893–1930) написал стихотворение *Разговор с фининспектором о поэзии*. Вероятно, невольно — но тем нагляднее — возразив Пушкину, его *Разговору книгопродавца с поэтом*.

Вспомним: пушкинский книгопродавец, человек рынка, внушает поэту: «Не продается вдохновенье, / Но можно рукопись продать». И поэт, слегка поломавшись, внимает этой логике, правда, демонстративно перейдя на прозу: «Вы совершенно правы. Условимся». То есть соглашается признать *продажность* плода своего вдохновения.

У Маяковского все иное. Он и торгуется по-иному: «Поэзия — та же добыча радия. ...Поэту в копеечку влетают слова». При этом ему, безусловно, кажется, что он отстаивает достоинство своего ремесла; как в другом стихотворении, *Поэт рабочий*: «Я тоже фабрика. / А если без труб, /то, может, мне / без труб труднее». Но это: «та же добыча», «тоже фабрика» ставит поэзию, прежде именовавшуюся «языком богов», на конвейер и на прилавок. Сама поэтика, которая, не в пример декларациям, не лжет никогда, демонстрирует: за сто лет русской поэзии отношения поэта, лелеявшего свою независимость, и тех, кто диктует ему условия, переменились категорически.

Здесь нет сомнения в честности Маяковского перед самим собой. Наоборот. Когда он заявлял, что ставит свое перо в услужение партии и правительству, повторяя, подчеркивая: «заметьте, в услужение», — это было именно честно. Вы, мол, воротите нос от советской власти или, продаваясь, делаете это стыдливо, я же говорю о том «во весь голос».

Да он и не продавался. Он был *запродан* — ради идеи социализма, в которую хотел верить свято, без оговорок. А из *такой* запроданности не выйдешь, чтобы перепродаться. Если разочаровался — конец. Как оно и вышло.

Было ли в молодом авторе *Облака в штанах* и *Флейты-позвоночника* (обе поэмы — 1915 год) нечто, заставлявшее предполагать возможность такой запроданности? Видимо, было. В той же степени, как в Александре Блоке, который не только звал слушать «музыку Революции», но и оказался готов оправдывать бесчинства стихийных «революционеров»,

Записки В. В. Маяковскому на вечере поэта

осквернение и гибель дворянских гнезд. Но Блок — человек культуры, написав *Двенадцать*, надорвался и умер. Маяковский же был сам изначально и радостно готов к разрушению, отчего без надрыва прозвучало в 1918-м: «Орете: / «Пожарных! / Горит Мурильо!» / А мы — / не Корнеля с каким-то Расином — / отца, — / предложи на старье меняться, — / мы / и его / обольем керосином / в улицы пустим — / для иллюминаций».

Конечно, «слова, слова, слова». В жизни — почтительный сын, Маяковский искал — и нашел — образ, способный шокировать приверженцев «старья» не меньше, чем шокировало его же признание 1913 года: «Я люблю смотреть, как умирают дети». Садизм был выдумкой. Реальностью было другое: «поэт катастроф и конвульсий» (определение Корнея Чуковского) уместился внутри одной большой катастрофы, не захотел понимать, что для страны, для народа она именно катастрофа, а не очищающая буря. Что оказалось — опять! — поистине самоубийственно для таланта такой, бунтарской породы.

Незачем повторять общеизвестное: в массе стихов, безнадежно погубленных утилитарно-пропагандистской установкой, были и поэма *Про это* (1922–1923) и *Во весь голос* (1929–1930), потрясавшие силой искренности, — и т.д. и т. п. И все же мало в ком так же, как в Маяковском, при его темпераменте и таланте, потраченных на утверждение именно этого, выявилась совершенно новая психология отношений художника и власти. Снова и снова: лишь поверхностно схожа с тем добровольным выбором, что делал литератор XVIII века, норовя служить государству даже вопреки отталкивающей его верховной власти. Возникла иллюзия добровольности, заразившая многих и многих.

В частности, крестьянского сына Александра Трифоновича Твардовского (1910–1971), который законно считал себя полной противоположностью «агитатора и главаря». Тем не менее в чем-то существенном оказавшись его преемником.

Маяковский, что бы ни говорили о причинах его самоубийства, обозначил пулей несовместимость своего дальнейшего существования с им же выбранной ролью. Несовпадение своей безоглядной запроданности с видимым результатом того, ради чего она и свершилась. Его самоубийство — акт наконец пробудившегося сознания; он, говорит Пастернак, «застрелился из гордости, оттого, что осудил что-то в себе или около себя, с чем не могло мириться его самолюбие». Что ж до Твардовского, входившего в литературу в 30-е годы, то он уже не столько выбирал свою собственную роль, сколько вынужден был применяться к общей, единой, утвержденной как образец коммунистической партией. Он — фигура не мгновенного разочарования и разрыва, но очень долгого (и, конечно, незавершенного) перехода из одного состояния в другое. Его драма, драма недовоплощенности (ибо масштаб таланта обещал и заслуживал большего), — в том, что он слишком долго был в духовном плену, который, конечно, казался ему добровольным. Слишком поздно и мало вдохнул воздуха свободы. «Мало! слабо! робко!» — записал Александр Солженицын в книге *Бодался теленок с дубом* свои впечатления о поэме *По праву памяти*, которой Твардовский гордился и которую ему не дали напечатать при жизни.

Мало «для 1969-го года», добавляет Солженицын, имея в виду, скорее, политику, а не поэзию. «Слабо» и «робко» для времен, когда не только ему, лагернику, но и молодым поколениям той поры антитеза «хороший Ленин — плохой Сталин» могла показаться наивной. Но как отделить одно от другого?

Как и Маяковский, Твардовский не может быть заподозрен в неискренности. Правда, сама искренность, с какой в поэме *Страна Муравия* (1936) воспета коллективизация, казалось бы, неуместна для сына отца, записанного в кулаки и репрессированного, — но хорошо известны ослепляющая власть иллюзий и традиционная способность поэтов убеждать себя, будто предмет воспевания достоин того. Тем более искренне освобождение от сталинского гипноза в поэме *За далью — даль* (1950–1960), и если оно уже тогда порою разочаровывало своей замедленностью, зато радовало, что подобное стало доступно подцензурной печати. Да и стоило ли разочаровываться? Во всяком случае историк Михаил Гефтер видел достоинство Твардовского именно в том, что у него не было «легкости отказа от наследия».

Как бы то ни было, если о чем и стоит запоздало сожалеть, так о том, что Твардовский не дал развиться своему удивительному лирическому дару. Тому, который вызвал к жизни, допустим, *Две строчки* — стихотворение о мальчике-солдате, погибшем «на той войне незнаменитой» и примерзшем к финскому льду. Или — стихи о «перевозчике-водогребщике», где бытовой персонаж берегового села, возникший в воспоминаниях матери, силой сыновнего сопереживания (и ожидания собственного конца) преображается в античного Харона.

Возможно, есть свое объяснение, не сводящееся к пристрастиям сугубо профессиональным, что самое знаменитое из сочинений Твардовского, поэма *Василий Теркин* (1941–1945), родилось, во-первых, на войне. Когда опасная и оттого не демонстрируемая личностная свобода вдруг — на сей раз уж точно как в XVIII веке — обрела гармонию с державным духом. И во-вторых, безошибочно выбрала форму «последней русской былины» о «последнем крестьянском богатыре» (замечание Давида Самойлова). Заметим: былины — произведения, где вмешательство авторской личности жанрово ограничено. Произошло приобщение «к последнему акту великой крестьянской трагедии, так мощно завершившейся последней войной» — и даже *Новый мир* 50–60-х годов, героически редактировавшийся Твардовским, был, говорит Самойлов, «продолжением *Теркина*, его темы».

В. Фаворский. Иллюстрация
к переводам С. Я. Маршака
сонетов В. Шекспира

Именно так, — что сознаешь и с великим почтением, и с печалью. Выходит, эта «тема», главная для Твардовского, развивалась и продолжалась средствами, где его поэтическое «я» вынужденно считалось с гнетущими обстоятельствами. Хотя, разумеется, можно спорить, где тут вынужденность, где — выбор, в том числе эстетический. Что там ни говори, но известная формула Твардовского: «Настоящие стихи — такие, которые читают люди, обычно стихов не читающие», есть кредо, никем ему не навязанное. Так же, как и явное предпочтение, отдаваемое поэзии Михаила Васильевича Исаковского (1900–1973) и Самуила Яковлевича Маршака (1887–1964) перед Заболоцким и Пастернаком, Цветаевой и Мандельштамом...

Так или иначе, но формировался и сформировался помянутый тип *советского писателя*, конечно, дробящийся на подтипы, и все же единый.

Говоря условно, тот же Твардовский — это *солдат*. Солдат партии, государства или связанного с ними литературного долга. Солдат, которому искренность и талант мешают быть образцом дисциплины, но для которого само это звание — не пустое. Как для его Василия Теркина.

Фадеев? Тот — *командир*, соучастник замыслов и методов высшего командования, и расплатившийся за соучастие по полной программе.

Эренбург? Пожалуй, лояльный *попутчик*, отвоевавший (отдадим должное) возможность быть или выглядеть не более чем лояльным. В отличие от энтузиастов холопства, от первых учеников — от таких, например, как Сергей Владимирович Михалков (р. 1913). Тот входил в литературу с очаровательными стихами, с несомненной Божьей искоркой, каковой скоро распорядился вполне прагматически; имею в виду не легендарные житейские блага (что нам до них?), но то, что Михалкову удалось даже в поэзии для детей, одним из классиков которой он признается, создать систему, так сказать, идеологического обеспечения советского строя.

Почему даже? Потому что эта поэзия имела от власти в некотором роде индульгенцию, пусть далеко не полностью, однако, освобождающую от всенепременной и идеологической нагрузки. В ней мог реализоваться, правда, не без труда, не без обвинений в аполитичности «чистый» сказочник Корней Иванович Чуковский (1882–1969); в нее сознательно уходили поэты, понимавшие, что им не дадут осуществиться в поэзии «взрослой». Такие, как Борис Владимирович Заходер (1918–2000), да и тот же Маршак, когда-то доверивший автору этой книги признание, которого не мог доверить печатному станку: «Я стал детским поэтом, чтобы не врать». Правда, эта вынужденность для обоих обернулась удачей: их стихи для детей явно выигрывают рядом с их же стихами для взрослых, которым удалось-таки увидеть свет. Вообще один из парадоксов советской литературы — то, что система запретов и ограничений порой обеспечивала выброс творческой энергии в неожиданном месте: таковы и феномен советской поэзии для детей, и феномен советской школы художественного перевода (вряд ли Пастернак, Заболоцкий, Тарковский, Липкин отдали бы переводу столько сил, если бы не невозможность публиковать оригинальные сочинения).

Но продолжим перечень разновидностей понятия «советский писатель». Он неисчерпаем. Скажем, наделенный пронзительным лирическим даром Ярослав Васильевич Смеляков (1913–1972) — *заложник*. С тем свойством, которое и называется «синдромом заложника» — когда тот проникается странной причастностью, почти любовью к отнявшим его свободу, не отделяя себя от них. Так и Смеляков, трижды лагерник (не считая плена у финнов), чем больше боялся своих палачей, тем прочнее с ними срастался. И, например, в сильном стихотворении *Петр и Алексей* он уничижителен по отношению к «тусклому венчику» мучений царевича (стало быть, и своих собственных), во всех отношениях предпочитая отца-мучителя. «Рот твой слабый и лоб твой белый / надо будет скорей забыть, / Ох, нелегкое это дело — / самодержцем российским быть!..»

В этом разнообразном единообразии не могло не быть и своего канонизированного *святого* — Николая Алексеевича Островского (1904–1936). И своего вольного на язык грешника с репутацией социально

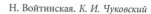
Н. Войтинская. *К. И. Чуковский*

безопасного пьяницы — милейшего Михаила Аркадьевича Светлова (1903–1964). Но хотя все эти определения, разумеется, схемы, в которые яркие, что бы там ни было, индивидуальности втискиваются со скрипом, бывают случаи, когда схема бессильна в особенности.

Вот уже поминавшийся Валентин Катаев. Обладатель сочного, хищного таланта, долгие годы воспринимавшийся прежде всего как автор повести *Белеет парус одинокий* (1936), где воспоминания одесского детства расчетливо нанизаны на «революционный» сюжет, и, напротив, замалчивавшийся как автор *Растратчиков* (1926), бесподобной картины

В. Конашевич. Иллюстрация
к *Сказкам* К. И. Чуковского

советской России эпохи нэпа. Откровеннейший конформист, циник, едва не похвалявшийся своим цинизмом. Сочинитель «одЕссеи», как остряки прозвали соцреалистическую пирамиду из неподъемных романов, пытавшихся в качестве продолжения-тетралогии развить успех *Паруса*. Кто он, Катаев? Отличник? Заложник? Солдат?.. Нет, *наемник*, откуда и эта бравада циника, не скрывающего, что продается (а не запродан навечно, как большинство).

И вдруг (вдруг ли?) этот «растратчик» собственного таланта создает свою «новую прозу» — *Святой колодец, Траву забвения, Уже написан Вертер* (1965, 1967, 1980), вещи редкой стилистической раскрепощенности, свежести, силы. Даже если в отношении *Травы забвения* приходится делать оговорку: речь о лучших, избранных главах.

Что ж? Значит, Катаев откупил у власти право писать, как хочется, — откупил нечитабельными, зато «правильными» романами, вызывающим конформизмом общественного поведения? Но ведь это право еще надо было реализовать, — что и произошло.

Может быть, дело в том, что само положение «наемника» означало не полную сдачу на милость той действительности, которую уютно обжила плоть, той власти, перед которой душа трепетала, а — затаенный конфликт с этой действительностью, с этой властью? Стало быть, и лелеемую надежду на художественный реванш? Может быть. Так или иначе, вот еще одна вариация одного общего типа, заставляющая задуматься: как и насколько возможны выходы за его пределы?

Спасенные

Незадолго до революции Александр Блок записал в дневнике: «На днях я подумал, что стихи писать мне не нужно, потому что я слишком умею это делать. Надо еще измениться (или — чтобы вокруг изменилось), чтобы вновь получить возможность преодолевать материал».

Судьба Блока известна. Судьбы многих иных также переломились по закону, им сформулированному, и по причине, им нечаянно предугаданной (1917 год, революция). Как ни странно, однако, некоторых из тех, кто, в отличие от него, не приветствовал революцию, она — спасла. Не от голода или изгнания, а от творческой спячки.

Необходимость перемен, если не «вокруг», то в себе, подсознательно чувствует почти всякий художник. Правда, иной раз за него это формулируют другие. Так, в предреволюционные годы критик Чуковский и поэт Ходасевич, не сговариваясь, оба как бы безжалостно желают молодому Георгию Владимировичу Иванову (1894–1958) «пострадать хорошенько», пережить «большую житейскую катастрофу», «большое и настоящее горе». Тогда, дескать, из него может выйти настоящий поэт.

Как в воду глядели!

Катастрофа перетряхнула и Максимилиана Александровича Волошина (1878–1932). Она заставила холодноватого, слишком «литературного» поэта разорвать свой культурный кокон, и на свет явились стихи кровоточащие: *Памяти Блока и Гумилева, С Россией кончено...*, *Дметриус-император*. Последнее стихотворение — о русской смуте рубежа веков, об убитом царевиче Димитрии, преобразившемся в Лжедимитрия, о новой, нынешней смуте, о явлении нового самозванства: «И опять приду — чрез триста лет».

Но то, что произошло с Георгием Ивановым, похоже не на пробуждение, а на рождение, на приход в жизнь из небытия. Очень посредственный стихотворец, неразборчивый подражатель Николая Гумилева, Михаила Кузмина, даже Игоря Северянина, чье будущее тот же Ходасевич предсказывал условно, не веря в его реальность («Поэтом он станет вряд ли»), Иванов стал-таки не только поэтом, но таким, что находит силу гармонизировать хаос, распад. Притом, что сам же этот распад демонстрирует буквальным образом.

Да! В своей шокирующей, страшной, безумной прозе (так и озаглавленной: *Распад атома*), в этих новейших «записках сумасшедшего», где, впрочем, автор, скорее, не Гоголь, а получивший полную волю Поприщин, — здесь Иванов словно бы лишь воспроизводит победивший хаос. Он «сам частица мирового уродства» с «душой, как взбаламученное помойное ведро». Он сдался от безысходной потерянности: «Пушкинская Россия, зачем ты нас обманула? Пушкинская Россия, зачем ты нас предала?» Но это — проза. А стихи поразительны именно тем, что, декларируя ту же покорную сдачу, тот же согласный распад, упрямо противостоят ему...

Как? Чем? Классической ясностью формы? Конечно. Но вернее сказать: тем, что и положено выражать этой ясности, — на удивление не разлаженным строем души. Пусть — будто находящейся в анабиозе: «О нет, не обращаюсь к миру я / И вашего не жду признания. / Я попросту хлороформирую / Поэзией мое сознание».

Этот пренеприятнейший (общее мнение) человек обнаруживает в своей поэзии такую глубину несчастья, которую надо скорее назвать высотой. Поднимающей не только над дрязгами эмиграции, где оказался Иванов, не только над бедностью, но даже — над одиночеством. Когда приходит понимание, сколь одиноки все, всех и объединяет огромность общей утраты: «Россия счастие. Россия свет. / А, может быть, России вовсе нет. / И над Невой закат не догорал, / И Пушкин на снегу не умирал, / И нет ни Петербурга, ни Кремля — / Одни снега, снега, поля, поля...», «Занесло тебя, счастье, снегами, / Унесло на столетья назад, / Затоптало тебя сапогами / Отступающих в вечность солдат. / Только в сумраке Нового Года / Белой музыки бьется крыло: / — Я надежда, я жизнь, я свобода, / Но снегами меня замело».

М. Волошин. *Автопортрет*

Во внутренней эмиграции в пределах чуждого ему советского государства жил старик Сологуб, просившийся «наружу», но получивший отказ (подвел Бальмонт, который, воспев революцию, заслужил доверие власти, отбыл с семьей за рубеж — будто в командировку, — а там немедленно проклял большевиков). Внутренним эмигрантом в своем Коктебеле доживал Волошин, не уничтоженный единственно из равнодушия к нему. Что касается Михаила Алексеевича Кузмина (1872–1936), то он, уцелевший от пули или хотя бы от ссылки также по недоразумению, всюду был бы культурным затворником, не меняющимся в зависимости от того, какое «тысячелетье на дворе», повторяя за Пастернаком. (Чему способствовала и «сексуальная ориентация», замыкающая «единомышленников» в границах то ли касты, то ли клана.) Он и не менялся — ни в своей стилизованной прозе, мистифицирующей читателя близостью к старофранцузскому авантюрному роману или к английскому роману путешествий, ни в поэтическом самоощущении: «Декабрь морозит в небе розовом, / нетопленый чернеет дом, / а мы, как Меншиков в Березове, / читаем Библию и ждем. / ...Пошли нам долгое терпение, / и легкий дух, и крепкий сон, / и милых книг святое чтение, / и неизменный небосклон». Неизменный!

А Георгий Иванов — внутренний эмигрант и в эмиграции внешней. И дело не только в редкостной неуживчивости, но и в той глубине (высоте), в которой (на которой) возникло его трагическое уединение.

Итак, Иванов не был поэтом — и стал. «Там». Владислав Фелицианович Ходасевич (1886–1939) еще на родине, хотя тоже не сразу, обрел определенность поэтической физиономии — и какую!..

«Пробочка над крепким йодом! / Как ты скоро перетлела! / Так вот и душа незримо / Жжет и разъедает тело». Четверостишие 1921 года — как выжимка из всей поэзии Ходасевича, душа которого впрямь разъедала и жгла... Да не само по себе его хилое туберкулезное тело, а существование в целом. Завет пушкинского пророка: «Глаголом жги сердца людей!» оборачивался актом самоуничтожения — весьма, впрочем, необычного. Причудливым образом неотрывного от самосозидания. Вообще — от созидания.

Когда в эмигрантском стихотворении *An Marichen* (*К Марихен*) он желал девушке, стоящей за пивною стойкой, попасться под злодейский нож, быть изнасилованной и убитой (все это взамен скучной обывательской жизни), такое, конечно, шокировало. Но чего здесь не было, так это эпатажа; было то, чего он желал самому себе да, кажется, и всему миру. «Счастлив, кто падает вниз головой: / Мир для него хоть на миг — а иной», — позавидует он немецкому самоубийце, бросившемуся из окна. Но когда даст название *Из окна* стихам, написанным немногим раньше, однако еще в Петербурге, речь пойдет не о самоубийстве, не о перевернутом мире: это всего лишь мирный заоконный вид, открывающийся поэту. Вид мелких бытовых беспорядков, тут же и пресеченных: коня, сбежавшего от возниц, изловили, цыпленка, украденного «у безносой Николавны», вернули хозяйке, — и вот эта-то непоколебленность мира невыносимее всего: «Восстает мой тихий ад / В стройности первоначальной».

Оттого: «Весенний лепет не разнежит / Сурово стиснутых стихов. / Я полюбил железный скрежет / Какофонических миров. / ...И в этой жизни мне дороже / Всех гармонических красот — / Дрожь, пробежавшая по коже, / Иль ужаса холодный пот, / Иль сон, где, некогда единый, / Взрываясь, разлетаюсь я, / Как грязь, разбрызганная шиной / По чуждым сферам бытия».

Быт, обыденность, пребывающие «в стройности первоначальной», — ад для Ходасевича, будь то Германия, Франция или Россия. Ад, по которому «неузнанный проходит Каин / С экземою между бровей»;

отметим, что эта экзема — отличительный признак самого Ходасевича, подаренный им братоубийце. Значит, главенствует пафос безоглядного разрушения? А «первоначальной» — не означает ли «первозданной», созданной Богом, тут же и одобрившим Свое творение: «И увидел Бог, что *это* хорошо. И был вечер, и было утро: день четвертый» (Ветхий Завет, Бытие)?

Что ж, Ходасевич явственно провоцирует нас на это сомнение. В стихотворении 1925 года *Звезды* он детально и едко опишет грошовый парижский театрик-варьете, где «ведут сомнительные девы / Свой непотребный хоровод», имитируя-пародируя, ни много, ни мало, хоровод небесных светил. «...С каким-то веером китайским / Плывет Полярная Звезда. / ...Семь звезд — Медведица Большая — / Трясут четырнадцать грудей». А в жалко-вульгарном зрелище будет остро почувствовано посягательство на то, что — нерушимо! «Так вот в какой постыдной луже / Твой День Четвертый отражен!.. / Не легкий труд, о Боже правый, / Всю жизнь воссоздавать мечтой / Твой мир, горящий звездной славой / И первозданною красой...»

Воссоздавать — и рушить. Рушить — и воссоздавать. Быть «частицей мирового уродства» — и гармонизировать неубитой мечтой само это уродство.

Как Михаил Кузмин, находясь во внутренней эмиграции (эмигрировав в себя самого, в свой эстетически замкнутый мир), жил под «неизменным небосклоном», так во всех отношениях противоположный ему Владислав Ходасевич не менялся в зависимости от того, какой небосклон, парижский или петербургский, был над ним. И, как совсем не похожий на него Георгий Иванов, создал нечто логически непредставимое, но выражающее трагическую сущность культуры целого XX столетия. То, что способствует воссозданию и не может не участвовать в разрушении. То, что окрыляет и отягощает одновременно. *Гармонию распада.*

Именно так: не гармонию посреди распада, но сам распад, явленный с жестокой откровенностью, однако тоскующий по гармонии.

...Ходасевич спас свою жизнь, эмигрировав, но эмиграция ни поубавила, ни прибавила трагизма его поэтическому мироощущению. У писателей, живших на родине, проблема остаться самим собой, понятно, граничила с вопросом физического спасения. Или гибели.

В 1983 году в эмиграции Виктор Платонович Некрасов (1911–1987), автор повести *В окопах Сталинграда* (1946), лучшей книги об Отечественной войне, — по крайней мере до той поры, пока не вышли в свет *Жизнь и судьба* Василия Гроссмана и *Генерал и его армия* Георгия Владимова, — написал повесть *Саперлипопет*. Название, в общем, непереводимо, — что-то среднее между французским ругательством и досадливым восклицанием, — как по-своему непереводимы на язык здравого смысла варианты судьбы самого Некрасова, представленные им сослагательно. В духе русского «если бы да кабы». То есть они несовместны с тем здравым смыслом, который соответствует понятиям самого Некрасова, его характеру, его неуступчивой независимости. Хотя те же самые варианты, увы, оказались вполне востребованы — в схожих обстоятельствах, но иными писателями.

Не говорим о сугубо индивидуальном, частном, не общем — например, о предположении, что бы стало с Некрасовым, если бы он, проведший младенческие годы в Париже, сразу бы там и остался. Или — что, если бы выбрал, уже в России, карьеру актера, к чему одно время стремился. (И — получил бы «народного» за роль Дзержинского.) Но вот вариант более чем распространенный: якобы он, Виктор Платонович, стал благополучно-благонамеренным советским писателем, — а ведь обстоятельства настойчиво подталкивали к нему. Сталинская премия, данная автору повести *В окопах Сталинграда* по личной инициативе (!) самого вождя, открывала завиднейшие для многих просторы, — немудрено, что разыгравшаяся фантазия автора *Саперлипопета* в своем «если бы да кабы» достигала картин соответственно фантастических. Сталин уже будто бы

Кукрыниксы. *В. П. Некрасов*

не только изъявлял желание встретиться с сочинителем полюбившейся повести, но был готов стать ему другом, — правда, она же, фантазия, подсказывала исход, неизбежный при характере Некрасова настоящего, невымышленного. Он говорит вождю неугодное слово — и умирает. Умирает, услышав роковые слова: «Берию ко мне!»...

Некрасов всегда подчеркивал, что ощущает себя в словесности не профессионалом, а дилетантом. Вот и здесь — размышления дилетанта судьбы, то есть фаталиста. Могло быть так, могло быть иначе. Могло ли, однако? И дело не только в конкретной повести. Насколько способен настоящий талант участвовать в независимом выборе своей судьбы — в обстоятельствах, имеющих силу эту независимость подавить? (Настоящий талант — о прочих не говорим; эта книга о литературе, и в ней не может идти разговор о всяческих бубенновых-софроновых-кочетовых, к литературе отношения не имеющих. Разве что как ее палачи и гонители.)

Конечно, действительность многообразна. Бывает, что и неподдельный талант нутром органически настроен на конформизм. Мало того, это не то чтобы не оказывается губительным для него, но (естественно, до поры, до времени) порою даже способствует сочинению произведений, исполненных влюбленности в жизнь и даже в ее не лучшие проявления. Так, например, у Алексея Николаевича Толстого (1882–1945) не только возникает восхитительный мир *Детства Никиты* (1918), но и всестороннее ничтожество, универсальный подлец Семен Невзоров (*Похождения Невзорова, или Ибикус*, 1924) оказывается своего рода совершенством, которым не восторгаться нельзя.

Редкостно одаренный создатель двух этих шедевров (Горький сравнивал его по талантливости с однофамильцем Львом Николаевичем) завершал собою «вереницу наших усадебных классиков» (а это уже суждение Корнея Чуковского). Правда, завершил ее не он сам, но — революция, от которой «третий Толстой» вначале бежал, ненавидя и проклиная ее; потом вернулся домой, гонимый и несомненной тоскою по родине, и не менее несомненным расчетом. А не будь революции («если бы да кабы»), как бы все повернулось?

Как-нибудь по-другому, но не большевики заразили натуру Толстого пристрастием к тем, в чьей власти — давать или распределять материальные блага («до катастрофы» — к толстосумам Москвы и Петербурга, в недолгой эмиграции — к тамошним меценатам, в СССР — к «комиссарам»). В этом смысле он менялся мало. Например, своему другу Бунину, который, презирая его, не мог не любоваться талантливостью «Алешки», в Париже хвастался умением широко жить за чужой счет. А встретившись там же, но уже наездом из советской страны, уговаривал вернуться с помощью таких аргументов: «У меня поместье в Царском Селе, у меня три автомобиля...»

Есть легенда, будто самое холопское из своих сочинений, повесть *Хлеб* (1937), поставившую Сталина во главе обороны Царицына, он написал за несколько дней в самозащитном порыве, оповещенный о сроке своего ареста. Но этого не было. *Хлеб* и писался ради надежно-обильного хлеба, и если даже такому таланту не удалось одеть политический миф убедительной плотью, то виной была крайняя убогость самого мифа, не разбудившего в художественно конформистской натуре Толстого со-природного ей вдохновения. Нередко — удавалось-таки. И при всей во-пиющей неровности трилогии *Хождение по мукам* (1921–1941), даже в ней немало блестящих страниц — даром что первая часть трилогии, *Сестры*, писалась с антибольшевистских позиций. И белый офицер Вадим Рощин

Кукрыниксы. *А. Н. Толстой*

при сочувствии автора грозил искоренить «гадючье гнездо» — захваченный ленинцами Смольный.

Тем более пышет талантливостью роман *Петр Первый* (1929–1945). Этому, то есть талантливости, словно не помешала опять-таки крутая перемена позиции, косвенно или прямо продиктованная Сталиным, который сознавал себя продолжателем дела Петра. Во всяком случае рассказ *День Петра* (1918) и пьеса *На дыбе* (1929), где тот же царь воспринимался писателем с ужасом, пусть зачаровывающим, написаны ни лучше, ни хуже романа. Перемена исторической концепции, что в ином случае означало бы катастрофическую измену себе и своему дарованию, почти не отразилась на художественном уровне прозы Толстого, — в чем, конечно, его уникальность. И Юрий Николаевич Тынянов (1894–1943), сам, между прочим, автор *Восковой персоны* (1931), рассказа о смерти Петра, был все же чрезмерно суров, назвав *Петра Первого* «желтым историческим романом». Поделкой сродни старопрежней исторической беллетристике, где сама история бывала не мудрствующей лукаво иллюстрацией к взглядам авторов на современную жизнь, современную политику.

Чрезмерность тыняновской суровости тем очевидней, что его собственная проза, будь то рассказ *Подпоручик Киже* (1928) — о безумии и курьезах эпохи императора Павла — или в особенности роман *Смерть Вазир-Мухтара* (1928), как раз чуть не предельно нацелены в советскую современность. Исключение — роман *Пушкин*, начатый в 1935 году и, увы, незаконченный. Тот же *Вазир-Мухтар* — произведение духовного оппозиционера, который не может высказаться прямо и ищет в истории возможность косвенного высказывания. А судьба романного Грибоедова, пошедшего дорогой его собственного Молчалина, то есть сменившего вольное перо комедиографа на служебную лямку, — чем не судьба многих тогдашних советских писателей, советских интеллигентов?..

«Документы врут, как люди», — сказал Тынянов. «Там, где кончается документ, там я начинаю» (он же). Но ведь в точности то же мог сказать о себе и Алексей Толстой, потому что оба, только по-своему, в разных целях использовали возможности и характер своего общего времени. Тынянов, как сказано, в целях оппозиционных (пусть оппозиционных умеренно, пусть ровно настолько, чтобы *Смерть Вазир-Мухтара* или *Подпоручик Киже* могли быть опубликованы). Толстой, вслед за Петром воспевший и Ивана Грозного — в точности с эволюцией взглядов Сталина на отечественную историю, — в целях нескрываемо конъюнктурных. Но, повторю, и тому и другому способствовало время — время пересмотра и перетряски всего на свете, включая, понятно, историю.

Чтобы не бросить важную тему на полуслове: должны были пройти десятилетия, чтоб исторический романист нового времени Юрий Владимирович Давыдов (р. 1924) мог, если бы захотел, переиначить давнюю формулу. В таком роде: я начинаю вместе с документом и не расстаюсь с ним. «Свобода мне надоела, прискучила», — это уже его подлинные слова, казалось бы, удивительные в устах автора *Глухой поры листопада* (1968–1970), имеющей все признаки завзятого детектива. Или *Судьбы Усольцева* (1973), при всей исторической достоверности — подобия антиутопии или притчи. Или *Соломенной сторожки* (1986), где герой романа Герман Лопатин разоблачает предателей-провокаторов, как Шерлок Холмс или, скорей, душеведец патер Браун. Тем более — романа *Бестселлер* (1998–2000), вещи жанрово раскрепощенной, игровой, переполненной неожиданными ассоциациями и каламбурной перекличкой эпох.

Тем не менее — «…надоела, прискучила». И именно — свобода от документа, приоритет модернизирующей тенденции. Что существенно как черта нового художественно-исторического сознания, когда энергия переделки истории в угоду победившей власти (Алексей Толстой), как и энергия переделки ее в противовес победителям (Юрий Тынянов), смогли замениться *энергией восстановления* (Юрий Давыдов). Восстановления самой по себе истории — ради ее же самой, не приспособленной ни для каких прагматических целей.

Если угодно, в сопоставлении трех писателей, обращающихся к истории, выявляется общая эволюция. Состоящая в том, что зависимость от идеологии времени (прямая, как у Толстого, обратная, как у Тынянова) теряет свою абсолютную власть; словесность осознает свою самостоятельность от нее. На сей раз бо́льшую — или по крайней мере не меньшую — роль играет само по себе переменившееся время, но не однажды случалось, что путь «оттуда» совершался в пределах кратчайшего временного отрезка. Одной-единственной писательской биографии. *Советский писатель* порою заслуживал право быть названным: *русский писатель советской эпохи*.

Вариант из самых наглядно-понятных — то, что произошло с Василием Семеновичем Гроссманом (1905–1964).

То есть и прежде случалось, что, например, знаменитый — думаю, не по таланту и самобытности — Борис Андреевич Пильняк (1894–1937), хоть и ругаемый критикой, но входивший в круг литературной советской элиты, в 1926 году напечатал *Повесть непогашенной луны*. Прозрачно изложенную версию смерти Фрунзе, зарезанного на операционном столе по сталинскому приказу. Отчаянное политическое бунтарство? Скорей — политический расчет, оказавшийся слишком рискованным: в 26-м еще были влиятельны силы, надеявшиеся Сталина сместить. Как бы то ни было, именно эта повесть (плюс другая, *Красное дерево*, отвергнутая в СССР и напечатанная за границей в 1929 году) была припомнена в пору репрессий. И хотя это стало судьбою многих и многих, нечасто, даже почти никогда прямой причиной не оказывалась собственно литература.

С годами путь «оттуда» становился более торным. Именно им прошел Анатолий Наумович Рыбаков (1911–1998), автор добротных и, без иронии, совершенно советских книг, который в 1966 году закончил не по времени антисталинский роман *Дети Арбата* (опубликованный лишь в 1987-м и даже тогда потрясший миллионы читателей). Тот же путь, оказавшийся крестным, стал судьбой и Александра Аркадьевича Галича (1918–1977). Еще в середине 60-х о нем можно было прочесть в литературной энциклопедии: «...рус. сов. драматург... Комедиям Г. свойственны романтич. приподнятость, лиризм... Г. — автор популярных песен о молодежи», — и вдруг пришла пора песен совсем иных. Благополучный водевилист, баловень светско-советской Москвы стал автором опасно-сатирических песен, диссидентом, эмигрантом и погиб в Париже, провожаемый в могилу бранью отечественного официоза.

И все-таки с Гроссманом дело особо наглядное. Хотя бы и потому, что переход-перелом произошел в границах одной романной дилогии.

История первой части, *За правое дело* (1952), драматична и унизительна, но еще по-советски обыкновенна, — как и сам роман, посвященный Сталинградской битве, хотя не вполне сумел, но пытался втиснуться в подцензурные рамки. Гроссман, страдая, выполнял и, казалось,

Н. Дронников. *А. А. Галич*

выполнил требования, предъявленные редколлегией *Нового мира* и главным редактором Твардовским: прежде всего — вписать главу о Сталине и почистить рукопись за счет персонажей-евреев.

Поправки не спасли роман от травли. В директивной *Правде* появилась статья профессионального погромщика, прозаика Бубеннова, пребывавшего в положении доверенного сталинского лица. Начались поношения на собраниях: кто не прощал жестокой военной правды, кто — самой по себе талантливости романа, кто — инородческой фамилии автора. Стал грядущей реальностью и арест. Выручила кончина вождя; роман, сперва по инерции продолжавший уничтожаться, все же не только пошел наконец в печать, но и вызвал у иных из гонителей приступы покаяния (Фадеев публично и горько жалел о причастности к погрому). И Гроссман принялся за вторую часть — ту, что получит название *Жизнь и судьба* и сама обретет судьбу, которую даже по самым абсурдным советским меркам обыкновенной уже не назвать.

Все пошло вопреки любым нормам — начиная с того рокового шага, что автор, понимая, что́ за книгу он написал, вручил ее в надежде на публикацию редактору журнала *Знамя* Вадиму Кожевникову, аналогу Бубеннова. Им, вспоминает друг Гроссмана Семен Липкин, «овладела странная мысль, будто наши писатели-редакторы, считавшиеся прогрессивными, трусливей казенных ретроградов. У последних, мол, есть и сила, и размах, и смелость бандитов». (Мысль не то чтобы странная, а — запоздалая. Это прежде продажный Булгарин мог сохранить рукописи, врученные ему декабристом Рылеевым накануне ареста. Запроданный советский писатель так поступить не мог.)

Словом, Кожевников сообщил «куда надо». Роман арестовали — все машинописные экземпляры, черновики, подготовительные наброски (к счастью, «органы» не подозревали, что их действия не были неожиданными: один экземпляр спрятал Липкин, правленный черновик укрыл еще один друг Гроссмана). И то, что карательные меры властей превысили обычную норму, было не случайно.

«Военная литература» — наряду, скажем, с «деревенской» — справедливо считалась едва ли не лучшей составной частью подцензурной советской словесности. Во всяком случае — наиболее правдивой (о случаях угождения официозу не говорим). Первым прорывом в честную «окопную правду» была, как уже говорилось, повесть Виктора Некрасова *В окопах Сталинграда*. И если *Звезда* (1947), повесть Эммануила Генриховича Казакевича (1913–1962), при всей своей трогательности романтизировала будни войны, — казалось, еще шажок и будет достигнута паточность катаевского *Сына полка* (1945) — то другая повесть Казакевича, *Двое в степи* (1948), недаром была грубо выругана партийной критикой: она это поистине заслужила своей неподдельной суровостью, в те годы отнюдь не принятой. Уже в пору «оттепели» были также раскритикованы, но успели сказать свое искреннее слово произведения молодых фронтовиков Григория Яковлевича Бакланова (р. 1923) и Юрия Васильевича Бондарева (р. 1924), какой бы ни вышла дальнейшая эволюция второго из них — к официозной, даже сталинистской трактовке событий войны. Сорок лет ждала своей очереди повесть Константина Дмитриевича Воробьева (1919–1975) *Это мы, Господи!* (написана в 1946, опубликована лишь в 1986 году), погружавшая читателя «в кромешный сорок первый год», — так высказался о ней Вячеслав Леонидович Кондратьев (1920–1993), сам автор пронзительной повести *Сашка* (опубликована в 1979, также — правда, несравненно меньшее время — промаявшись в осторожных редакциях).

Словом, первая часть дилогии Гроссмана, *За правое дело*, при всех своих достоинствах не выбивалась, тем более резко, из этого достойного ряда. Если не по степени таланта, то по степени правды, вынужденно дозированной, с ней выдерживала сравнение военная проза Константина Михайловича Симонова (1915–1979), сыгравшая немалую и почетную роль в отвоевывании у цензуры все новых и новых «разрешенных» плацдармов. Хотя, вероятно, лучшим из написанного Симоновым о войне были его стихи той военной поры во главе со «знаковым», «культовым»

Жди меня (1942) и опубликованные — опять-таки после ряда цензурных запретов — в 1977 году дневники *Разные дни войны*.

В общем, ценя *За правое дело*, по крайней мере лучшие главы о народной, солдатской войне, все же трудно представить, каким чудом на протяжении всего нескольких лет произошло *такое* превращение Гроссмана. В создателя романа не просто художественно мощного, но совершенно свободного. И не от страха перед гневом властей (это само собою), не от иллюзий сугубо советского человека (их-то могла выбить сама по себе травля), но от той ограниченности, которая, кажется, неизбежна для любого обитателя любой конкретной эпохи. И война, и холокост, и сталинская репрессивная мясорубка, и разительное сходство двух тоталитарных систем, коммунистической и нацистской, — мало того, что все это написано сильно и страшно. Тут есть свойство истинно великой литературы — осмысление конкретных событий и судеб с высоты идеала, выстраданного всей историей человечества.

Голоса из котлована

Чаще, однако, происходило не так, как в случае Гроссмана: когда, говоря упрощенно, писатель был одним человеком, стал — другим. Чаще двое в одном не сменяли друг друга, а едва ли не боролись.

В дневнике Чуковского есть запись 1931 года: Андрей Платонов сетует, что писал свой роман *Чевенгур* с большим пиететом к революции, а его запретили. Да, Платонов, Зощенко, Бабель (о, не Ахматова, не Булгаков!) были людьми искренне советскими. Но советскими ли писателями?

Вопрос не риторический, не простой. Тот же Исаак Эммануилович Бабель (1894–1941), как известно, был обруган Буденным за клевету на его бойцов в книге *Конармия* (1923–1926). За Бабеля вступился Горький, возразив, что не оклеветал, а украсил, — но вот что в данном случае важно.

Во-первых, когда были опубликованы дневниковые записи Бабеля времен его пребывания в Первой Конной, публикаторы с изумлением убедились: то, что казалось вычурностью стиля или декоративностью реалий, оказалось подчас сущей реальностью. Живописные ли наряды красных казаков, причудливые ли речения, выглядящие плодом писательского воображения, — все это занесено в дневник по горячим следам, списано с натуры. Во-вторых же и в-главных, не были правы ни Буденный, ни Горький. Или — правы оба. Потому что — вот, с одной стороны, рассказ *Мой первый гусь*, где Лютов, очевидный двойник автора, давя в себе «интеллигентщину», забирает у старухи-хозяйки гуся: «Мне жрать надо». И именно за этот поступок он, чужеродный очкарик, принят конармейцами за своего. А рядом — рассказ *Гедали*, в котором старый еврей мечтает об «Интернационале добрых людей», где бы «каждую душу взяли на учет и дали бы ей паек по первой категории». И хотя Лютов-Бабель находит, что́ возразить мечтателю, ясно, что боль и мечта старика внятны автору.

Что это? Возможно, интеллигентская увлеченность стихией (будь то Конармия или одесские налетчики) — но при сохраненном интеллигентском самосознании, воспитанном русской литературой.

«Мне не нужна ваша линия, низменная, как действительность». Это — в рассказе *Линия и цвет* — говорит рассказчику знаменитый Александр Федорович Керенский, объясняя, почему, будучи близоруким, не носит очков. Мог ли повторить эту фразу сам Бабель? Странный вопрос: при его-то жадной пристальности к красочным деталям! Но: «Зачем мне линии, когда у меня есть цвета? Весь мир для меня — гигантский театр, в котором я единственный зритель без бинокля». И вот эти слова будущего правителя Российской республики уже могут быть признаны и авторскими. Бабель бывает грубо дотошен в изображении жизни, как завзятый натуралист, и он же высокопарен, как истый романтик. Да он и есть *романтический натуралист* («Я не умею выдумывать», — повторял он не раз, но зато — ка́к он умеет видеть!).

Конармия для Бабеля — театр, где он, пребывая в ее рядах, оставался зрителем. И бандитская Одесса с Беней Криком и Фроимом Грачом — тоже, какой бы родной ему она ни была. И в жизни Бабеля существовал театр одного актера: и в том, как он артистически прятался не только от издательств и киностудий, требовавших возвращения авансов, но и от близких людей. И в том, как он любовался, допустим, главой Кабардино-Балкарии Беталом Калмыковым, ханом-головорезом. И в том, что захаживал к вурдалаку Ежову.

Понимал ли опасность? Конечно. Не зря на Первом съезде писателей он восславил Сталина как замечательного стилиста, переуступив ему собственную заслуженную репутацию, — но игра продолжалась, разнообразилась, пока не оборвалась арестом.

Итак, что это? Все то же памятное: «Цель поэзии — поэзия», правда, уже истолкованное не без цинизма? Самоценная привлекательность мира, создаваемого или украшаемого художником? Когда (говорю о конкретном случае) неважно или второстепенно, что бойцы революции, как и бандиты Одессы, проливают не клюквенный сок, а кровь, и что кодекс бандитского благородства последних весьма и весьма сомнителен. Что, хотим или не хотим, роднит замечательно талантливые *Одесские рассказы* (1931), допустим, с пьесой Николая Федоровича Погодина (1900–1962) *Аристократы*; там герои-чекисты находят общий язык с «социально близкими» грабителями и убийцами...

Именно это вызовет в адрес Бабеля (не говоря о Погодине) негодующие и нередко преувеличенно экспрессивные упреки со стороны писателей, понаглядевшихся в лагерях на подлинный лик уголовников. И Михаилу Михайловичу Зощенко (1895–1958) не раз помянут его участие в коллективной книге, восхваляющей «перековку» заключенных строителей Беломорско-Балтийского канала. Но хотя зощенковский рассказ о перевоспитавшемся мошеннике, очень возможно, был написан со всей искренностью; хотя Зощенко столь же искренне намеревался своими смешными рассказами «бороться с мещанством», искоренять «родимые пятна капитализма» — при всем при этом его удивительным образом обошли обольщения, исказившие человеческую сущность многих советских писателей.

Даже — или в первую очередь — Горького, который (подчеркиваю: как советский писатель) в свои поздние годы, и как раз ради борьбы против «мещанской ржавчины», вдруг отказался от своих прежних страстных привязанностей.

Вдруг ли?

В 1932 году он писал: «Работа интеллигенции всегда сводилась — главным образом — к делу украшения бытия буржуазии... Нянька капиталистов — интеллигенция...» — и далее в том же роде. Так что неудивительно было прочесть год спустя: «Мы знаем, как быстро она покрылась мещанской ржавчиной. Процесс «Промпартии» показал нам, как глубоко эта ржавчина разъела инженеров... То же случилось с литераторами...»

И роман *Жизнь Клима Самгина* (1925–1936), при всех серьезных достоинствах, подтвердит это многими своими страницами. А в финале пьесы

Кукрыниксы. *М. М. Зощенко*

Сомов и другие (1931) агент ГПУ попросту скажет кучке интеллигентов: «Вы арестованы». Хотя еще в 1924-м, в очерке *Владимир Ленин*, Горький воспевал интеллигенцию. Называл чуть не единственной силой истории, ее «ломовой лошадью».

«Работа интеллигенции всегда сводилась...» — утверждает он, словно утратив память. Но в чем он был неуклонно последователен, так это в

234

неприязни и к мужику, и к «обывателю»: «Я плохо верю в разум масс вообще... Меня всю жизнь угнетал... зоологический индивидуализм крестьянства и почти полное отсутствие в нем социальных эмоций» (тот же очерк о Ленине).

И это правда: «всю жизнь». Еще молодой Горький увидел крестьянина Гаврилу (чья жадность противна, как всякая жадность, но рождена естественнейшей мечтой вложить деньги в хозяйство, отвоевав свою независимость) презрительным взглядом люмпена Челкаша, в котором, как и в обитателях «дна», ему примерещилась сила свободного человека. Такая, что и аморализм показался несущественным, неопасным, — и не та же ли сила, свободная от морали, потом почудилась ему в Сталине? Даже если Алексей Максимович именовал Иосифа Виссарионовича «могучим человеком», «мощным вождем», а то и «великим теоретиком» не совсем искренне.

Не в том драма — а говорим о драме значительного художника, достойной сочувствия, — что мир, как язвительно заметил Чуковский, оказался сплошь поделен на Соколов и Ужей. Во-первых, сама по себе сильная мысль, надеющаяся прорубить просеку сквозь людскую дремучесть, имеет право быть прямолинейной; страсть переделки мира и человека может быть упорной до назойливости (впрочем, правда и то, что для этого надо обладать мыслью Толстого, страстью Достоевского). Во-вторых, же, талант, ежели он талант, обычно преодолевает схему, даже если она заявлена самим художником, и, допустим, хотя затруднительно — по причине интимности акта чтения — определить, насколько читаются, то есть живут поныне, романы и повести Горького, то уж непрекращающийся успех его драм (*На дне, Мещане, Последние, Варвары, Дачники*) никак не объяснишь одним только «историческим» интересом к фигуре их автора. В той же пьесе *На дне*, к примеру, Лука вышел настолько пластично-неоднозначным, что сам Горький перед ним терялся, толкуя то так, то этак.

И если его трагическая эволюция произошла-таки, если «буревестник» превратился в одомашненную сторожевую птицу, то это не обошлось без воздействия нелюбви к самому массовому человеку страны. К человеку, свою предназначенность для которого всегда ощущал русский интеллигент, потому-то и оставаясь интеллигентом в выношенном историей смысле. Гневаясь на него, порой ненавидя, — все-таки ощущал. Как Толстой. Как Некрасов. Как Чехов. Как Короленко.

И — как Михаил Зощенко, сколь бы странным ни показалось его имя в этом ряду. Хотя странного как раз ничего нет.

Горький, нежно любивший и всерьез уважавший Зощенко, советовал ему написать книгу, в которой надлежало «осмеять страдание» как «позор мира», возбудить к нему «чувство брезгливости». (Совсем нетрудно догадаться, что этот «позор» олицетворялся для Горького в ненавидимом им Достоевском, отчасти — в Толстом.) Но как раз этого Зощенко исполнить никак не мог, — да, именно он, «юморист», притом искренне полагавший, что помогает советской власти изживать в людях помянутые «родимые пятна».

У него есть рассказ *Актер* — сравнительно ранний, 1925 года, значит, провидческий. Как некий любитель, сопровождаемый сочувственными выкриками знакомцев в зрительном зале (« — А, — говорят, — Вася вышедши! Не робей, дескать, дуй до горы!»), играет купца, которого грабят разбойники. И вдруг чувствует, что грабят не понарошку: тянут его кровный кошелек.

« — Братцы, — говорю. — Режиссер, — говорю, — Иван Палыч. ...Спущайте занавеску. Последнее, — говорю, — сбереженье всерьез прут!» И чем истошней кричит, тем пуще помирает со смеху публика.

Не слепок ли с грядущей зощенковской судьбы? Он, писавший «всерьез», долго имел ложную репутацию — весельчака и мещанского развлекателя. Так что когда сталинский подручный Жданов — по указанию *самого* — объявил его «отщепенцем и выродком», «человеком без морали, без совести», это был лишь пик возводимой на Зощенко напраслины.

Зощенко, как и положено в России большому писателю, — исследователь души, на сей раз поселившейся в «средних людях» (его словцо), которые застигнуты советской эпохой. Как в рассказе *Землетрясение* (1930) ялтинского сапожника-пьяницу застиг иной катаклизм, землетрясение, накануне которого он беспечно «выкушал полторы бутылки русской горькой. ...Тем более он еще не знал, что будет землетрясение».

Последнее — это простодушный и, разумеется, уж никак не загаданный (однако и не случайный, учитывая традиционные интеллигентские упования) отклик трем чеховским сестрам, пытавшимся угадать будущее, свое собственное и общероссийское: «Если бы знать, если бы знать!» Но, в отличие от этих интеллигенток, зощенковский «средний человек», даже и застигнутый врасплох, спешит врасти в новые обстоятельства. Усвоить новые правила, новый язык, — как монтер (одноименный рассказ 1927 года), который обиделся на театрального администратора, отказавшего в контрамарках его знакомым барышням, и решился на классовую месть. Растравив сердце воспоминанием, что когда труппу «сымали на карточку», его, пролетария, приткнули куда-то сбоку, а тенора усадили в середку, вырубил в театре свет: «Думает — тенор, так ему и свети все время. Теноров нынче нету!»

Звучит как пародия на сталинское: «У нас незаменимых нет». Но в том-то и дело, что вождю еще только предстояло вывести эту формулу, за показным демократизмом которой — диктаторская ставка на быдло.

Как возникла зощенковская угадка? Да так, как и могла возникнуть у того, кто проник в психологию массы. В чем логика гегемона-монтера и какова ее неизбежная трансформация? Теноров, то бишь незаменимых,

Кукрыниксы. *М. Горький*

как сказано, нету. Все равны. Значит, я не хуже прочих. Значит, и иметь я должен не менее, чем они. А если имею меньше, значит они (тенора, доценты, очкарики, инородцы...) словчили. А коли так, выходит, я лучше их. А уж поскольку я лучше, то и иметь я должен больше... И вообще — имеют ли они право на существование рядом со мной?

Зощенко не метил в чиновно-коммунистическую верхушку. Управдом, банщик, больничный фельдшер — вот объекты его «сатир», занявшие место того, кто был традиционным объектом внимания литературы, «маленького человека». И Зощенко как бы видит воочию то, что (вспомним) предвидел саркастический Сухово-Кобылин: возможность и неизбежность превращения Акакия Акакиевича Башмачкина (как и Девушкина, и Мармеладова) в Расплюева.

В помянутой *Бане* гардеробщик, не соглашаясь выдать пальто по веревочке от бумажного номерка (сам номерок «смылся»), объясняет отказ: «Это, говорит, каждый гражданин настрижет веревок — польт не напасешься». И автор вряд ли забудет фразу персонажа из рассказа 20-х годов, когда в *Голубой книге* (1934), задуманной как «краткая история человеческих отношений», даст ее вариант: «Это каждый настрижет у прохожих голов — денег не напасешься». Но на сей раз будет вещать уже

Люций Корнелий Сулла, раздраженный тем, что наемный убийца принес «не ту» голову, что числится в проскрипционном списке. И грозный тиран, говорящий языком мелкого коммунального служащего (или наоборот), если и шутка, то мрачная.

А все-таки Гоголь и Достоевский вспомнились не только ради контраста.

В романе *Золотой теленок* (1831) Ильи Арнольдовича Ильфа (1897–1937) и Евгения Петровича Петрова (1903–1942) есть Воронья слободка, «коммуналка», являющая собою образ отжитого. Обреченного умереть. Единственный «положительный» жилец, герой-летчик, отсутствует, совершая свой перелет (и, конечно, сюда уже не вернется: уж ему-то за геройство предоставят иную жилплощадь). А налицо — падаль и гниль: бывший камергер Митрич, бывший князь Гигиенишвили, лжеинтеллигент Лоханкин, черносотенец-дворник Никита, спекулянтка Дуня и заодно — «ничья бабушка», о которой не сказано ничего дурного, кроме того, что и она из «раньшего времени». Весело-победительным Ильфу и Петрову хватило сочувствия для талантливого авантюриста Бендера, пасующего перед новой действительностью, но, с точки зрения советских сатириков, все обитатели Вороньей слободки равно не заслуживают жалости.

Зощенковские «средние люди» (или, также по определению автора, «прочие незначительные граждане с ихними житейскими поступками и беспокойством») как раз и есть сплошь обитатели Вороньей слободки. Но, хотя коммунальные потолки и квадратные метры снижают-сужают разворот страстей, здесь обнаруживается именно «краткая история человеческих отношений». Вскипают страсти, что говорить, не равные по масштабу, но соприродные страстям злодея Ричарда III, скупца Гарпагона или колеблющегося «интеллигента» Гамлета. Отчего в *Голубой книге* (которая, может быть, и создана потому, что писателю надоело вечно ложное истолкование его произведений) сошлись воедино пресловутые «средние» с персонами мировой истории Нероном, Цезарем Борджиа, Екатериной Великой...

Судьба и характер человека массы (именуй его обывателем, или, почтительней, частицей народа), его способность — и неспособность — прижиться в постреволюционной реальности — вообще тема значительнейших писателей советской эпохи. Будь то булгаковский Полиграф Полиграфович Шариков или герои романов Андрея Платонова *Чевенгур* и *Котлован*. Тот, кто со своим: «Взять все да и поделить» готов пойти путем зощенковского монтера и превзойти его, сжив со свету своего создателя профессора Преображенского, а затем и подстрекателя Швондера. И те, что с наивным энтузиазмом берутся за переделку всего мира.

Михаил Афанасьевич Булгаков (1891–1940) и Андрей Платонович Платонов (1899–1951), оба крайне неудачливые в своих отношениях с властью и ее цензурой, — фигуры, однако, контрастные. На обоих Сталин

238

Кукрыниксы. *И. А. Ильф и Е. П. Петров*

наложил цензурный запрет, но какова разница между кратким: «Сволочь!», высочайше начертанным на полях журнальной публикации платоновской повести *Впрок* (1932), и странным пиететом перед гонимым Булгаковым, чью пьесу *Дни Турбиных* (1926) вождь видел в Художественном театре не меньше пятнадцати раз. Один, Платонов, по крайней мере начинал как энтузиаст социалистического строительства, подобный его же героям; другой, Булгаков, скрывая факт службы в белой армии, был

Портрет М. А. Булгакова

посреди советской действительности нескрываемо, отстраненно «белым». Не говорю уж об образе жизни, свидетельствующем о принадлежности к категорически разным социальным средам: Булгаков при всех бытовых неурядицах вел безукоризненно светскую жизнь, гордясь, что его хлебо-сольный дом — «лучший трактир в Москве», и принимая как должное, к примеру, необходимость заказать вечерний костюм ради приема в иностранном посольстве. А о Платонове случайно был пущен слух (неважно, что недостоверный, важно, что ему до сих пор верят), будто он служил дворником при Литературном институте.

Все было разным, начиная с главной отлички любого писателя, — стиля. «В час жаркого весеннего заката на Патриарших прудах появилось двое граждан». «В белом плаще с кровавым подбоем, шаркающей кавалерийской походкой, ранним утром четырнадцатого числа весеннего месяца нисана...» Вот четкий и ясный булгаковский стиль. А Платонов? Если историческая повесть *Епифанские шлюзы* (1927) о трагической незадаче инженера Перри, не сумевшего исполнить приказ царя Петра и соединить каналом Дон и Оку (прообраз того котлована, который будут бесконечно рыть строители социализма), — если эта ранняя повесть писана еще вполне «нормальным» слогом, то вот язык *Чевенгура* (1928–1929) и *Котлована* (1930): «Копенкин пришел в самозабвение, которое запирает чувство жизни в темное место...» «...Он чувствовал лишь энергию печали своей индивидуальности». «...Все тело шумело в питающей работе сна...» «Вощев... собирал в

O. Берзинь. *А. П. Платонов*

выходные дни всякую несчастную мелочь природы как документы беспланового создания мира, как факты меланхолии любого живущего дыхания». Редчайшее платоновское своеобразие плюс советский новояз, а то и впадение в нарочитое графоманство: «…Чиклин покойно дал активисту ручной удар в грудь, чтобы дети могли еще уповать, а не зябнуть».

Проза Булгакова и проза Платонова: два образа двух разных миров, хотя в основе одна и та же действительность 20–30-х. В *Чевенгуре* и *Котловане* сама хроника чевенгурской коммуны сказочно-фантастична, как гиперболичен и символичен котлован — не просто яма для фундамента конкретного здания, а «маточное место для дома будущей жизни». Сказка мешается с былью, подлинность — с абсурдом. Геройский революционер Копенкин, Ильей Муромцем восседающий на былинном коне по имени Пролетарская Сила, выберет дамой сердца, уже как Дон Кихот Дульсинею, даже на портретах не виденную им Розу Люксембург. (Голубая роза немецких романтиков?) Один мужик, которого кличут Богом, будет питаться «непосредственно почвой», другой от тоски одиночества сдружится с тараканом. «Личный человек» Пашинцев превратит дворянское имение в «ревзаповедник», который и станет охранять в рыцарских латах. В обычной колхозной кузне трудится молотобойцем натуральный медведь «с утомленно-пролетарским лицом». Словом, поистине «взвихренная Русь», «земля дыбом» — и насколько ж непеременчив в своей основе мир России Булгакова!

И там вмешательство фантастики: чудесный луч профессора Персикова, выпустивший на свет чудовищных гадов (*Роковые яйца*, 1924), человекособака Шариков, угрожающий уничтожить ровный ход жизни профессора Преображенского (*Собачье сердце*, 1925), наконец, князь тьмы Воланд, объявившийся средь Москвы со своей шайкой (*Мастер и Маргарита*, 1929–1940). Но все это, взбаламутив и вздыбив привычный быт, возвращает его в первоначальное состояние. Больше того. Сколь ни катастрофично было явление Воланда для иных, в целом оно даже способствовало наведению справедливости. То есть порядка. Что весьма и весьма существенно.

Вдова Булгакова, сказав, что не любит, когда о незаконченных *Записках покойника* (они же — *Театральный роман*, 1936–1937) говорят: «Я так смеялся!..», продолжает: «Не об этом. Не про это. Это трагическая тема Булгакова — художник в его столкновении все равно с кем — с Людовиком ли, с Кабалой, с Николаем или режиссером».

Имеются в виду пьеса *Кабала святош* (или *Мольер*, 1930), как и биографический очерк *Жизнь господина де Мольера* (1932–1933), пьеса *Александр Пушкин* (*Последние дни*, 1939) и сами *Записки покойника*, прозрачно рассказывающие о злоключениях автора в Художественном театре. Добавим и драму Мастера. Так или иначе — конфликт един, постоянен во все времена! Людовик — Мольер, Николай I — Пушкин, Станиславский — Булгаков, Мастер из романа — сонм разномастных врагов, образующих систему. И разрешимость конфликта исключена — на то он и вечный. Иллюзии на сей счет невозможны.

У Булгакова был замысел пьесы о том, как некий писатель знакомится со «всесильным человеком», уверенным, «что ему все подвластно, что ему все возможно». Он способен осчастливить покровительством и писателя. Но вдруг это всесилие, основанное на дружбе со Сталиным, оказывается иллюзорным. В пьесе предполагалось и появление самого Сталина, который лишал недавнего друга доверия. Затем — арест, и вот уже наш писатель оказывается изгоем, обвиняемым в дружбе с врагом народа.

Этой пьесы Булгаков не написал. Он написал *Батум* (1939), где Сталин — герой без страха и упрека.

Зачем написал? Ради чего? Верил ли тем хвалителям (в том числе — самому Немировичу-Данченко), кто уверял, будто пьеса, в которой невозможно узнать блистательного автора *Турбиных* и тем более *Бега* (1928), есть его несомненный шедевр? И насколько создание *Батума* было определено внутренней, художнически бескорыстной потребностью?

На последний вопрос отвечают по-разному. Некоторые знакомцы Булгакова, в основном из деятелей МХАТа, утверждали: то был исключительно творческий замысел, не имевший отношения к конъюнктуре («Его увлекал образ молодого революционера, прирожденного вожака, «героя»...

242

в реальной обстановке начала революционного движения и большевистского подполья в Закавказье»). Другие полагают совсем напротив, впрочем, не без оснований входя в положение измученного драматурга, надеющегося наконец вернуться на сцену. (Как известно, не удалось: Сталин запретил пьесу о себе самом, возможно, испытав удовольствие от того, что Булгаков «сдался». А «сдавшийся», он был уже не интересен тому, кто еще недавно признавался Николаю Хмелеву, игравшему в *Днях Турбиных* полковника белой гвардии: «Мне ваши бритые усики снятся. Заснуть не могу».)

Куда важнее, однако, ка́к сам Булгаков пережил свою, как оказалось, напрасную жертву. «Ты помнишь, — говорил он драматургу Сергею Александровичу Ермолинскому, — как запрещали *Дни Турбиных*, как сняли *Кабалу святош*, отклонили рукопись о Мольере? И ты помнишь — как ни тяжело было все это, у меня не опускались руки. ...А вот теперь смотри — я лежу перед тобой продырявленный...

Он, — комментирует Ермолинский, — осуждал писательское малодушие, в чем бы оно ни проявлялось, особенно же, если было связано с расчетом — корыстным или мелкочестолюбивым, не говоря уже о трусости. Тем беспощаднее он осудил самого себя и говорил об этом прямо, без малейшего снисхождения».

Но уже прежде того, как Булгаков сочинил пьесу о славной юности будущего диктатора, он вывел в *Мастере и Маргарите* Воланда, которому, вот уж действительно, «все подвластно... все возможно». И так же, как обвораживающий булгаковский смех отдан в романе на откуп подручным дьявола, Коровьеву и Бегемоту, дело справедливости находится в руках самого дьявола. Это он, воплощение абсолютного Зла и абсолютной Власти, призван, дабы расправиться с врагами Мастера (то есть — с врагами Булгакова, хотя бы и помещенными во «вторую реальность»: известно, что за обидчиками романного писателя маячат преследовавшие Булгакова цензор Осаф Литовский, драматург Всеволод Вишневский и прочие).

Произведение, в котором автор наиболее полно реализует свой дар, — всегда победа и выход. Но победить можно и себя самого. Выйти — к сознанию собственной обреченности. *Мастер и Маргарита* — такой выход, такая победа. Веселье романа — веселье висельника. И сама жестокая булгаковская безыллюзорность странным, но, возможно, закономерным образом обернулась признанием человеческого бессилия перед Злом и перед Властью. В быту это выразилось в решении написать *Батум* (говорю: в быту, потому что творческим актом этот выбор признать трудно). В творчестве — обращением к силе и власти Воланда.

Не менее странно — и не менее закономерно — вышло с Андреем Платоновым.

Чевенгур — роман странствий и поисков земного рая, в которых проводит жизнь «очарованный странник» Саша Дванов. Как и иные, свято поверившие в скорое осуществление народной мечты о стране млека и меда: «Утром Шумилин догадался, что, наверное, массы в губернии уже что-нибудь придумали, может, и социализм уже где-нибудь нечаянно получился, потому что людям некуда деться, как только сложиться вместе от страха бедствий и для усилия нужды». Но на то Шумилин и назначен на пост предгубисполкома, чтоб подчинить «нечаянность» большевистской воле, — и вот уже Дванов командируется для поиска и строительства: «Он делает социализм в губернии в боевом порядке революционной совести и трудгужповинности».

Сатира? Нет. Это в повести *Город Градов* (1926) возобладает щедринская интонация, и полубезумный бюрократ Шмаков запишет: «Не забыть составить 25-летний перспективный план народного хозяйства — осталось 2 дня». Впрочем, и в *Чевенгуре* Саша Дванов с мастером золотые руки Захаром Павловичем, выбирая, в какую партию записаться, запишутся в ту, что пообещает социализм не позднее, чем через год, — но Платонов не может смеяться над мечтой, которой сотни лет. Он смеется, а вернее, страдает (потому что сам покуда неотделим от этой мечты) от абсурдности ее осуществления.

В *Чевенгуре* и в *Котловане* — метафорический конспект истории советского государства, в том числе скорого будущего (массовые репрессии). Чевенгурский уезд — Обломовка, воплощение российской неподвижности; чевенгурцы-обломовцы мирно ждут конца света, пока сама неподвижность не начала движение в сторону мифологически понятого коммунизма — именно как конца истории. И точно так же, как главнейший из коммунаров, вдохновенный фанатик Чепурный, уничтожает цветы как «явно сволочную рассаду», оставляя социально близкий лопух, — так же из города выгоняют «полубуржуев», то есть, в сущности, тех же «средних людей», и ждут пришествия «самодельных людей неизвестного назначения». Без прошлого — с одним только будущим. (В *Котловане*, где обольщения еще меньше, где явственней социальное разочарование писателя, все и будет страшнее: «полубуржуев» посадят на плот и сплавят в сторону моря, на гибель.)

А дальше: «Пролетарии и прочие, прибыв в Чевенгур, быстро доели пищевые остатки буржуазии и... уже питались одной растительной добычей в степи. ...Кроме того — неизвестно, настанет ли зима при коммунизме, или всегда будет летнее тепло, поскольку солнце взошло в первый же день коммунизма и вся природа поэтому на стороне Чевенгура». И до тех самых пор, пока романтики-чевенгурцы не примут смерть от налетевшей из степи банды (уцелеет, как водится, только прагматик, использующий фанатизм в интересах вполне шкурных), они успеют пройти путь к тому, что Евгений Замятин предсказал романом *Мы*, а много ранее — Достоевский *Бесами*. К коммунизму не то что казарменному, но — пещерному.

Неправдоподобной наивностью кажется недоумение Платонова, отчего *Чевенгур* не хотят печатать, если он сочинял его с «пиететом к революции». Это он-то, пишущий: «Значит, в Чевенгуре есть коммунизм, и он действует отдельно от людей. Где же он тогда помещается?» Или: «Такой же странный человек, как и все коммунисты: как будто ничего человек, а действует против простого народа». Но и подобное — плод мучительных размышлений идеалиста, все еще несогласного расстаться с идеализмом, прежде всего — именно коммунистическим.

Саша Дванов (не двойник, но уж точно полпред Платонова в *Чевенгуре*) и начинает свои странствия, мучимый тайной, которую хотел разгадать его отец, «любопытный рыбак», самоубийца, который «не вытерпел своей жизни и превратил ее в смерть, чтобы заранее испытать красоту того света». Вот и революция — это движение к «тому свету», а коммунизм, конечная цель революции, — он самый и есть. «Дванов догадался, почему... большевики-чевенгурцы так желают коммунизма: он есть конец истории, конец времени, время же идет только в природе, а в человеке стоит тоска...»

Очевидно, что Платонов был близок идеям философа Николая Федорова, этого идеалистического материалиста, «русского искателя всеобщего спасения» (слова Бердяева), в котором «достигло предельной остроты чувство ответственности всех за всех». Что и выразилось в известном «проекте» воскрешения всех умерших — без участия мистики, силой техники, достигшей необходимого совершенства. Собственно, это прямо сказано в *Котловане* устами инвалида-урода Жачева, возлагающего на науку задачу «воскресить назад сопревших людей». Аргумент: «Марксизм все сумеет. Отчего ж тогда Ленин в Москве целым лежит? Он науку ждет — воскреснуть хочет».

Ленин — Лениным, марксизм — марксизмом, но для автора *Чевенгура* и *Котлована* и вождь пролетариата, и учение, которое тот считал верным и потому всесильным, суть явления из области нематериальной. Как Роза Люксембург для Копенкина. Явления, в преображающую силу которых Платонов упорно хотел верить, даже опровергаемый материальными результатами преобразований, даже видя трагикомизм происходящего, — а затем, все явственнее, уже чистый, абсолютный трагизм обманутой веры, загубленных судеб, обезглавленного народа.

Вера в советскую, большевистскую власть, если сперва и была (а, конечно, была), то уходила. Ушла. Оставалась великая иллюзия (сочетание слов, которое никогда не могло быть в укор слову художника, мысли философа). Та, согласно которой людям и человечеству, что бы там ни было, предстоит преодолеть свою разрозненность. Стать «Всечеловечеством». Найти, как философский алхимический камень, «вещество существования». Победить саму смерть, увидев в ней продолжение жизни, как в конце истории — начало ее. Не вышло на сей раз? Что ж, тем хуже. Но — лишиться столь грандиозной мечты?..

Когда говорят о «противоречиях», раздиравших Платонова, лучше сказать об их клубке, который невозможно распутать, — как нельзя было

Рисунки К. И. Чуковского на страницах дневника разных лет

произвести это с Толстым и Достоевским, «социалистическими реалистами» не в казенном, а в этимологически истинном смысле, а ведь таков и Андрей Платонов — русский писатель советского периода: титул, который, как сказано, возможно применить к очень немногим. Ибо тенденция, бывшая общей, казалось, попросту неминучей, — та, которую жестоко подытожил Твардовский (а записал Чуковский в своем дневнике 1961 года): «В Переделкино — умирание талантов: Леонов — бывший талант, Федин — бывший талант, Тихонов, Всев. Иванов. И вот еще Соболев. Как должно быть ему страшно проснуться ночью — и вспомнить, что он — Соболев».

Великий раздел

Когда это кончилось? Когда монолитная советская литература, исторгавшая из себя отщепенцев Платонова и Булгакова, перестала быть монолитом?

Мощным, вызывающим своеобразное уважение даже (для кого — и особенно) с расстояния отрезвляющих лет. Говорим ведь, напомню, о литературе, отсеивая налипавший на нее сор. О той, к которой принадлежали и Алексей Толстой, и Катаев, и вышеназванные Леонид Максимович Леонов (1899–1994), и, до поры, Константин Александрович Федин (1892–1977), Николай Семенович Тихонов (1896–1979), Всеволод Вячеславович Иванов (1895–1963). Да и Леонид Сергеевич Соболев (1898–1971), впоследствии ставший эталоном бесплодности и холуйства, вызвал заслуженный, живой интерес первой книгой романа *Капитальный ремонт* (1932); написать вторую духу уже не хватило. А *Партизанские повести* Всеволода Иванова (1923), фединские *Города и годы* (1924), *Вор* Леонова (1927), стихотворные книги Тихонова *Орда* и *Брага* (1921, 1922) — все это, справедливо зачисленное по разряду советской классики, обещало к тому же, что авторы счастливо разовьют свои незаурядные дарования, достигнут высот, достойных классики русской. Не вышло — по разным причинам, сводящимся, впрочем, к одной: к невозможности противостоять угрожающей силе власти. Произошло действительно умирание — в наиболее благопристойной леоновской форме, когда мания совершенствования обернулась окостенением таланта, или в форме вульгарно-суетной (номенклатурное перерождение Федина или Тихонова)...

Так вот: *это* кончилось намного раньше, чем сама по себе эпоха советского владычества. Начало конца пришлось на период 50–60-х годов, окрещенный Эренбургом как «оттепель».

Потому ли, что стало возможным опубликовать нечто, прежде в печатном виде непредставимое?

Если говорить об этой стороне дела, то самая значимая веха — ноябрь 1962-го, когда в *Новом мире* Твардовского появился рассказ Александра

Исаевича Солженицына (р. 1918) *Один день Ивана Денисовича*. И дело не только в том, чрезвычайно существенном обстоятельстве, что возникла особая точка отсчета правды в литературе, — тем паче правды о той области жизни, что сама была под цензурным запретом. И даже не в том, что наконец объявился в реальности «литературный процесс», раньше бывший фикцией, результатом отбора тех же партийных цензоров.

Пусть вскоре Солженицын будет изъят из печати — но возникнет «самиздат», уже не дающий уйти в нети живой мысли и живой литературы.

Вот что, однако, быть может, самое главное: в России возник, верней, возродился тип не то чтобы «властителя дум» (это само собой), но писателя-своевольца. Мессии-субъективиста. Если не с эстетической мощью Достоевского и Толстого, то с не меньшими силой замаха, масштабом претензий и — с куда большей степенью личного своеволия. (Правда, сравнимого с поздним Толстым, который решил, хотя и не смог перестать быть художником.) *Как нам обустроить Россию* назовет Солженицын свое публицистическое сочинение перестроечной поры, но, по сути, он всегда тяготел к обустройству-переустройству, да не только России, но и мира. И хотя не посягал, подобно Толстому, на роль создателя новой религии, само христианство его мессиански-авторитарно. Оно, по словам Давида Самойлова, «для него знак разрыва с прошлым, знак нового состояния. ...Христианство без любви. Христианство веры, а не прощения». Христианство с резким неприятием инаковерующих, инакообустраивающих...

В этом — хотя и не только в этом — Солженицын, подчеркнуто архаичный в стилистических пристрастиях, — писатель именно XX века, в котором личность стремится вырваться «из-под глыб», будь то режим коммунистов, нормы цивилизации или даже традиционной религии. К Солженицыну первым делом, конечно, относится первая из «глыб», хоть и с западной цивилизацией у него отношения полувраждебные. Нравственная сила категорически уберегла его от соблазнов, одолевших иных писателей того же типа... Скажу иначе: того же — но совсем, совершенно иных. Тех, кто куда мельче духовно, кто норовит освободиться от ответственности перед миром и перед людьми, а то и от правил приличий. Их оставляем за кадром как недостойных быть предметом разговора о литературе.

Все это тем очевидней, что Солженицын не раз повторял: художественная фантазия — отнюдь не его стихия, да и многие из читателей воспринимают его как «документалиста». Так, прочитавшие *Матренин двор* (1959) и помнящие «настоящую» Матрену Васильевну Захарову, в доме которой автор снимал угол, уверяют, что она была точно такой!

Знавшим Матрену-прообраз не возразишь, как всякому очевидцу, и все же — ошибка! Иллюзия! И Матрена в рассказе поднята до уровня символа русского праведничества, окрашенного в мистические тона. И *Иван*

Денисович, который — разумеется, справедливо! — был воспринят читателем прежде всего как оглушающая правда, по художественной своей сути не вполне отвечал «новомировскому» критерию правды во имя самой правды. Критерию, в общем, революционно-демократическому, что прямо подчеркивал «главный» критик *Нового мира* Владимир Лакшин, для кого образцом был Добролюбов. Постоянное ощущение христианства как идеала, преображающего литературу и твердо надеющегося преобразить жизнь (тот самый, истинный «соцреализм», о котором мы говорили в связи с Достоевским, Толстым и Лесковым), — вот чем *Иван Денисович* отличался, допустим, от «деревенской» прозы Федора Александровича Абрамова (1920–1983), впечатлявшей суровым показом жизни «как она есть». Или — прозы Бориса Андреевича Можаева (1932–1996); впрочем, в отличие от его несколько тяжеловесных романов, повесть *Живой* (1966), герой которой Федор Кузькин, сельский «чудик», ведет свой род от фольклорного Ивана-дурака, также выделялась средь честной типовой беллетристики *Нового мира* игровой, «карнавальной» природой. Не меньше, чем опубликованная там же и в том же самом году повесть Фазиля Абдуловича Искандера (р. 1929) *Созвездие Козлотура*. Что же касается «чудиков», то само это слово возникло в прозе Василия Макаровича Шукшина (1929–1974) и долгое время не мешало числить писателя по разряду этакого деревенского реализма, едва ли не полунатурализма. В то время как его «реализм» весьма относителен и своеобразен, представляя собой воплощенную лирическую тоску по царству справедливости и добра, где «чудик», человек не от мира сего, — как раз на своем месте...

Возвращаясь к Солженицыну, заметим: даже «документальная» книга *Бодался теленок с дубом* (1974), биография не столько творчества, сколько борьбы с «системой», напрасно воспринята и оспорена (прежде всего тем же Лакшиным) с точки зрения фактов. Лакшин может быть там или сям фактически более прав, но в целом и в принципе оспаривать аутентичность *Теленка* — то же, что возражать Михаилу Булгакову: дескать, Иван Васильевич из *Записок покойника* не совсем похож на К.С. Станиславского.

Притом, что сам Солженицын, конечно, уверен в абсолютной объективности изложенного.

И продолжающий создаваться цикл романов *Красное колесо* (опять-таки вопреки мнению автора, но ничуть не в упрек ему) бессмысленно рассматривать вне могучей тенденциозности Солженицына, перекраивающей (если нужно) историю. И даже *Архипелаг ГУЛАГ* (1967), вероятно, главный солженицынский труд, летопись карательной большевистской политики, не зря самим автором определен как «опыт художественного исследования». Говорят: это потому, что книга писалась сугубо тайно, в «укрывищах», Солженицын не был допущен к архивам. Да. Но как характерно, что второй из великих лагерников, Варлам Тихонович Шаламов (1907–1982), категорически не принял солженицынской «лагерной» прозы. Начиная с *Одного дня...*, где, как он считал, в изображении Ивана Денисовича, увлекшегося работой, восславлен рабский труд, — и вообще лагерь «не тот». Без тех ужасов, которые пережил колымчанин Шаламов. Ревность понятная. И Солженицын, комментируя строки Иосифа Бродского: «Я входил вместо дикого зверя в клетку, / Выжигал свой срок и кликуху гвоздем в бараке...», назовет их «преувеличенно грозными». Не тот срок, не те испытания, не та мука.

Противостояние действительно налицо. Для Шаламова лагерь — исключительно отрицательный опыт. Солженицын же способен (в *Архипелаге ГУЛАГ*) воскликнуть: «Благословение тебе, тюрьма, что ты была в моей жизни!», — имея в виду, что иначе его духовная жизнь могла потечь по руслу конформизма. Но странный у них выходит спор.

Ведь и Солженицын тут же одергивает себя: «А из могил мне отвечают: — Хорошо тебе говорить, когда ты жив остался». И Шаламов, сказав: «Печи Освенцима и позор Колымы доказали, что искусство и литература — нуль», сам, написав *Колымские рассказы* (1953–1975), доказывает обратное. Не нуль, коли лагерный опыт толкает к перу! И «позор Колымы», даже он для художника не сплошь отрицателен, если страдание, очистившее взор, выковывает лаконичнейшую шаламовскую прозу. По его словам, «эмоционально окрашенный душой и кровью мемуарный документ», где «фраза должна быть краткой, как пощечина». Да и шаламовские нападки на *Один день*... не вполне логичны: разве наслаждение, которое дает Ивану Денисовичу его подневольный, но необходимый ему труд, не аналогия труда писателя-подпольщика? Того, кто допускает, не может не допускать, что его сочинений никто никогда не прочтет, но прикован к процессу творения, как кандальник к тачке.

Решительное различие двух прозаиков, дошедшее до взаимной неприязни, скорее всего, в другом.

«С таким сознанием своего мистического предназначения, с таким мессианским ощущением в себе Божьего промысла — не заскучаешь», — иронизировал Владимир Лакшин, сказав тем не менее нисколько не обидную правду. Ту, которая поднимает Солженицына до уровня Достоевского, — если говорить об уровне самоощущения и намерений. Автору *Записок из Мертвого дома* надобно было пережить то, что он пережил, дабы его душа повернулась к надежде: через страдание человек и человечество преобразятся подобно Раскольникову или Дмитрию Карамазову. И Солженицыну надо было пройти и через лагерь, и через врачебный приговор, надо было смертельно заболеть и чудодейственно излечиться, чтобы благословить тюрьму, способную наставить на истинный путь.

Но схожий опыт, доставшийся совсем не схожей натуре, родил писателя Шаламова, который в своей «документалистике» ориентировался на записки Бенвенуто Челлини, а на деле родствен, скорее, Кафке. Ибо его лагерь, превращенный в модель миропорядка, есть самый пессимистический вывод относительно природы человека и его будущего. Вывод, конечно, противоположный тому, что сделал Солженицын, «социалистический реалист» (напоминать ли снова, в каком именно смысле?). И что делала традиционная русская литература.

Впрочем, когда говорим о конце советской литературы как системы и феномена, ни Шаламов, ни Солженицын тут ни при чем. Сам спор этих двух несомненных «антисоветчиков», тем не менее эстетически и духовно полярных друг другу, шел над проблемами советской словесности. Вне ее. Ничего общего не имея, скажем, со спором, который между собою вели *Новый мир* Твардовского и *Октябрь*, редактируемый Всеволодом Кочетовым. Спором, при всем благородстве позиции первого из журналов (стремившегося облагородить само понятие «партийность литературы») и доносительской гнусности второго, все-таки внутренним. А взрыв и готовился, и зрел — внутри.

Это может показаться кощунством в нравственном смысле и посягательством на эстетическую иерархию, но в большей степени, чем Солженицын (казалось бы, чудом явившийся с незагаданной стороны), означенный взрыв готовила, сама того не понимая, литература... Ну, например, журнала *Юность*, во главе которого стоял конформист Валентин Катаев, и открываемые им таланты пестовавший в духе того ж конформизма. Будь то поэт Евгений Александрович Евтушенко (р. 1933) или прозаик

Василий Павлович Аксенов (р. 1932), талантливейшие из авторов *Юности*. И вовсе не было нонсенсом, что официозная критика, благосклонно приняв повесть второго *Коллеги* (1960), ругательски изругала его же роман *Звездный билет* (1961), хотя и в нем изъявлялось желание продолжить дело «отцов». Так же был учинен погром маленькой евтушенковской поэме *Считайте меня коммунистом* (1960). Не ломясь наружу, утверждая внутренние советские ценности, поэт и прозаик словно бы ставили условия вырастившей их системе: юноши из аксеновского романа отвоевывали толику личной свободы (всего-то навсего сбежав из Москвы в Прибалтику, «погулять»), а герой Евтушенко давал понять, что не всех коммунистов считает достойными этого звания.

Вспоминая знаменитый фильм: это еще не было бунтом на броненосце *Потемкин*, но команда уже начала воротить нос, принюхиваясь к тому, чем ее кормят.

Примеры, естественно, можно множить и множить (а я беру намеренно самый броский, почти китчевый: анализ того же *Нового мира* предполагал бы куда большую глубину, но зато и несравненно обширнейшую пространность). Ограничимся схемой.

Именно послабления со стороны власти, именно «оттепель» (по словцу Ахматовой, «вегетарианские времена»), когда могли ругать, могли не печатать, но не убивали, — именно это внушило не самым сильным духом писателям вкус к свободе. Пока — робкой. В среде литераторов, уже слабо веривших в дело Ленина и вполне понявших преступность режима Сталина, возникла иллюзия, будто XX партийный съезд, разоблачивший «культ личности», откроет шлюзы для относительно свободной мысли. Относительно — больше пока и не требовалось, не хотелось. Да он и открыл было, поманил, обольстил: писатели было поверили в возможность сотрудничества с партией, но... Опять и опять: XVIII века не вышло. Последняя из иллюзий вспыхнула и стала — последней.

Не то чтобы резко менялась сама по себе шкала так называемых ценностей, но такие безусловные, вечные понятия, как человеческое достоинство, осознавались по-новому. И если, допустим, в пьесе Александра Моисеевича Володина (р. 1919) *Фабричная девчонка*, попавшей на сцену в самый что ни на есть «оттепельный» 1956 год, эта «девчонка», Женька Шульженко, отстаивая свое достоинство, бунтовала в единственно допустимых тогда рамках (плохой коллектив — хороший коллектив), то в дальнейших володинских пьесах, как и в поздней прозе *Записки нетрезвого человека* (1991), этот бунт проявлялся все острее и личностнее. Все радикальнее. Вплоть до разрыва с профессией: «Сцена? Тошно, тошно! Потом стал тошен и экран» (*Записки...*). Даже такая зависимость — от режиссеров, от публики — невыносима.

«Тошно» — это и самоощущение многих героев драматурга Александра Валентиновича Вампилова (1939–1972); прежде всего персонажа пьесы

Утиная охота (1967) Зилова, чей бунт — в сущности, против всего на свете и против себя самого — чем беспричиннее, тем экзистенциальнее. Невыносимость самого по себе существования — вот протяжный вампиловский крик в пустоту, и самой милой его героине, Валентине из пьесы *Прошлым летом в Чулимске* (1972), оскорбленной в любви, поруганной, остается упрямо восстанавливать палисаднечек, который все равно снова разрушит очередной прохожий...

В общем, вышло так, что «шестидесятники», сами нередко наивные до глуповатости, невольно внедрили в общество ту мудрость, которую можно добыть не прозрением, будь ты хоть тысячу раз гений, а только опытом. Боками. Хребтом. Кончилось время очарований, и, как была эпоха Великого перелома, когда советская власть ломала через колено хозяйственного мужика или независимого интеллигента, так наступила пора Великого раздела. Литература — разумеется, та, что по природе своей хочет быть свободной реализацией дара, данного свыше, — отпала от власти.

Подчас отчуждаясь даже от тех — относительно оппозиционных — органов печати (о прямой оппозиции государственного издания говорить, понятно, не приходилось), которые вскормили того или того литератора. То есть это не было общим правилом. И после Шаламова с Солженицыным появлялись пришельцы «со стороны» (слава Богу, уже не каторжной), так «в стороне» и оставаясь, сознательно или вынужденно. Допустим, «поэма» Венедикта Васильевича Ерофеева (1938–1990) *Москва — Петушки*, написанная в 1970-м, это сентиментальное путешествие философствующего алкоголика, где реальность перемешана с галлюцинациями, кощунство с религиозностью, пародия с истинным драматизмом, — эта «поэма» уж никак не влезала в самые податливо-раздвижные рамки печатной продукции. Отчего ерофеевская поэзия изгойства, канавы, обочины и появилась на свет лишь в 1988–1989, да и то, будто для подтверждения своей «карнавальности», в журнале *Трезвость и культура*.

Не столько типично, сколь уникально по своей пограничности и литературное существование Фазиля Искандера. Вошедший в литературу неотразимо прелестными рассказами о своем черноморском детстве, опубликовав прославившую его повесть *Созвездие Козлотура*, он берется за роман *Сандро из Чегема* (1973–1988). И пишет его с такой раскрепощенностью, словно «внутренний цензор», не подпускающий писателя к опасному краю, ему вовсе и незнаком. Отдельные главы *Сандро*, порезанные цензурой, еще худо-бедно печатаются в том же *Новом мире*, сменившем Твардовского на другого редактора, но в целом этот абхазский эпос, эта Утопия, эта гармония крестьянствования, на которую посягает система сталинского террора, ждет в России своего часа, то бишь 1989 года.

Наконец, и Сергей Донатович Довлатов (1941–1990) не мог совпасть с принятым представлением о том, как должен себя вести и о чем писать литератор советской страны, и реализовался лишь в эмиграции, в США. Не только воспользовавшись отсутствием политической цензуры, но и сумев в непривычных условиях дисциплинировать свой характер, кричаще несоприродный родному регламенту. И плодовитейший Фридрих Наумович Горенштейн (р. 1932), единожды напечатав в *Юности* пронзительный рассказ *Дом с башенкой* (1964), был навсегда исторгнут из среды публикующихся: возможно, причиной стала не только горечь высказываемой правды, но и характер ее, не сказать, чтоб человеколюбивый. Выход сыскался опять-таки в эмиграции.

Но, скажем, и благополучно-знаменитый Аксенов, меняясь, избирая иной, игриво-условный стиль, уже с трудом может опубликовать в родной ему *Юности* политически безобидную повесть *Затоваренная бочкотара* (1968). Тем более речи нет о дозволенности романов *Остров Крым* (1979) и *Ожог* (1969–1975), в одном из которых — знакомое «если бы да кабы» — Крым, в свое время не взятый большевиками, пользуется свободой и все же теряет ее, а в другом полудетские воспоминания сына матери-лагерницы оттеняют, вторгаясь, шутовское изображение современной жизни. А Георгий Николаевич Владимов (р. 1931), коренной «новомировец», напечатавший там повесть *Большая руда* (1961) и роман *Три минуты молчания* (1969), задумав свой несомненный шедевр, повесть *Верный Руслан* (1963–1974), где мир увиден глазами лагерно-караульной собаки, может лишь пользоваться сочувственными советами Твардовского. Чего лишен Владимир Николаевич Войнович (р. 1932), чьи рассказы также были благосклонно приняты *Новым миром*, но едва он приносит туда знаменитые ныне *Жизнь и приключения солдата Ивана Чонкина* (1969), как благосклонность иссякает. (Не заподозрил ли здесь главный редактор пародию на своего Василия Теркина?)

Судьба всех трех, как известно, сложилась подобно судьбе Довлатова и Горенштейна. Житейская, я имею в виду, судьба, а творческая — по-разному. Если Владимов рос как писатель, дорастая до замечательного романа *Генерал и его армия* (1994–1996), то уже продолжение *Чонкина* много слабей искрометной первой части: мастерство Войновича, как и культурный ценз, заметно отстали от его обаятельного природного дарования. Аксенов же, добросовестно осознав себя «новым американцем», в конце концов пишет *Московскую сагу* (1992), задуманную, по его же признанию, как бестселлер для новых его соотечественников на тему «этой загадочной России». И излагает ее трагическую историю в расчете на читателя, который уже догадался, что по Москве не бегают белые медведи, но никогда не заинтересуется Россией всерьез; вот ради него, такого, и приходится ерничать, снижая трагедию до водевиля.

И все же, и все же... Когда говорим о Великом разделе — советской идеологии и литературы, мало-помалу теряющей право на эпитет «советская», — нагляднее то, что происходило не с теми, кто учинял бунт или хотя бы замышлял побег. Кончалась сама по себе тоталитарная власть над умами, та, которой мало обыкновенной лояльности, подавай постоянно подтверждаемую запроданность. И власть, то ль поумнев, то ли, что куда вероятней, сама потерявшая свою веру, стала терпеть всего лишь лояльных. А подчас и любить — как вышло с «деревенщиками», из коих самые даровитые, не считая Василия Шукшина, Василий Иванович Белов (р. 1932), Валентин Григорьевич Распутин (р. 1937), Виктор Петрович Астафьев (р. 1924); к последнему, впрочем, звание «деревенщик», и без того условное, чем далее, тем подходило меньше.

Положение «деревенщиков» было достаточно загадочным. Та же власть скрепя сердце терпела «городскую» прозу Юрия Валентиновича Трифонова (1925–1981), хотя он-то жестко изображал интеллигенцию и полуинтеллигенцию, среду, власти традиционно немилую, в то время как Распутин или Белов, рисовавшие гибель деревни, были верхами обласканы. Вплоть до звезды Героя Социалистического Труда, врученной Распутину, автору романа *Последний срок* (1970), где распад родного писателю патриархального мира показан со всей беспощадностью.

Почему так? Возможны объяснения сентиментальные: то, например, что старцы из Политбюро, корнями своими, не через отцов, так через дедов уходившие в деревню, не могли не сострадать концу взрастившей их стихии. Дескать, правильным путем идем, товарищи, а вот матушкину или бабушкину избу с коровенкой все-таки жалко. Но вернее, срабатывал инстинкт социальной близости, что так горестно подтвердилось, когда с перестройкой рухнула советская власть, уж так словно бы порицавшаяся «деревенщиками», — и они, оказавшись вне тоталитарной системы, неудержимо потянулись туда. Затосковав не только о начальственных поощрениях, вошедших в привычку, но и о том поводке, слегка удлиненном, который давал некоторую свободу обзора, не отпуская в пространство, пугающее непонятностью...

Любопытно, что при всем различии Трифонова и «деревенщиков», это было как бы единое целое. Да, *они*, верные своей и только своей правде, настороженно-враждебные городу и его интеллигенции, и *он*, интеллигент-горожанин, о котором — при всех его очевидных достоинствах — верно было замечено: его люди умственных профессий говорят между собою о многом, почти обо всем, исключая лишь то, о чем в реальной действительности они опасно судачили на своих кухнях. (Годы спустя доброжелательная критика найдет в этом достоинство: скажет о трифоновской поэтике как о системе, где умолчания художественно органичны.) Единое целое, чьи противоречия не больше тех, что неизбежны для любого живого единства. Во-первых, и *он*, и *они* образовали словно бы коллективного Чехова, где есть подобия и *Скучной истории* и *В овраге*, что искупает нехватку великих талантов и ограниченность индивидуального кругозора. Во-вторых, и *они*, и *он* сумели высказать ровно ту долю правды, которая не поссорила — или ссорила, да не смертельно — с помягчавшей цензурой. Что не упрек, но констатация именно того обстоятельства, которое и говорит о неминуемости Великого раздела. Власть и писатели, не желающие врать, негласно договорились — на том, что первая кое-что позволяет вторым, вторые же обещают не касаться впрямую вопросов идеологии. Для власти — решающих, становых.

Такова была эволюция — от «оттепельного» порыва довериться власти с ее призывом жить по «ленинским нормам» к «застойной», ленивой договоренности. Разумеется, не касающейся тех, кто ступает за край.

Это — о прозе. Нечто похожее происходило и с поэзией.

«Хорошо, что пришло время стихов», — возгласил в 1956-м Илья Эренбург, приветствуя публикации Бориса Абрамовича Слуцкого (1919–1986). Последние три слова как лозунг были подхвачены тогда же вышедшим сборником *День поэзии*, новинкой, ошеломившей обилием поэтических имен. И в самом деле — поэзия хлынула на эстрады, заставила своих почитателей заполнять многотысячные трибуны Лужников — дабы воочию видеть того же Евтушенко, Булата Шалвовича Окуджаву (1924–1997), Андрея Андреевича Вознесенского (р. 1933), Роберта Ивановича Рождественского (1932–1994), Беллу Ахатовну Ахмадулину (р. 1937). Громовой успех в равной — или почти равной — степени делился на всех, притом, что, скажем, два последних поэта суть прямые противоположности. Рождественский, пробуя освоить трибунную интонацию «агитатора, горлана-главаря» Маяковского, чем дальше, тем больше становился певцом государственности (к чему интонация располагала). Ахмадулина же, по выражению критика Ирины Винокуровой, «удивляла витиеватостью и прихотливостью словаря и синтаксиса — своего рода кружевами, оборками, воланами». А Вознесенский практически сразу вызвал оценки редкой разнополярности, — притом речь не об официозе, опять же равно — или почти равно — невзлюбившем этих кумиров публики (включая Рождественского, чья опальность скоро сменилась признанием власти).

«Он не вошел в поэзию, а взорвался в ней, как салютная гроздь, рассыпаясь разноцветными метафорами. ...Генезис его поэтики — синкопы американского джаза, смешанные с русским переплясом, цветаевские ритмы и кирсановские рифмы, логически-конструктивное мышление архитектора-профессионала: коктейль, казалось бы, несовместимый. Но все это вместе и стало уникальным поэтическим явлением, которое мы называем одним словом: «Вознесенский». Так демонстрирует благожелательность Евтушенко, ровесник и соперник, и любопытно, что, в сущности, те же свойства поэзии Вознесенского совсем иначе оценены строгим взглядом поэта предшествующего поколения Давида Самойлова: «Он

В. Некрасов. *Булат Окуджава*

искусно имитирует экстаз. Это экстаз рациональный. Вознесенский — со-глядатай, притворяющийся пьяным. У него броня под пиджаком, он ими-тирует незащищенность. ...Весь этот экстаз прикрывает банальность мысли. ...Когда-то купцы били в ресторанах зеркала, предварительно спро-сив цену. Вознесенский разбивает строки, ломает грамматику. Это мис-тификация».

Словом, в эйфории от стадионных рукоплесканий не сразу стало по-нятно, что почитатели — не всегда читатели, тем паче умеющие отличать хорошее от дурного; что на стадионе они, скорей, даже не слушатели, а зрители, любители зрелищ, и, стало быть, расширение читательского кру-га, эйфорически померещившееся, эфемерно.

Б. Месерер. *Белла Ахмадулина*

Что совершило «время стихов»?

Конечно, оно пробудило к жизни яркие, а подчас и реальные имена — того же Окуджаву, счастливо совместившего популярность с поэтической подлинностью. «Окуджава разорвал великое безмолвие, в котором маялись наши души при всей щедрой радиоозвученности тусклых дней; нам открылось, что в глухом, дрожащем существовании выжили и нежность, и волнение встреч, что не оставили нас три сестры милосерд-

258

ных — молчаливые Вера, Надежда, Любовь, что уличная жизнь исполнена поэзии, не исчезло чудо, что мы остались людьми. Окуджава открывал нам нас самих, возвращал полное чувство жизни, помогал преодолению прошлого всего, целиком, а не в омерзительных частностях». Так выразил ощущение многих Юрий Маркович Нагибин (1920–1994), автор многообразной прозы и посмертно изданного *Дневника*, возможно, лучшей из его книг. По крайней мере наиболее явственно показавшей как возможности нагибинских ума и таланта, так и причины их далеко не полной реализованности (причины, впрочем, обыкновенные: причастность к общему страху и личная страсть к комфорту).

То же «время» возвратило читателю ряд имен, насильно вытравленных из общественной памяти или существовавших как бы полуподпольно — например, в качестве тех, кому доверяли переводить чужое, но не пускали в печать со своим. Как Арсения Александровича Тарковского (1907–1989) или Семена Израилевича Липкина (р. 1911), объединенных схожими судьбами, общей переводческой репутацией, но как поэты, личности — едва ли не контрастных.

«Ах, восточные переводы, / Как болит от вас голова...» — это восклицание Тарковского никак бы не мог повторить его собрат, и дело не в том, что он, Липкин, стал выдающимся мастером перевода поэтов классического Востока. То же можно сказать о Тарковском, но как характерно его чуть ли не капризное отталкивание от принуждения даже такого рода. Не зря он пристрастен к образу бабочки как к метафоре неосязаемой, неуловимой души: «Из тени в свет перелетая, / Она сама и тень и свет, / Где родилась она, такая, / Почти лишенная примет?» И если в стихотворении *Посредине мира* прозвучит величавость: «Я человек, я посредине мира, / За мною мириады инфузорий, / Передо мною мириады звезд» (как тут не вспомнить брюсовское самодовольство: «Я — междумирок. Равен первым, / Я на собранье знати — пэр...»?), то лишь для того, чтобы тут же быть поколебленной: «...И — Боже мой! — какой-то мотылек, / Как девочка смеется надо мною...»

Это — Тарковский, лелеющий свою артистически-легкую неповторимость. А Липкин, напротив, с его отчетливым стихом, не признающим импрессионистичности, стремится словно к развоплощению. К страдальческому переходу в состояние, лишенное его собственной личностности, вплоть до камня и пепла, — затем, чтобы *так* ощутить свою личность заново: «Я был остывшею золой, / Без мысли, образа и речи, / Но вышел я на путь земной / Из чрева матери, из печи, / ...Неспешно в сумерках текли / «Фольксвагены» и «Мерседесы», /А я шептал: Меня сожгли. / Как мне добраться до Одессы?»...

Имен пробужденных и разрешенных поэтов — все благодаря «времени стихов», которое производно от общей «оттепельности», — немало, и среди них невозможно не упомянуть Евгения Михайловича

Винокурова (1925–1993) и Александра Петровича Межирова (р. 1923). Поэтов, как говорится, «хороших и разных», причем различен сам по себе их путь к «хорошести». Винокуров сразу занял свое неповторимое место книгой *Синева* (1956), обретя четкий почерк лирика, выявляющего свой лиризм через сугубую вещность мира, через «бытовизм» (другое дело, что со временем четкость размывалась в повторах и многословии). А Межиров, рано начав яркой книгой *Дорога далека* (1947), только в книге *Ветровое стекло* (1961) вернул себе утраченные силу и свежесть, честно признав наличие провала: «А между ними пустота: / Тщета газетного листа...» И — в этом же стихотворении — набросал автохарактеристику, определив вектор своего пути: «*Дорога далека* была / Оплачена страданьем плоти, — / Она в дешевом переплете / По кругам пристально пошла. / Другую выстрадал сполна / Духовно. / В ней опять война. / Плюс полублоковская вьюга. / Подстрочники. Потеря друга. / Позор. Забвенье. Тишина». В *Ветровом стекле*, говорит поэт, он «в ранг добра возвел, прославил / То, что на фронте было злом». То есть — милосердие. Сомнение. Пацифизм...

Стоит, однако, учесть, что то же «время стихов» дало и искаженное представление о поэзии. Поэты — во всяком случае некоторые из них — утратили племенное преимущество, первородство, отличавшее их от племени артистов: независимость от непосредственной реакции публики.

260

Ю. Могилевский.
Р. И. Рождественский

Порою осознавая это: «Эстрада, ты давала мне размах / и отбирала таинство оттенков. / ...Я научился вмазывать, врезать, / но разучился тихо прикасаться». Так писал Евтушенко, не случайно выбрав для «эстрады» рифму «растрата», — и удивительно вспоминать, что входил он в поэзию, наиболее проникновенно и выразительно демонстрируя отнюдь не пафос полупророка, но растерянность, одиночество: «Обидели. Беспомощно мне, стыдно». «Со мною вот что происходит: / ко мне мой старый друг не ходит...» И т. п.

Это — сами поэты. А читатели — также, по счастью, не все — привыкали думать, будто смелая мысль или обличение общественных язв, будучи зарифмованы, уже тем самым поэзия. И это тоже было частью той, главной иллюзии — насчет власти, якобы способной уважать свободу творчества. Насчет свободы творчества, якобы достижимой таким образом.

Наиболее умные осознали иллюзорность надежды уже тогда. Давид Самойлович Самойлов (1920–1990) в 1956 году разуверял своего друга Бориса Абрамовича Слуцкого, всерьез было поверившего в истинность ренессанса после XX съезда. Новый чиновник, писал Самойлов, «перехитрил литературу, дозволив небольшую правду о себе (по необходимости), он дозволил кое-что и поэзии. ...Новый чиновник хочет, чтобы литератор стал новым, он готов дать литературу кое-какие права, соответственно своим новым потребностям».

Поразительно, что безыллюзорен оказался Самойлов с его легким стихом, с его игрой в легкомыслие, а не въедливый, мрачноватый Слуцкий. Самойлов-пушкинианец, а не оппонент, в связи с которым хваливший его Эренбург вспомнил сострадательную музу Некрасова. Тем не менее это Слуцкий долго придерживался причудливой модифиции просветительства XVIII века: «Я пишу для умных секретарей обкомов». А Самойлов в стихотворении «Пестель, поэт и Анна», выведя Пушкина в его исторически достоверной беседе с декабристом, увидит, как тесно художнику в революционной — да и любой — прагматике. Как, поддерживая умный разговор, его Пушкин душой и чувственным телом будет на своей свободе, вовне: «Он вновь услышал — распевает Анна. / И задохнулся: «Анна! Боже мой!»

Вот почему так ясно самойловское осознание: «Таковы объективные условия «ренессанса». Сводятся они к тому, что несколько расширились рамки печатности. Ряд новых или старых поэтов получили право жительства. Но право жительства не отменяет черты оседлости. Право жительства еще не демократия.

...В литературе создана обстановка, благоприятная для создания нового камуфлированного сантиментального мифа».

Да. Задуманный «коллективный Пушкин» (или, что в данном случае все равно, Маяковский) не состоялся. «Время стихов» оказалось скоротечно, обманчиво. Наступало «время поэтов» — хотя их-то расцвету время никогда не способствовало, лишь единожды, в пушкинскую эпоху, допустив счастливое исключение. «Времена не выбирают, / В них живут и умирают», — скажет Александр Семенович Кушнер (р. 1936), самой по себе легкостью интонации обнаружив всеочевидность этой истины. А Наум Моисеевич Коржавин (р. 1925) еще в начале 50-х, сознавая свою чужеродность времени, и выразится соответственно, словно бы через силу. Как высказывают то, что еще предстоит открыть и доказать себе и другим: «Нету легких времен. И в людскую врезается память / Только тот, кто пронес эту тяжесть на смертных плечах». Те и другие строки — как мгновенная проба почв, на которых взросли две индивидуальности: Коржавин всегда в процессе преодоления («...Та пушкинская легкость, / В которой тяжесть преодолена»), а Кушнер как бы может позволить себе размышления *после, пост*. Не зря у него, по замечанию Евгения Евтушенко, «выработался свой стиль — несколько педантичная, подчеркнуто разумная интонация со склонностью к легкой дидактике...».

«Кто пронес»... Кто вынес... На это делается упор, традиционный для стойкой русской поэзии, и именно этот нажим привел к тому, что «тяжесть» стала осознаваться как неотъемлемая часть поэзии и всей жизни. Возможно, никто так не воплотил эту неумолимую закономерность, как Иосиф Александрович Бродский (1940–1995).

Последнее не означает, что стоит полностью присоединиться к установившемуся мнению о нем как о «главном поэте» (выражение его адепта). Да, конечно, очевиден огромный талант Бродского. Да, по-своему позаботилась об избранничестве сама судьба: постыдный суд как над «тунеядцем», ссылка, заступничество знаменитостей, все то, что заставило Анну Ахматову сказать: «Нашему рыжему делают биографию». Что ж говорить о премии Нобеля как о пике судьбы.

Вообще — истерика вокруг той или иной личности («великий Высоцкий», «великий Довлатов») вредит ее восприятию в живом потоке словесности. Может ли быть абсолютная уверенность, что и Бродский — поэт более значительный или по крайней мере во всем превосходящий таких поэтов, как Самойлов и Слуцкий, Тарковский и Липкин? Добавим тончайшего лирика Владимира Николаевича Соколова (1928–1997) с его нервным предчувствием катастроф современности, «зоны слома» и «зоны сноса». Или Олега Григорьевича Чухонцева (р. 1938), чье подчеркнуто уединенное поэтическое существование, кажется, таковым и стало затем, чтобы ощущать вибрацию «общих стен» (так озаглавлено его страшное стихотворение — о том, как раздражавший соседский стук в стенку оказался стуком самоубийцы, вколачивавшего гвоздь для петли). Или «юродивого Поэтограда» Николая Ивановича Глазкова (1919–1979), почти всю свою жизнь поэта прожившего устно, полуфольклорно, повлиявшего на многих прославленных сверстников и оставившего строки необыкновенной

Е. Гинзбург. *На темы Бродского*

оригинальности: «Поэзия! Сильные руки хромого! / Я вечный твой раб — сумасшедший Глазков»...

Что до Бродского, то его можно рассматривать как средоточие и итог развития поэзии XX века. Итог и возвышенный, и печальный — иного быть не могло.

Сам он, не говоря о давних поэтических предках, признавал одного учителя — своего друга Евгения Борисовича Рейна (р. 1935), поэта слишком стихийного, чтобы быть причисленным (хотя — причисляют) к «петербургской школе», которой обычно приписывают предпочтительную «культурность» языка, четкую структурность и холодноватость. Вот уж нет! Гипертрофированный экстраверт, Рейн открыт чему угодно и даже чему попало: как некий бомж-старожил эпохи, он все наделяет цепким, хищным личностным смыслом: «Капитальный ремонт и разруха, / Довоенная заваль и дичь, / ГПУ, агитпроп, голодуха / Залегли под разбитый кирпич». Пейзаж после битвы, бойни, погрома, пожара, землетрясения, мародерства, где все равны перед трагедией и смертью...

А Бродский? Его манера возбужденно востребована многими имитаторами. Это тем проще, что на поверхности — «интеллектуализм», надменная ирония, скепсис, доходящий до степени цинизма, никого и ничего не щадящий: «Серьезно Муз чего-то там не терпит». «Жить в эпоху свершений, имея возвышенный нрав, / к сожалению, трудно. Красавице платье задрав, / видишь то, что искал, а не новые дивные дивы. / ...тут конец перспективы». И если традиция русской поэзии, прежде всего XIX столетия, есть равнение авторского «я» (еще говорят: «лирического героя») на идеал, то герой Бродского этому противится изо всех сил.

Вспомним сказанное Тыняновым об Александре Блоке, в котором все полюбили «лицо, а не искусство». Это было угадано наперед. Далее шли — Маяковский, объясняющийся в любви не Прекрасной Даме, а паспортно поименованной Л.Ю. Брик. «Хулиган» Есенин. Цветаева, чьи стихи порою физически трудно читать — словно подглядываешь нечто недопустимо интимное через открытую дверь (правда, распахнутую нарочно). И дальше — вплоть до того, что «лицо» становилось не только главнее «искусства», но подменяло, заменяло его.

Истинный поэт Бродский тем не менее разрешает себе то, чего не разрешали Блок или даже Есенин. Они были — откровенны, он —

Е. Гинзбург. К стихотворению Иосифа Бродского *Назидание*

демонстративен в своих капризах, в своей надменности, в своей жестокости (как он не пощадил одноклассников в цикле поэм *Школьная антология*!). Сама эволюция его стиля — от *Рождественского романса, Писем римскому другу* или зацитированного: «Ни страны, ни погоста / не хочу выбирать. / На Васильевский остров / я приду умирать», — от этой прозрачности к поздней почти зашифрованности, возможно, тоже форма надменности. Пренебрежительности к читающим.

Поэзия закрытости? Пожалуй, хотя вернее сказать: несчастья и одиночества.

То есть вначале кажется, что одиночество происходит от спокойной самодостаточности (что также нетрадиционно для русской поэзии). «Одиночество учит сути вещей, ибо суть их тоже / одиночество». «Одиночество есть человек в квадрате, / ...Да и что вообще есть пространство, если / не отсутствие в каждой точке тела?» «И если кто-нибудь спросит: «кто ты?» ответь: / я — никто, как Улисс некогда Полифему». Даты — 1975, 1981, 1987. Самоощущение, стало быть, постоянно.

Да, Бродский сам выбрал (из гордости?) одиночество как форму независимости. От всего. От всех. Даже, кажется, от читателя. Свобода и одиночество. Свобода как одиночество. Одиночество как свобода.

Стихотворение *Осенний крик ястреба* (1975), которое Солженицын, не слишком ласковый к Бродскому, назвал «самым ярким его автопортретом, картиной всей его жизни», есть подтверждение этого выбора. И тут же — опровержение его самодостаточности.

В стихах, прямо предшествующих *Осеннему крику*, есть строки: «Осенью ястреб дает круги / над селеньем, считая цыплят». Нормальная птица-охотник. А тут — иное: «Он уже / не видит лакомый променад / курицы...» Он — «на воздушном потоке распластанный, одинок...» И это одиночество, эта высотная удаленность от земли и земного льстит ястребу: «Эк куда меня занесло! / Он чувствует смешанную с тревогой / гордость». И крик, издаваемый им и исполненный этой гордости, — крик, «не предназначенный ни для чьих ушей».

Что и требовалось доказать? Самодостаточность? Надменность? Однако ракурс меняется. «Он», третье лицо, перестает существовать — как субъект речи, но и физически: осенний крик — крик гибели. В стихах возникают, верней, возникаем — «мы», те, кто силится расслышать и понять этот крик.

Понимаем ли? Нет, увы: «Мы слышим: что-то вверху звенит, / как разбивающаяся посуда, / как фамильный хрусталь...» Слышим поистине всего лишь «часть речи», о которой сам Бродский сказал в одноименном цикле 1975–1976 годов: «От всего человека вам остается часть / речи. Часть речи вообще. Часть речи».

Что может быть горше сознания, что и сам процесс творчества обречен — в лучшем случае — на полупонимание? Что «весь человек» остается в неразличимости, как чересчур высоко залетевший ястреб? И понимаешь: то, что называем стилем Иосифа Бродского, с его усложненностью, порой нарочитой, с его скепсисом, надменностью, — крепкая, совершенная, самозащитная корка. Изначальное осознание, как ему чужероден мир. Так называемая закомплексованность. И, быть может, самые лучшие стихотворения Бродского появляются, когда корка взламывается, когда он беззащитен перед непосредственными впечатлениями. Тогда появляются, скажем, тот же *Крик ястреба* или *Осенний вечер в скромном городке* (1972), где одиночеству не приходится притворяться чем-то иным. Или — *На смерть Жукова* (1974), стихи, в которых их автор, показательный отщепенец, не скрывает причастности к общей и, что бы там ни было, родной судьбе. Испытывая нечто подобное, безрелигиозный Бродский пишет и поразительные стихи к каждому дню Рождества, что, уж конечно, не дань календарю, но потребность прикосновения к идеалу. Для него не совсем внятному, но необходимому.

Победители

И все-таки — почему в нашем XX веке, столько сделавшем, чтоб затоптать и унизить свободную личность, вероятно, самое лучшее, что дала русская литература, это поэзия? Область, где личности как раз и положено выявляться непосредственно, непроизвольно? Или именно в этом уже и ответ — хотя бы часть ответа? Ведь непроизвольно — значит: свободно; не только от чужой, но и от своей собственной воли.

Притом, что именно волю власть так старалась и подавить, и унизить. В этом смысле весьма символична история, приключившаяся с Николаем Алексеевичем Заболоцким (1903–1958) в сталинском лагере. Обходя строй узников, начальник полюбопытствовал у надзирателя: а не пишет ли зэк Заболоцкий стихи? И услыхав: нет, «говорит, стихов больше никогда писать не будет», удовлетворенно отметил: «Ну то-то...»

«Нас мало. Нас, может быть, трое...» — писал Борис Леонидович Пастернак (1890–1960), и комментаторы утверждают: речь, помимо его самого, о Маяковском и Николае Николаевиче Асееве (1889–1963), поэте явственно выраженного лирического дарования, которым он пожертвовал, пойдя пафосно-агитаторской дорогой Маяковского, своего кумира и друга. Есть и другое мнение, исходящее, как говорят, от самого Пастернака: «трое» — это опять же он, а также друзья его молодости, ныне полузабытые Иннокентий Александрович Оксенов (1897–1942) и Сергей Павлович Бобров (1889–1971). Пусть так, но, думается, независимо от всех толкований, история выделила, тем самым сблизив, иную троицу: Пастернак, Заболоцкий и Осип Эмильевич Мандельштам (1891–1938). Образовав триединство — вопреки их несхожести, а, может быть, как раз благодаря ей.

Что имею в виду?

В надгробной речи у пастернаковской могилы один из друзей поэта высказался в том роде, что покойный не находился в конфликте с советской властью. Такие поэты конфликтуют — или примиряются — не меньше чем с миром, с мирозданием. Это и есть та простейшая истина, которая делает поэта поэтом. Не «борцом». Не «диссидентом», хотя, конечно, и это не исключено, особенно когда неразумная власть не предоставляет иного выхода.

Так был загнан в угол вечно преследуемый Мандельштам, погибший в лагере за антисталинскую инвективу (а если бы не было ее, угодил бы туда же: повод сыскали бы). Так попал в жестокую опалу Пастернак, искавший в себе лояльности к власти, одно время влюбленный в Сталина. И даже оболганный и отверженный за роман *Доктор Живаго* (1955), продолжал недоумевать в стихотворении 1959 года *Нобелевская премия*: «Что же сделал я за пакость, / Я убийца и злодей? / Я весь мир заставил плакать / Над красой земли моей».

Заболоцкого лагерь навсегда напугал, — но, как сказано, в высшем и подлинном смысле поэзия живет по законам, не зависящим даже от того, от чего так зависит смертная плоть, с ее уязвимостью, с ее страхами. «А в комнате опального поэта / Дежурят страх и Муза в свой черед», — скажет Ахматова о ссыльном Мандельштаме, выразив самую суть. Страх исключает «дежурство» Музы, но она, заступив на пост, не считается со страхом.

Пастернак, Мандельштам, Заболоцкий равно шли к высокой простоте своей зрелости, но как различны пути (и, конечно, сама простота). Пастернак, захлебывающийся впечатлениями жизни, из-за чего сам признает свой ранний стиль «выкрутасами», шел и пришел к классической ясности. Мандельштам, напротив, с классической четкости начинал, погрузившись затем в то, что подчас кажется чуть не заумью, — чтобы затем обрести прозрачность, но свою и только свою. А Заболоцкий...

Мир, полетевший вверх тормашками, — вот что такое сборник *Столбцы* (1929). Верней, он как будто, наоборот, до омерзения неподвижен: «А мир, зажатый плоскими домами, / стоит, как море, перед нами... / Он спит сегодня — грозный мир, / в домах спокойствие и мир». Это тот самый «тихий ад», который в своей «стройности первоначальной» был невыносим для желчного Ходасевича, и Заболоцкому хочется его взорвать: «О, мир, свинцовый идол мой, / хлещи широкими волнами / и этих девок

Л. Пастернак.
Б. Л. Пастернак

Дарственная надпись
Б. Л. Пастернака
М. С. и Г. Г. Нейгауз
на переводе *Короля Лира*
В. Шекспира

ШЕКСПИР

КОРОЛЬ ЛИР

ПЕРЕВОД Б. ПАСТЕРНАКА

Послесловие и примечания
М. МОРОЗОВА

ОГИЗ
Государственное издательство
ХУДОЖЕСТВЕННОЙ ЛИТЕРАТУРЫ
Москва 1949

упокой / на перекрестке вверх ногами!» А главное, взрыв удается! Во всесильном взоре поэта мир-таки перевернут, переиначен до неузнаваемости: «Прямые лысые мужья / сидят, как выстрел из ружья...» «А бедный конь руками машет, / то вытянется, как налим, / то снова восемь ног сверкают / в его блестящем животе».

Антимещанский протест, столь обычный для молодой советской литературы? Шокированность нэпом, рылами «новых русских» тех лет? Конечно, не без того. Сравним у Николая Асеева: «Как я стану твоим поэтом, / коммунизма племя, / если крашено рыжим цветом, / а не красным время?» (поэма *Лирическое отступление*, 1925). Но у Заболоцкого враждебен сам «тихий ад», сам мир, заслуживающий быть взорванным. Тут не социальная революционность, а своего рода бунтарский романтизм, казалось бы, такой неожиданный в Заболоцком.

Понятно, когда поэт «Юго-Запада» Эдуард Георгиевич Багрицкий (1895–1934) воспевает контрабандистов, бродяг, Гарибальди и Уленшпигеля, возглашая: «Так бей же по жилам, / Кидайся в края, Бездомная молодость, / Ярость моя!» Как понятно и то, что затем опасный анархизм испарится, контрабандистов сменят чекисты, Тиля Уленшпигеля — Феликс Дзержинский (правда, в 1926 году будет создана и *Дума про Опанаса*, с ее острым сочувствием к хлеборобу, сорванному с места гражданской войной). Но — Заболоцкий, чьи рассудительность и степенность отмечали все, знавшие его смолоду...

Тем не менее. Друзьями его молодости будут — авангардист-ироник Даниил Иванович Хармс (1905–1942) и неподражаемый виртуоз дурашливого стихотворства Николай Макарович Олейников (1898–1942). Оба репрессированные и погибшие и оба навсегда оставшиеся ему родственными: органически, живо, кровно. Уж не говорим об Олейникове, сам вызывающий дилетантизм которого исключал понятие «эксперимент»; он, возможно, и не замышлявший стать — как все-таки стал — поэтом, сравнимым, с одной стороны, с литературным героем капитаном Лебядкиным, с другой — с Николаем Глазковым, озорничал по-домашнему, «капустнически»: «Жареная рыбка, / Дорогой карась, / Где ж ваша улыбка, / Что была вчерась?» Но и Хармса, ныне признанного классиком авангарда, — не меньшим, чем в живописи Кандинский или Малевич, — не повернется язык назвать экспериментатором лабораторного толка. Точно так же, как *Черный квадрат* Малевича можно, но нет смысла копировать, словесные чудачества Хармса невоспроизводимы — именно потому, что их ничего не стоит воспроизвести буквально. Например: «Одна старуха от чрезмерного любопытства вывалилась из окна, упала и разбилась. Из окна вывалилась другая старуха и стала смотреть на разбившуюся, но от чрезмерного любопытства тоже вывалилась и разбилась. Потом из окна вывалилась третья старуха, потом четвертая, потом пятая. Когда вывалилась шестая старуха...» — и т. п. Сравним: «Один из мальчиков бросил удочку, подпрыгнул и... упал плашмя на землю. Двое других подбежали к нему, подняли на вытянутых руках, свистнули. Мальчика вырвало на голову другого мальчика. ...Третий мальчик...» — вновь и т. п. Это уже нынешний «авангардист» Владимир Георгиевич Сорокин (р. 1955), и мало того, что копия — всегда не больше чем копия, но существенней то, что Хармс всем: образом жизни, внешним эксцентрическим обликом, бытовым изгойством — был адекватен своему творчеству. За что и расплатился, самой своей гибелью доказав несовместимость с «правильной» реальностью, — в отличие от «авангардистов» (кавычки — понятны?), превосходнейшим образом конвертирующих свои — якобы — странности.

В общем, дружество Заболоцкого с погибшими друзьями окажется и родством поэтическим, как таковое не прекратившись со зрелостью Заболоцкого, когда он, философ природы, станет вызывать ассоциации первом делом с Тютчевым и Баратынским. Но разве и в нем раннем не проглядывались ассоциации и влияния самые разнообразные, даже проистекавшие из внепоэтических сфер? В мире-перевертыше, который представал в *Столбцах*, угадывались впечатления от ученых Вернадского и Циолковского, от философа Федорова, от художников Босха, Брейгеля и Филонова, а говоря о поэтах, от тех же Тютчева и Баратынского. Но что выбирал молодой Заболоцкий в Тютчеве? Не поиски гармонии, а предсказание катастроф: «Когда пробьет последний час природы, / Состав частей разрушится земных...» Говорят, последняя строчка волновала его в особенности.

И вот Заболоцкий поздний, зрелый, по сравнению со *Столбцами*, кажется, чуть ли не гладкий: «Сквозь летние сумерки парка / По краю искусственных вод / Красавица, дева, дикарка — / Высокая лебедь плывет. / Плывет белоснежное диво, / Животное, полное грез, / Колебля на лоне залива / Лиловые тени берез»...

Женщина, одно время близкая Заболоцкому (что не сделало ее проницательней), предположила, что поздняя «классическая форма» — испуганная дань партии и цензуре, исконно враждебным любому авангардизму. Не более чутким нечаянно оказался другой поэт, также большой, но противоположной эстетической ориентации. Твардовский, кому как редактору *Нового мира* Заболоцкий принес свою *Лебедь в зоопарке* (1948) и который жестоко высмеял при своих соратниках строку «Животное, полное грез», заставив автора расплакаться (воспоминание С.И. Липкина).

«Я не ищу гармонии в природе», — написал в 1947 году Заболоцкий, отказываясь видеть в ней «разумную соразмерность начал». Так и было. Восприятие им и природы, и жизни в целом трагедийно — и куда трагедийней, чем в бунтарской молодости. У бунта есть выход — он сам, а «животное, полное грез», этот атом поэзии Заболоцкого (который и должен был возмутить Твардовского с его пониманием поэзии и поэтики), есть воплощение тоски по гармонии, которая, как по ней ни

П. Митурич. *О. Э. Мандельштам*

тоскуй, недоступна и невозможна. «Животное» и «грезы» — пик несовместимого; страдание, ставшее лишь сильней и осознанней оттого, что отлилось в ясную форму.

В ясную — комплимент, конечно, коварный, поскольку своей «простотой и доходчивостью» может хвалиться всякий слабенький стихотворец. Но с Заболоцким, Пастернаком и Мандельштамом случай совсем особый. Важно, какой материал преодолевали они, идя к победной прозрачности (в самом деле означавшей победу над хаосом в мире и смутой в себе самих). Что́ развивали и что преодолевали в своей душе и поэзии — сын ли уржумского агронома Заболоцкий, сын знаменитого художника и ученик Скрябина Пастернак и сын торговца-кожевенника

Мандельштам, с детства мучимый «косноязычьем рожденья», инородческой отторгнутостью от сияющего фасада империи: «С миром державным я был лишь ребячески связан, / Устриц боялся и на гвардейцев глядел исподлобья...»

Нечего говорить, что судьбы всех трех сложились разно, но речь и не только об опале и лагерях. Речь о самоощущении.

«Счастливый человек. Он никогда не будет озлобленным. Жизнь свою он должен прожить любимым, избалованным и великим». Так написал в 1924 году Виктор Шкловский о Пастернаке, и можно горестно усмехнуться: должен был, да ведь не прожил! Но вот признание самого Пастернака, где столько же смирения, сколько гордыни: «Я люблю свою жизнь и доволен ею» (очерк *Люди и положения*, 1956 год — за два года до травли в связи с Нобелевской премией, но уже давно в официальном полузабросе). А годом раньше, в стихотворении *Август*, где поэт предвидит свой смертный день и процессию от переделкинского дома к кладбищу, он скажет, о чем жалеет, что оставляет в прошедшей жизни: «Прощай, лазурь преображенская / И золото второго Спаса, / Смягчи последней лаской женскою / Мне горечь рокового часа. / Прощайте, годы безвременщины. / Простимся, бездне унижений / Бросающая вызов женщина! / Я — поле твоего сраженья. / Прощай, размах крыла расправленный, / Полета вольного упорство, / И образ мира, в слове явленный, / И творчество, и чудотворство».

Как неразрывны: «лазурь», знаменующая связь с небом, и «ласка женская»! Духовное и чувственное. Какой великолепный эгоцентризм! И как противоположно самоощущение Мандельштама, также готового проститься с жизнью!..

Невозможно представить судьбу страшнее — с постоянными гонениями, с арестами, с бесприютностью и нищетой, наконец, со смертью в лагерной бане, после чего труп, провалявшись на свалке, был брошен в общую яму. А вместе с тем поэзия Мандельштама не только не погружалась во мрак безысходности, но — напротив. Ахматова говорила, что «простор, широта, глубокое дыхание появились в стихах Мандельштама именно в Воронеже, когда он был совсем не свободен».

Действительно... «Мой щегол, я голову закину — / Поглядим на мир вдвоем: / Зимний день, колючий, как мякина, / Так ли жесток в зрачке твоем?» В стихотворении, написанном за два года до гибели — неминуемой, предвидимой, — он ищет в щегле, в «птичке Божией», собеседника, который мог бы сказать о мире нечто лучшее, чем то, на что сейчас способен он сам: «...Так ли жестк?..» Он еще надеется объяснить колючесть и жесткость мира ущербом собственного зрения, — так в работе *Разговор о Данте* (1933) он писал, что забота великого итальянца была о том, чтобы «снять катаракту с жесткого зрения».

«Активным строителем» назвала Мандельштама его вдова. Да, он, самолично ломавший свою судьбу («Вы берете себя за руку и ведете на казнь», — сказал ему еврейский поэт Перец Маркиш), был одержим жаждой строительства, восстановления, сочленения. «Век мой, зверь мой, кто сумеет / Заглянуть в твои зрачки / И своею кровью склеит / Двух столетий позвонки» (1922). И уже совсем предчувствуя гибель, хотя не имея возможности предсказать именно гулаговскую яму, он тем не менее загодя вообразит себя в общей, соборной беде со всем человечеством. И именно на низшей ступени ада.

В стихотворении *Ламарк* (1932) Мандельштам поведет речь о знаменитом натуралисте, располагавшем все сущее по принципу лестничной иерархии (от Бога к человеку, от человека — к четвероногим, птицам, рыбам, змеям, до низших организмов, до камней и земли), но мало-помалу обратится к созданию собственной антиутопии: «К кольчецам спущусь и к усоногим, / Прошуршав средь ящериц и змей, / По упругим сходням, по излогам / Сокращусь, исчезну, как Протей».

«В обратном, нисходящем движении с Ламарком по лестнице живых существ есть величие Данта, — скажет он прозой, в *Путешествии в Армению* (1923). — Низшие формы бытия — ад для человека». И стихотворное снисхождение с Ламарком, как с тенью Вергилия, есть в самом деле спуск в ад, где все обезличены, все страшно равны: «Роговую мантию надену, / От горячей крови откажусь, / Обрасту присосками и в пену / Океана завитком вопьюсь. / Мы прошли разряды насекомых / С наливными рюмочками глаз. / Он сказал: природа вся в разломах, / Зренья нет — ты зришь в последний раз. / Он сказал: довольно полнозвучья, / Ты напрасно Моцарта любил: / Наступает глухота паучья, / Здесь провал сильнее наших сил».

Ад, преисподняя в воображении человека — всегда сосредоточение самого противоестественного, отъятие самого необходимого. В апокалипсисе, привидевшемся Мандельштаму, — не эгоцентрическая обделенность чем-то особенным, индивидуальным, отличающим особь от особи, выделяющим из массы. Нет, просто нормальным. Речь не о гении Моцарта, а о тех многих, в сущности, всех, кто способен Моцарта слышать, любить. Не об обладателе какого-нибудь сверхзрения, а о всяком, кому дано «зрить».

Мандельштамовский ад — общий, всечеловеческий. Даже не дантовский с его иерархическими кругами, но ад, которого не заслуживает никто и в котором самый гениальный поэт оказывается вместе со всеми. Как оказался в лагерном аду сам Мандельштам. Как не миновала прикосновенность к этому аду другого великого поэта, Анну Андреевну Ахматову (1889–1966): «Нет, и не под чуждым небосводом, / И не под защитой чуждых крыл, / Я была тогда с моим народом, / Там, где мой народ, к несчастью, был» (*Реквием*, 1935–1940).

Умиляться простоте и демократизму великих — дурной тон. Борис Пастернак, «небожитель», по полупрезрительному замечанию Сталина, вглядывается в соседей по подмосковной электричке, радуясь быть среди

К. Родзевич.
М. И. Цветаева

них: «Превозмогая обожанье, / Я наблюдал, боготворя. / Здесь были бабы, слобожане, / Учащиеся, слесаря. / В них не было следов холопства, / Которые кладет нужда, / И новости и неудобства / Они несли, как господа» (*На ранних поездах*, 1941). Тем более Анна Ахматова, мать сына, оказавшегося в ГУЛАГе, самой судьбой освобожденная от пастернаковской экзальтации, до горькой самоиронии ощущала наивность претензий на отдельность этой судьбы: «Показать бы тебе, насмешнице / И любимице всех друзей, / Царскосельской веселой грешнице, / Что случится с жизнью твоей — / Как трехсотая, с передачею, / Под Крестами будешь стоять / И своею слезой горячею / Новогодний лед прожигать».

Но в ней было и еще нечто, свойственное не всем, даже великим.

Два женских имени в русской поэзии неизбежно неразделимы, так что Александр Солженицын, заслуженно высоко оценивая стихи Инны Львовны Лиснянской (р. 1928), начнет с оговорки: «До чего ж нелегко проложить свою самобытность после Ахматовой и Цветаевой!» (И угодит в самую точку, тем более что Лиснянская — не просто «после» или «между»: чистая «цветаевка» по открытому темпераменту, она тем не менее за годы своего совершенствования проделала путь к «ахматовской» сдержанности, гармонии и мере.) Но имена — контрастны, что ревниво отметила дочь Марины Ивановны Цветаевой (1892–1941) Ариадна Эфрон: «...М. Ц. была безмерна, А. А. — гармонична; отсюда разница

276

их (творческого) отношения друг к другу. Безмерность одной принимала (и любила) гармоничность другой, ну, а гармоничность не способна воспринимать безмерность...»

Это не совсем так. Цветаева, в 1916 году посвятив Ахматовой одиннадцать (!) восторженных стихотворений, много позже, прочитав ее книгу, отметила: «Старо, слабо». Но сам контраст указан верно. «Что же мне делать, певцу и первенцу, / В мире, где наичернейший сер! / Где вдохновенье хранят, как в термосе! / С этой безмерностью / В мире мер?!» (1923). Вот самоощущение Цветаевой. На ахматовское — непохожее.

Да и муж Марины и отец Ариадны, Сергей Эфрон, ставил свой диагноз жене (пусть на сей раз житейски жалуясь на ее измены ему): «М. — человек страстей... Отдаваться с головой своему урагану — для нее стало необходимостью, воздухом ее жизни. Кто является возбудителем этого урагана сейчас — неважно. Почти всегда... вернее всегда, все строится на самообмане. Человек выдумывается, и ураган начался. Если ничтожество и ограниченность возбудителя урагана обнаруживается скоро, М. предается ураганному же отчаянию. ...Что — неважно, важно, как».

Такая зависимость от своих гиперболических чувств, невыносимая для других, но прежде всего для себя, — суть цветаевской поэзии: «О черная гора, / Затмившая — весь свет! / Пора — пора — пора / Творцу вернуть билет. / Отказываюсь — быть. / В Бедламе нелюдей / Отказываюсь — жить. / С волками площадей / Отказываюсь — выть».

Повод для отчаяния конкретен: немецкая оккупация Чехословакии в 1939 году. Но готовность к отчаянию постоянна. Цветаева — истинная *отказница*, в которой всегда перевешивает страдание, отрицание, поистине «безмерное». Вплоть до того, что двустишие, которое венчает собою стихотворение 1934 года *Тоска по родине!..*, а именно: «Но если по дороге куст / Встает, особенно — рябина...», — это потрясающее душу двустишие предваряется тридцатью восьмью строками, яростно отрицающими возможность самой тоски. Доказывающими, что она — «морока»: «Не обольщусь и языком / Родным, его призывом млечным. / Мне безразлично, на каком / Непонимаемой быть встречным! / ...Так край меня не уберег / Мой, что и самый зоркий сыщик / Вдоль всей души, всей — поперек! / Родимого пятна не сыщет! / Всяк дом мне чужд, всяк храм мне пуст, / И все — равно, и все — едино»...

И лишь тут — то самое: «Но если по дороге — куст...»

Странная мысль: а если б, не приведи Бог, сердце остановилось на тридцать восьмой строке, если б рука не успела вывести тридцать девятую, — что мы тогда сказали бы об этих стихах? Мол, апология бездомности и безродности?

Ни за что не сказали бы, ибо, отрекаясь от родного языка, взять да и назвать его «млечным» (детское, сладкое воспоминание!) — не значит ли явить тоску самым убедительным образом? И все же написанное до —

воплощено, пережито, никуда не делось. Основная — не только по объему — часть стихотворения отдана отталкиванию, отторжению, изыманию из себя.

Это — мука Цветаевой. Это ее характер: «Я любовь узнаю по боли...» А если боль — самый первый признак любви, как не желать боли?

Сам страдальческий образ собственной бездомности в «мире мер», навеянный — пока что — вполне благополучным зрелищем еврейского квартала в Праге: «Гетто избранничеств! Вал и ров... / В сем христианней-шем из миров / Поэты — жиды!» — этот образ воплощает не просто лич-ную загнанность. Вообще — не ее. Ведь гетто — «избранничеств», а не «из-гнанничеств»; такое гетто, на пребывание в котором жаловаться так бессмысленно, как на саму свою избранность. На призвание поэта. На талант. И разве так уж хочется туда, через вал и ров, к тем, кто не избран? К тем, кого презираешь со всей — опять же — безмерностью? «Кто — чтец? Старик? Атлет? / Солдат? — Ни черт, ни лиц, / Ни лет. Скелет — раз нет / Лица: газетный лист! / Которым — весь Париж / С лба до пупа одет. / Брось, девушка! / Родишь — / Читателя газет» (1935).

Эти ненависть и презрение — к кому? За что? К людям, у которых нет сил и потребности поднять глаза выше газетного листа, — только за это?.. И как, повторю, контрастно самоощущение Ахматовой!

В ее *Поэме без героя* (1940–1962) были строки, обращенные к любимо-му: «Ты, мой грозный и мой последний / Светлый слушатель темных бред-ней, / Упованье, прощенье, честь! / Предо мной ты горишь, как пламя, / Надо мной ты стоишь, как знамя, / И целуешь меня, как лесть. / Положи мне руку на темя...»

Почему были? Потому что возлюбленный изменил, предал, и Ахма-това переделала строки: «Ты, не первый и не последний, / Темный слуша-тель светлых бредней, / Мне какую готовить месть? / Ты не выпьешь, толь-ко пригубишь / Эту горечь из самой глуби — / Этой нашей разлуки весть. / Не клади мне руку на темя...»

Что произошло? Обида брошенной женщины заставила ее (ах, ты так!) заменить слова любви словами нелюбви? Житейски оно так и вы-глядит, но вот в чем чудо поэзии: строки просто хорошие стали потряса-ющими. Словно судьба настигла Ахматову в тот самый миг, когда душа поверила в свое незаконное счастье (разрешив себе даже банальные риф-мы «пламя — знамя»). И, настигнув, все слова точно расставила по мес-там, ввергнув душу в привычное для нее *достоинство страдания*.

Обрести достоинство, то есть духовную независимость, даже в стра-дании — это победа. Победа искусства, победа личности над всем — над превратностями обстоятельств и капризами власти, над своими страха-ми и соблазнами. Не зря: «Осип победил», — говорила Ахматова о друге и любимом поэте, о Мандельштаме, объясняя, что это значит: «То, что без чужой помощи, не прилагая никаких усилий, кроме тех, что пошли на написание стихов, он победил. Все было против него, но он победил».

278

Ю. Анненков.
А. А. Ахматова

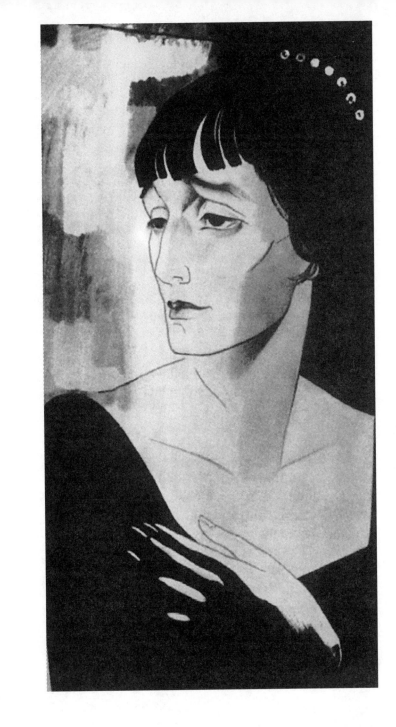

Как понимать: «не прилагая никаких усилий»?

Но дальше ведь сказано: «кроме...» Кроме тех — неоценимых, неподотчетных — усилий, которые направлены целиком на творчество. На то, что совсем не кощунственно назвать ... да хоть бы и так, как та же Ахматова, услыхав, что кто-то назвал некое стихотворение шуточным, вдруг сказала: «Все стихи шуточные».

Кто говорит? Российская Муза Плача?

Конечно, в примитивно-буквальном смысле кто же решится назвать цветаевскую *Тоску по родине*!.. или ахматовский *Реквием* шуточными? Но автор *Реквиема* имеет право так говорить. Ибо знает: рожденная настоящим страданием, поэзия — и в целом литература, искусство — рождается, чтоб не пригнуть человека этим страданием, а возвысить его. Потешить его дух! Не случайно же Блок, говоря о Пушкине, выбирает для него такие эпитеты: «веселое имя... легкое имя...» И как бы он ни объяснял, что «роль поэта — не легкая и не веселая; она трагическая», все равно или тем более: Пушкин «легко и весело умел нести свое творческое бремя...»

Это — Пушкин. О Достоевском или Цветаевой не скажешь: «легко», «весело», но если мы с вами покуда живы духовно и надеемся жить, причиной тому — наша словесность, не дающая воли к жизни угаснуть.

Библиография

асть первая

АЛИШЕВСКИЙ К. Роман одной императрицы. М., 1989.

ОРИН А.Л. Глагол времен. — В кн.: Свой подвиг свершив. М., 1987.

ИХАЧЕВ Д.С. Великий путь. Становление русской литературы XI-XVII веков. М., 1987.

ОТМАН Ю.М. Сотворение Карамзина. М., 1987.

АССАДИН С.Б. Сатиры смелый властелин. М., 1985.

усская литературная критика XVIII века. М., 1978.

ЕРМАН И.З. Русский классицизм. Поэзия. Драма. Сатира. Л., 1973.

ТАРЦЕВ А.И. Радищев. Годы испытаний. М., 1990.

ОДАСЕВИЧ В.Ф. Державин. М., 1988.

ЙДЕЛЬМАН Н.Я. Последний летописец. М., 1983.

ЙДЕЛЬМАН Н. Я. Твой восемнадцатый век. М., 1986.

асть вторая

БРАМОВИЧ С.Л. Пушкин. Последний год. М., 1991.

НДРЕЙ БЕЛЫЙ. Проблемы творчества. Статьи. Воспоминания. Публикации. М., 1988.

ННЕНКОВ П.В. Литературные воспоминания. М., 1983.

АННЕНКОВ П.В. Материалы для биографии Пушкина. М., 1985.

АННЕНСКИЙ И.Ф. Книги отражений. М., 1979.

АННИНСКИЙ Л.А. Лесковское ожерелье. М., 1986.

А.С. Грибоедов в воспоминаниях современников. М., 1980.

А.С. Пушкин в воспоминаниях современников. В 2-х т. М., 1985.

БАХТИН М.М. Проблемы поэтики Достоевского. М., 1979.

БЕРДЯЕВ Н.А. Миросозерцание Достоевского. — В кн.: Н.А. Бердяев о русской философии. В 2-х. Т. 1. Свердловск, 1991.

БЕРКОВ П.Н. Козьма Прутков, директор Пробирной палатки и поэт. Л., 1933.

ВАЦУРО В.Э. «Северные цветы». История альманаха Дельвига — Пушкина. 1978.

ВЕРЕСАЕВ В.В. Гоголь в жизни. М., 1990.

ВЕРЕСАЕВ В.В. Пушкин в жизни. Соч. в 4-х т. Т. 2, 3. М., 1990.

ВИСКОВАТОВ П.А. Михаил Юрьевич Лермонтов. Жизнь и творчество. М., 1987.

ВОДОВОЗОВА Е.Н. На заре жизни. Мемуарные очерки и портреты. М., 1987.

ВЯЗЕМСКИЙ П.А. Записные книжки (1813–1848). М., 1963.

ГЕРШЕНЗОН М.О. Грибоедовская Москва. П. Я. Чаадаев. Очерки прошлого. М., 1989.

ГОРДИН М.А. Жизнь Ивана Крылова. М., 1985.

ГОРДИН Я.А. Право на поединок. Л., 1989.

ГУКОВСКИЙ Г.А. Пушкин и русские романтики. М., 1965.

ДОСТОЕВСКАЯ А.Г. Воспоминания. М., 1971.

И.А. Крылов в воспоминаниях современников. М., 1982.

И.С. Тургенев в воспоминаниях современников. В 2-х т. М., 1969.

КАРЯКИН Ю.Ф. Достоевский и канун XXI века. М., 1989.

КЕРН А.П. Воспоминания. Дневники. Переписка. М., 1974.

КОШЕЛЕВ В.А. Алексей Степанович Хомяков, жизнеописание в документах, в рассуждениях и разысканиях. М., 2000.

КОШЕЛЕВ В.А. К. Батюшков. Странствия и страсти. М., 1987.

ЛАКШИН В.Я. Островский. М., 1976.

ЛЕСКОВ А.Н. Жизнь Лескова по его личным, семейным и не семейным записям и памятям. В 2-х т. М., 1984.

Л.Н. Толстой в воспоминаниях современников. В 2-х т. М., 1978.

ЛОТМАН Ю.М. Пушкин. Биография писателя. Статьи и заметки 1960–1990. «Евгений Онегин». Комментарий. СПб, 1995.

М.Ю. Лермонтов в воспоминаниях современников. М., 1989.

НЕМЗЕР А.С. «Сии чудесные виденья...» — В кн.: Свой подвиг свершив. М., 1987.

ПАНАЕВА А.Я. Воспоминания. М., 1972.

ПЕРЕЛЬМУТЕР В.Г. «Звезда разрозненной плеяды!..» Жизнь поэта Вяземского, прочитанная в его стихах и прозе, а также в записках и письмах его современников и друзей. М., 1993.

ПЕТРОВ А.Н. (автор-составитель). Личность и судьба Федора Тютчева. Пушкино Моск. области, 1992.

РАССАДИН С.Б. Гений и злодейство, или Дело Сухово-Кобылина. М., 1989.

РАССАДИН С.Б. Русские, или Из дворян в интеллигенты. М., 1995.

РАССАДИН С.Б. Спутники. Дельвиг. Языков. Давыдов. Бенедиктов. Вяземский. М., 1983.

Речи о Пушкине. 1860–1960-е годы. М., 1999.

СОЛЛОГУБ В.А. Воспоминания. М. — Л., 1931.

ТОЛСТАЯ С.А. Дневники. В 2-х т. М., 1978.

ТУРКОВ А.М. Салтыков-Щедрин. М., 1965.

ФАРЕСОВ А. Против течений. Н.С. Лесков. Его жизнь, полемика и воспоминания о нем. СПб, 1904.

ФЕТ А.А. Воспоминания. М., 1983.

Ф.М. Достоевский в воспоминаниях современников. В 2-х т. М., 1990.

ХЕТСО Г. Евгений Баратынский. Жизнь и творчество. Осло, 1973.

ЦВЕТАЕВА М.И. Мой Пушкин. М., 1967.

ЧУКОВСКАЯ Л.К. «Былое и думы». М., 1966.

ЧУКОВСКИЙ К.И. Некрасов. Статьи и материалы. Л., 1926.

ШКЛОВСКИЙ В.Б. Лев Толстой. М., 1963.

ЩЕГОЛЕВ П.Е. Дуэль и смерть Пушкина. Исследования и материалы. М., 1987.

ЭЙДЕЛЬМАН Н.Я. Быть может, за хребтом Кавказа... Русская литература и общественная мысль первой половины XIX в. Кавказский контекст. М., 1990.

Часть третья

А.П. Чехов в воспоминаниях современников. М., 1960.

БАБОРЕКО А.К. И.А. Бунин. Материалы для биографии. М., 1983.

БАРАНОВ В.М. Горький без грима. М., 1997.

БЕЛИНКОВ А.В. Юрий Тынянов. М., 1965.

БЕЛКИНА М.И. Скрещение судеб. Попытка Цветаевой. Попытка сына ее Мура, дочери Али. Встречи и невстречи. М., 1999.

БЕРБЕРОВА Н.Н. Курсив мой. Автобиография. М., 1996.

БРЮСОВ В.Я. Среди стихов. 1894–1924. М., 1990.

БУЛГАКОВА Е.С. Дневник Елены Булгаковой. М., 1990.

БУНИН И.А. Освобождение Толстого. О Чехове. Воспоминания. Дневники. Статьи. — Собр. соч. в 6 т. Т. 6. М., 198_.

В. Маяковский в воспоминаниях современников. М., 1963.

ВИЛЬМОНТ Н.Н. О Борисе Пастернаке. Воспоминания и мысли. М., 1989.

ВОЛКОВ С.М. Диалоги с Иосифом Бродским. М., 1998.

Воспоминания об Илье Ильфе и Евгении Петрове. М., 1963.

Воспоминания о Юрии Олеше. М., 1975.

ГЕНИС А.А. Довлатов и окрестности. М., 1999.

ЕРШТЕЙН Э.Г. Мемуары. СПб., 1998.

АВИДСОН А.Б. Муза странствий Николая Гумилева. М., 1992.

АНИН Д.С. Бремя стыда. М., 1996.

ВТУШЕНКО Е.А. Строфы века. Антология русской поэзии. М., 1994.

АБОЛОЦКИЙ Н.А. Огонь, мерцающий в сосуде... Стихотворения и поэмы. Переводы. Письма и статьи. Жизнеописание. Воспоминания современников. Анализ творчества. М., 1995.

. Бабель. Воспоминания современников. М., 1972.

ВАНОВ Г.В. Петербургские зимы. Мемуары. — В кн.: Георгий Иванов. Стихотворения. Третий Рим. Петербургские зимы. Китайские тени. М., 1989.

АРАБЧИЕВСКИЙ Ю.А. Воскресение Маяковского. М., 1990.

УДРОВА И.В. Версты, дали... Марина Цветаева. 1922–1939. М., 1991.

АЗАРЕВ Л.И. Шестой этаж, или Перебирая наши даты. Книга воспоминаний. М., 1999.

АЗАРЕВ Л.И. Это наша судьба. Заметки о литературе, посвященной Великой Отечественной войне. М., 1983.

ЛИПКИН С.И. Квадрига. Повесть. Мемуары. М., 1997.

ЛИТВИНОВ В.М. Вокруг Шолохова. М., 1991.

ЛИФШИЦ Б.К. Полутораглазый стрелец. Стихотворения. Переводы. Воспоминания. Л., 1989.

ЛУКНИЦКАЯ В.К. Материалы к биографии Н. Гумилева. — В кн.: Николай Гумилев. Стихи. Поэмы. Тбилиси, 1988.

МАНДЕЛЬШТАМ Н.Я. Воспоминания. М., 1989.

МАНДЕЛЬШТАМ Н.Я. Вторая книга. М., 1990.

Мандельштам О.Э. Слово и культура. М., 1987.

Михаил Зощенко. Воспоминания современников. М., 1981.

НАГИБИН Ю.М. Дневник. М., 1996.

НЕМЗЕР А.С. Литература сегодня. О русской прозе. 90-е. М., 1998.

НИКОЛЮКИН А.Н. Голгофа Василия Розанова. М., 1998.

Об Анне Ахматовой. Стихи. Эссе. Воспоминания. Письма. Л., 1990.

ОДОЕВЦЕВА И.В. На берегах Невы. М., 1988.

ОДОЕВЦЕВА И.В. На берегах Сены. М., 1989.

ОРЛОВ В.Н. Гамаюн. Жизнь Александра Блока. М., 1978.

ПАСТЕРНАК Б.Л. Материалы для биографии. М., 1989.

Первый Всесоюзный съезд Союза советских писателей. 1934. Стенографический отчет. М., 1990.

РАССАДИН С.Б. Булат Окуджава. М., 1999.

РАССАДИН С.Б. Очень простой Мандельштам. М., 1994.

Русские писатели 20 века. Биографический словарь. М., 2000.

РЫБАКОВ А.Н. Роман-воспоминание. М., 1997.

САМОЙЛОВ Д.С. Памятные записки. М., 1995.

СИМОНОВ К.М. Глазами человека моего поколения. Размышления о И.В. Сталине. М., 1988.

СОЛЖЕНИЦЫН А.И. Бодался теленок с дубом. Очерки литературной жизни. М., 1996.

СТРУВЕ Н.А. Осип Мандельштам. Лондон, 1990.

ХОДАСЕВИЧ В.Ф. Среди современников. Очерки. — В кн.: Владислав Ходасевич. Колеблемый треножник. Избранное. М., 1991.

ЧУДАКОВА М.О. Жизнеописание Михаила Булгакова. М., 1988.

ЧУКОВСКАЯ Л.К. Записки об Анне Ахматовой. М., 1997.

ЧУКОВСКИЙ К.И. Александр Блок как человек и поэт. Петроград, 1924.

ЧУКОВСКИЙ К.И. Дневник 1901–1929. М., 1997.

ЧУКОВСКИЙ К.И. Дневник 1930–1969. М., 1997.

ЧУКОВСКИЙ К.И. От Чехова до наших дней. СПб.—М., 1908.

ЧУКОВСКИЙ К.И. Современники. Портреты и этюды. М., 1967.

ЧУПРИНИН С.И. Крупным планом. Поэзия наших дней: проблемы и характеристики. М., 1983.

ШВАРЦ Е.Л. Телефонная книжка. М., 1997.

ЭРДМАН Н.Р. Пьесы. Интермедии. Письма. Документы. Воспоминания современников. М., 1920.

ЯНОВСКАЯ Л.М. Творческий путь Михаила Булгакова. М., 1983.

Именной указатель

Рассадин Станислав Борисович

Р 24   Русская литература: от Фонвизина до Бродского. — М.:
СЛОВО/SLOVO, 2001. — 288 с. , ил.

В книге по-новому представлена история русской литературы. Автор
отбирает и анализирует то, что сохранилось в ней сегодня как живое чтение, что вызывает живой, а не только специальный интерес. Путь зарождения и становления нашей словесности рассматривается как путь развития
творческой личности писателя.

Издание предназначено широкому кругу читателей, интересующихся
русской культурой.

УДК 882(09)
ББК 83.3(2Рос-Рус)

ISBN 5-85050-595-4

Издательство СЛОВО/SLOVO
109147, Москва, Воронцовская, 41
тел. (095) 911-05-52, 911-22-50, тел./факс 911-61-33
e-mail: slovo@slovo-pub.ru www.slovo-online.ru

**Отпечатано в ОАО «Типография «Новости»,
107005 Москва, ул. Фридриха Энгельса, 46**